La langue au ras du texte

Françoise Atlani, Laurent Danon-Boileau,
Almuth Grésillon, Jean-Louis Lebrave,
Jenny Simonin

La langue au ras du texte

Préface d'Antoine Culioli

Ouvrage publié avec les concours
du Centre National de la Recherche Scientifique
et du Conseil Scientifique de l'Université de Paris VII

PRESSES UNIVERSITAIRES DE LILLE

ISBN 2-85939-227-0
Livre imprimé en France

Avant-propos

Les textes rassemblés ici manifestent quelques positions fondamentales que nous tenons sur l'analyse de la langue. Notre activité de linguistes n'est pas dissociée des questions que nous nous posons en tant que sujets parlants sur le langage.

Nous travaillons sur du texte, car : 1) certaines régularités dépassent le cadre phrastique; 2) le texte est considéré comme la trace d'une activité langagière qui fait sens, et pas uniquement comme séquence de formes possible dans une langue donnée. Se trouve ainsi intégrée la problématique de la valeur des formes. En effet, chacun des articles part d'une forme ou d'une configuration linguistique, traditionnellement traitée comme une (« on », les démonstratifs, la forme syntaxique de l'interrogation, un ensemble de marqueurs énonciatifs), et fait apparaître la nécessité de distinguer des fonctionnements hétérogènes.

Il s'avère impossible d'analyser ces fonctionnements sans prendre en compte la relation énoncé-énonciation. La notion d'énonciation fait ici l'objet d'une remise au point : il ne s'agit pas de faire appel à la conception naïve et réaliste des locuteurs extra-linguistiques (telle qu'on la trouve dans les travaux du courant pragmatique, par exemple), mais de construire des objets théoriques qui permettent d'expliciter les opérations rendant compte de ces fonctionnements hétérogènes.

Nous travaillons sur du texte attesté. Le corpus ne reflète pas, selon nous, une compétence linguistique homogène ; il est, au contraire, la manifestation de la diversité des modes de construction textuelle possibles.

Françoise Atlani
Laurent Danon-Boileau
Almuth Grésillon
Jean-Louis Lebrave
Jenny Simonin

En guise d'introduction

Le présent recueil d'articles s'appelle donc, d'un titre révélateur, **la langue au ras du texte**. *Chaque terme vaut la peine d'être explicité :* **la langue** *renvoie, de façon désormais classique, à la fois à ces formes matérielles (à ces figures), dont les agencements réguliers sont la trace d'opérations qui ne nous sont accessibles que par le biais des marqueurs. La langue se relie donc nécessairement à l'activité de langage comme activité de régulation inter-subjective (entre des sujets dans leur singularité historique, psychique et sociologique) et trans-individuelle (cohésion institutionnelle ; conduites de groupe ; rites et jeux de langage; etc.), et comme activité de représentation. Si le linguiste a souvent tendance à privilégier cette dernière, il doit être entendu que la régulation passe aussi par des représentations et que les représentations (qu'il s'agisse de nos représentations mentales ou de ces représentations au deuxième degré que sont les langues) se construisent et se déforment au gré d'une incessante inter-action régulatrice.*

Le mot **texte**, *tel qu'il est employé ici, a une acception restreinte, puisque nos cinq auteurs s'accordent à désigner ainsi un texte écrit et « attesté ». Ce choix se fonde non point sur une méfiance inavouée à l'égard de l'oral, ou encore sur une quelconque nostalgie envers le beau texte, mais s'appuie sur des raisons scientifiques qu'il importe de préciser. En premier lieu, le texte suivi à support écrit possède ses propres contraintes linguistiques (nous laisserons de côté les aspects esthétiques) : règles de production et de reconnaissance, en particulier statut particulier de l'interlocution différée entre scripteur et lecteur, règles de cohérence (ruptures ; reprises ; ajustements) et de modes de construction des valeurs référentielles. En second lieu, et cela découle du point précédent, le texte écrit est un objet d'étude en soi et n'est pas du texte oral plus de « l'écriture » (de même, il faut le rappeler, que l'oral n'est pas du texte écrit avec de « l'écriture » en moins). Oral et écrit ont cha-*

cun leur spécificité et l'on ne peut espérer passer de l'un à l'autre par adjonction ou suppression d'ingrédients différentiels. De même, le texte écrit nous force, de façon exemplaire, à comprendre que l'on ne peut pas passer de la phrase (hors prosodie, hors contexte, hors situation) à l'énoncé, par une procédure d'extension. Il s'agit en fait d'une rupture théorique, aux conséquences incontournables. On ne règle pas un problème de cette portée par une valse terminologique ou par l'insertion, à point nommé, de tel concept sans statut théorique qui, par quelque miracle, transformerait la phrase en énoncé. Un énoncé n'est pas une phrase plus du discursif, ou une phrase agrémentée de subjectivité ; le paragraphe n'est pas une varitété d'énoncé transphrastique; l'énoncé (ou le paragraphe) n'est pas une unité plus haute (ou plus basse, si l'on conçoit l'énoncé comme la descente dans l'empirique) à laquelle on accèderait comme on gravit une échelle. Mais faut-il donc en retourner à la collecte de données éparses et morcelées à travers un corpus et se refuser la commodité, désormais suspecte, de la manipulation (méta)-linguistique, bref, n'accepter que ce qui serait authentifié par le simple fait que cela aurait été produit par des sujets non-linguistiques, hors de toute simulation ? Une telle conclusion serait erronée : ce que les auteurs veulent ici prendre en considération, ce sont ces contraintes du texte écrit qui, si nous voulons bien les reconnaître, nous empêcheront d'escamoter certaines questions théoriques d'une importance primordiale sur énonciation et interlocution ou énonciation et référence. Ce recueil n'est donc pas une manière d'exclure, mais plutôt une invite à inclure dans le champ des observables des phénomènes qui nous contraignent à nous dégager d'une conception simpliste de la référenciation comme renvoi à une réalité objective et stable, ou de l'énonciation comme un schéma d'émission-réception entre les interlocuteurs transparents. Ainsi, J. Simonin étudie les repérages énonciatifs dans les textes de presse, c'est-à-dire des textes décrochés du moment de production et sans interlocution définie. F. Atlani s'appuie aussi, pour nous parler de **On, l'illusioniste,** *sur un corpus de textes tirés de la presse quotidienne et portant sur un même événement. Chez A. Grésillon et J.-L. Lebrave, c'est la* **Lutezia** *de H. Heine qui amène à réfléchir sur* **Qui interroge qui et pourquoi**. *Quant à L. Danon-Boileau, il s'attache à montrer, à travers certains emplois de* **that** *en anglais, que l'on ne saurait se contenter de ramener* **that** *et* **this** *à un jeu de l'anaphore face à la deixis. On retrouve, à chaque fois, un point de départ textuel, une analyse minutieuse, et une élaboration théorique.*

Au ras du texte *vient, dans le titre, rappeler de façon opporturne que l'on rencontrera ici un soin méticuleux dans l'observation fine, une minutie dans le détail significatif, qui me paraissent indispensables. J'ai, à mainte reprise, écrit qu'il n'y avait pas en linguistique de petits faits, ou, proposi-*

tion voisine, que les petits faits étaient essentiels. Ces articles montrent bien que seul le respect scrupuleux des **formes** permet une théorisation qui ne soit pas une belle envolée. Que l'on reprenne, par exemples, les études sur **wirklich, aber, doch** chez A. Grésillon et J.-L. Lebrave, ou l'analyse de **on** chez J. Simonin ou F. Atlani : on verra que la linguistique au ras du texte est une linguistique des fondements et qu'il n'y a pas (loin de là) antinomie entre l'élaboration théorique et le traitement d'un corpus contraint.

Il est clair, en particulier, que l'un des problèmes que l'on retrouve à travers les articles est celui que pose l'introduction dans l'appareil théorique de termes tels qu'interlocuteur fictif ou locuteur virtuel, ou encore l'analyse de la relation qui existe entre l'ostension **in praesentia**, la deixis comme construction d'un système de repérage qui permet d'opérer grâce à des représentations détachées de l'activité ostensive, l'anaphore comme repérage inter-textuel, pour ne pas citer que quelques-unes des questions suggérées par la lecture des articles. Il n'appartient pas au préfacier de transformer des notes introductives en un article, et il serait déplacé d'engager le lecteur dans des développements techniques, mais, que l'on ne s'y trompe pas, il est possible de redoubler par un raisonnement formel ce qui est dit, par exemple, sur **on**, ou sur la double locution au sens où l'entendent A. Grésillon et J.-L.Lebrave. En particulier, ces articles montrent, même s'ils ne le disent pas, l'intérêt qu'il y a à distinguer entre l'instance de locution, où l'on opère avec des locuteurs, pris dans un mécanisme d'émission-réception qui engage des personnes physiquement situées, dans des successions d'événements locutifs, nécessairement munis de déterminations spatio-temporelles, et l'instance-origine notée Sit_{0}, où le concept d'énonciateur (ainsi que de co-énonciateur) renvoie à la fois une instance formelle dans une certaine topique et à un sujet constitué, avec des désirs, ses croyances, son travail mnésique et ses valuations. Sans entrer dans le détail, disons que tout va ici se jouer à partir de la double relation locuteur-interlocuteur (où l'on a des membres différenciés par une altérité radicale qui les sépare) et énonciateur-co-énonciateur (où l'on a simple altérité entre les deux membres qui peuvent être séparés, mais qui peuvent aussi être ramenés à l'équivalence d'une relation interchangeable [1]). Locuteur-interlocuteur sont séparés, énonciateur-co-énonciateur sont séparables. Mais ceci n'est qu'une partie de l'histoire puisqu'il resterait à montrer comment on construit un repère fictif, décroché par rapport à l'instance-origine (relation de rupture notée) et qui est l'image confondue de l'énonciateur et du co-énonciateur ; comment ce repère décroché va constituer un point de rebroussement, à partir duquel, on le voit, trois chemins sont envisageables : retour vers l'énonciateur, retour vers le co-énonciateur, ou ni-le-premier-chemin-ni-le-second (c'est-à-dire maintien en position décrochée par rapport à l'instance-origine), outre un mixte *des trois possibilités, ce qui fournit par cumulation la valeur composite de l'opérateur de repérage notée * (étoile). Ce jeu complexe de valeurs modulées apparaît dans des énoncés d'une aussi grande quotidienneté que le suivant, garanti authentique : «Nous, on se demande pourquoi on nous regarde toujours de travers quand on va à la boulangerie pour acheter notre pain. Il y a comme ça des magasins, quand on n'a pas l'air bien habillé, on vous regarde de travers ».*

On l'a compris, ceci n'est pas une préface, mais une digression reconnaissante, provoquée par l'effet stimulant de ces articles, où le jeu des convergences et des discontinuités force à un travail d'achèvement personnel pour le plus grand profit du lecteur.

Antoine CULIOLI

1. Ceci est une simplification, car la relation est toujours centrée, et l'interchangeabilité stricte n'est qu'un cas particulier.

ON L'illusioniste

Françoise Atlani

Le caméléon se joue de ceux qui l'observent en s'identifiant à ce qui l'entoure. En revanche, *on* est trompe l'oeil parce qu'il contraint son environnement à obéir à ses propres règles. Immuable, son ubiquité le fait insaisissable et lui permet de se jouer de tous les tours de linguiste.

Si l'intuition fait pressentir des réalités discursives hétégorènes, le risque est de présenter une voie de reconnaissance qui l'opacifie davantage. Les grammairiens l'ont classé, le linguiste l'interprète et *on* se dérobe.

Nous nous sommes pris à ce jeu : le reconnaître pour mieux le confondre.

Les grammaires traditionnelles [1] classent *on* dans la catégorie des « pronoms indéfinis », classification justifiée par deux critères : tous les pronoms indéfinis ont pour caractère commun d'être nominaux puisqu'ils « peuvent assumer dans la phrase des fonctions de substantifs » ; ils fournissent, d'autre part, une information d'ordre quantitatif ou qualitatif.

Ainsi, dans le cadre général, *on* est présenté avec un certain nombre de spécificités : (1) il n'assume que la fonction « sujet » du substantif, (2) il « sert à désigner d'une manière générale une ou plusieurs personnes » ou encore « il évoque sous un aspect indéterminé une ou plusieurs personnes. . . ou un ensemble d'individus » [2]. Les grammaires justifient de manière un peu différente un troisième trait spécifique de *on,* à savoir sa valeur « affective ». Il l'acquiert parce qu'il peut se substituer à tous les pronoms personnels, ou encore il peut désigner une ou plusieurs personnes déterminées, et par syllepse de la personne, prendre « la valeur d'un des pronoms personnels *je, tu, il, nous, vous, ils* ».

J. Dubois [3], quant à lui, classe *on* dans la catégorie des « pronoms personnels » dans la mesure où il n'apparaît qu'en position de « sujet grammatical ». De là, les caractéristiques suivantes : (1) *on* peut se substituer à

« personne » et d'autre part « personne » et « quelqu'un » peuvent servir de « suppléant » de *on* dans les places autres que celles de sujet grammatical, (2) *on* se définit comme la négation du système de référents personnels *(je, tu, ils, nous, vous, ils)* qui « traduisent les rapports entre les interlocuteurs » [4], puisque *on* ne porte aucune marque spécifique de la personne. En tant que « négation du système », ce pronom personnel ne comporte aucune marque de genre ou de nombre, et, par conséquent, (3) *on* peut se substituer à tous les pronoms personnels en donnant peu d'indications sur la personne et cependant « une quantité d'information plus importante, qui vient de sa fréquence moins grande » [5]. C'est ce qui lui confère sa « valeur affective ».

La différence entre ces deux approches porte, pour l'essentiel, sur la classification. Dans un cas, *on* est un « pronom indéfini » et dans l'autre un « pronom personnel ». Or, dans les deux démarches, la « valeur affective » de *on* trouve sa justification dans le fait qu'il se substitue à un autre pronom personnel. L' « écart » entre *on* et tout autre pronom personnel serait alors d'ordre rhétorique [6] : il est donc possible de retrouver quel pronom correspond à tel *on* dans un énoncé [7]. Attribuer à *on* une « valeur affective » ou une « valeur rhétorique » n'explique rien et laisse supposer, de surcroît, que dans la langue il y aurait un « en plus», le rhétorique, dont on pourrait donner un équivalent non rhétorique par une opération de substitution. Ce critère de substitution impose, par ailleurs, de ne pas spécifier ce qu'implique la dimension d' « indéfini » pour un pronom personnel en position de sujet grammatical, et d'autre part classer *on* comme un « indéfini » semble interdire de le considérer comme un pronom personnel. Les tentatives qui réduisent *on* à un « indéfini » ou à un « pronom personnel » bloquent l'analyse. C'est peut-être en tenant compte de son hétérogénéité que nous pourrons montrer le caractère homogène de cette forme.

Ce qui n'est pas relevé dans ces grammaires, c'est le caractère exceptionnel du français sur ce point particulier. Ce que l'on peut d'ailleurs comprendre puisque leur objectif est de décrire une langue spécifique et non pas de proposer une explication plus générale du fonctionnement linguistique.

Ainsi, en espagnol, il n'existe pas d'équivalent formel unique du pronom *on*. L'épreuve de la traduction permet de le montrer. Prenons, à titre d'exemples, quelques énoncés français :

(1) On frappe à la porte !

(2) On l'a vu entrer.

(3) On y vient tous les jours.

(4) Quand on aime ça comme moi . . .

(5) Heureusement, on a perdu la guerre !

Dans l'énoncé (1), il serait impossible de traduire par un singulier « Toca à la puerta ! » car une telle traduction laisserait supposer que la personne qui frappe à la porte est connue, identifiée. La traduction par un pluriel, « Tocan a la puerta » permet de conserver l'indétermination.

L'énoncé (2) pose un problème, car seul le contexte permet de choisir entre deux traductions, également possibles : « Le han visto entrar » ou « Le hemos visto entrar ».

Dans l'énoncé (3), nous traduirions par « se viene aqui todos los dias », la forme espagnole « se verbe actif » permettant ici de rendre compte d'une forme d'agent indéterminé.

Dans le cas de l'énoncé (4) nous aurions : « Cuando a una le gusta como a mi me gusta . . . » que l'on pourrait gloser par « quand une personne aime ça comme moi . . . ».

L'énoncé (5) enfin, pourrait se traduire par : « Por suerte hemos perdido la guerra » ou bien « Por suerte la guerra fue perdida » ou bien « Por suerte se perdio la guerra ».

Le choix entre différentes possibilités de traduction est souvent tributaire du contexte situationnel et/ou discursif dans lequel se présente l'énoncé. Par ailleurs, le test de la traduction permet de montrer que le statut énonciatif à accorder à *on* est dépendant de l'interprétation que le traducteur choisit de faire : c'est bien la preuve de la complexité du *on* français. Dans une problématique d'ensemble, il est possible de se demander s'il s'agit là d'une spécificité irréductible au français ou bien si l'existence de cette forme ne fait que révéler un fonctionnement plus général du langage.

A partir de la description faite par J. Dubois [8] et dans laquelle, rappelons-le, *on* est considéré comme la « négation du système » puisqu'il représente la « suppression de la référence personnelle », S. Meleuc [9] propose de caractériser *on* comme « la suppression de l'agent en tant qu'il a un contenu sémantique spécifique ; *on* représente alors « l'universel des agents ». Meleuc considère alors *on* comme équivalent à *nous*, à ceci près que *nous* donne « une information supplémentaire, qui est d'inclure les protagonistes de l'énonciation .[10] »

Si la proposition de définir *on* comme « universel des agents » ne manque pas d'être intéressante [11], l'argumentation pose cependant quelques problèmes. D une part, la notion de « contenu sémantique des agents » n'est pas explicitée, ce qui peut prêter à confusion : les pronoms personnels, en tant que tels, doivent-ils être considérés comme ayant un « contenu sémantique » ? D'autre part, s'il est vrai que *on* n'est souvent pas très éloigné de *nous*, il est difficile de fonder la différence sur le fait que « nous » inclut les protagonistes de l'énonciation puisque c'est ce qui fait sa spécificité. Cet aspect de l'argumentation de Meleuc repose en fait sur la contradiction suivante : *on* est équivalent à un *nous* qui n'inclurait pas les protagonistes de l'énonciation !

Si cette démarche a le mérite de suggérer que *on* devrait être situé par rapport aux pronoms personnels, en lui accordant de surcroît le statut d' « universel », elle présente l'inconvénient de toute description linguistique qui n'établit pas la relation formelle existant entre les énoncés de la langue et la situation d'énonciation.

Pour comprendre toute la singularité de *on,* il est effectivement nécessaire de confronter cette forme au fonctionnement des « pronoms personnels » qui peuvent occuper, comme « on », la position de sujet dans la relation prédicative.

Immédiatement une remarque s'impose : *alors que c'est la forme même des pronoms personnels qui permet de comprendre la place des locuteurs dans le procès d'énonciation, c'est l'interprétation de « on » qui permet de lui attribuer tel ou tel statut énonciatif.* E. Benveniste a montré qu'il existe des marques formelles de l'énonciation dans la langue : leur spécificité est de ne référer qu'à l'instance du discours. Ce sont ces marques qui permettent au locuteur de s'inscrire dans la langue par un procès d'appropriation [12] ; il s'agit des « shifters » (ou « embrayeurs ») d'une part, et du présent d'énonciation d'autre part. Les marqueurs de la catégorie de la personne *(je, tu, nous, vous)* sont des shifters et comme tels désignent des instances de discours : « Le terme *je* dénote l'individu qui profère l'énonciation, le terme *tu* l'individu qui est présent comme allocutaire » [13] . C'est l'existence de ces formes, entre autres, qui révèle l'inscription de l'intersubjectivité dans la langue. Par contre, les formes *il/ils* ne sont jamais réflexives d'une instance de discours et peuvent « se combiner avec n'importe quelle référence d'objet » [14] : c'est ce qui leur confère le statut de « non-personne » puisqu'elles ne sont qu'objet de discours.

Ainsi, la catégorie de la personne, comme celle de la non-personne, possède des marques qui la désigne sans ambiguïté. Qu'en est-il de *on* ? Selon l'énoncé dans lequel il s'inscrit et le contexte dans lequel il est produit, il recevra des interprétations variables : sa forme ne désigne ni la catégorie de la personne ni celle de la non-personne, mais elle peut être interprétée comme faisant partie aussi bien de l'une que de l'autre.
Ainsi, à titre d'exemples :

(6) Que veux-tu, on a sa fierté !

(7) Alors, on a fini par venir ?

(8) On va bien s'amuser.

(9) On se moque de nous !

Dans (6), le *on* s'interprète en *je*, (7) lorsqu'il est assorti de l'intonation adéquate s'interprète en *tu* ou *vous*, (8) s'interprète en *nous* et (9) en *ils* ; sans pour autant, d'ailleurs, que ces *on* soient équivalents aux diverses formes de pronom correspondantes. Mais s'il est possible de trouver des critères de reconnaissance pour les multiples « sens » de *on*, ces critères ne peuvent pas expliquer le caractère remarquable et singulier de *on* puisque l'interprétation se borne à établir une identité de fonctionnement entre tel pronom personnel et telle valeur de *on*.

Il nous a paru intéressant de faire une analyse de l'interprétation de cette forme qui ferait apparaître à la fois la diversité des interprétations possibles, afin d'illustrer l'hétérogénéité du fonctionnement discursif de *on*, et, en même temps, les limites d'une telle démarche puisqu'elle est impuissante à montrer que cette hétérogénéité révèle, en fait, l'homogénéité du *on* français.

Soit, tout d'abord, un corpus d'énoncés extraits de la presse écrite d'information. Nous avons choisi de travailler sur du texte écrit parce qu'il révèle tout autant que l'oral le fonctionnement étonnant de « *on* »[15] ; si les énoncés appartiennent à la presse quotidienne d'information, c'est parce que les quotidiens, et tout particulièrement *Le Monde*, emploient avec une très grande fréquence cette forme linguistique [16].

(E1) *On* comprend par ailleurs que plus de 1000 personnes soient déjà venues spontanément se faire examiner.
(*Le Monde* 30 juillet)

(E2) *On* comprend également pourquoi les autorités italiennes ont fait appel à des autorités de l'OTAN.
(*L'Humanité* 6 août)

(E3) *On* comprend que le Figaro qui avait choisi le camp des défolieurs se soit empressé d'héberger cette contestation douteuse.
(*L'Humanité* 6 août)

(E4) *On* sait que cette appréciation confirme les constatations de plusieurs spécialistes.
(*L'Humanité*)

(E5) Devant l'importance de ce danger *on* sait que le gouvernement italien a autorisé l'avortement pour des raisons thérapeutiques.
(*L'Humanité* 14 août)

(E6) *On* imagine mal Givaudan SA consultant la population.
(*Libération* 7 août)

(E7) Sur place en Brianza, *on* parle surtout du problème de l'avortement.

(*Libération* 10 août)

(E8) Alors que plus d'un millier de personnes ont déjà été évacuées, *on* parle d'évacuer partiellement deux autres villages lombards.

(*L'Humanité* 4 août)

(E9) La colère monte en Italie. *On* estime que les autorités, qui manifestement ne dominent pas la situation, sont aussi coupables de n'avoir pas su imposer une réglementation.

(*Le Figaro* 4 août)

(E10) Les autorités attendent monts et merveilles des techniciens convoqués en toute hâte. *On* parle de l'emploi de lance-flammes, de micro-organismes . . .

(*L'Humanité* 31 juillet)

(E11) *On* pourrait également avoir recours à certaines bactéries.

(*Le Figaro* 2 août)

(E12) Pour décontaminer le terrain il faudrait détruire les molécules de t. c. d. d. . . . *On* a donc songé aux spécialistes de la guerre NBC.

(*Le Monde* 30 juillet)

(E13) Des contraceptifs pourraient être prescrits à certaines d'entre elles. De toutes façons, *on* leur recommande la plus grande prudence pendant les quelques mois à venir.

(*Le Monde* 30 juillet)

(E14) Cette solution ne sera probablement pas retenue déclare-t-*on* de source autorisée : on préfère la formule qui consiste à racler une couche de sol pour l'enterrer soigneusement dans des fosses qui seront scellées.

(*Le Figaro* 29 juillet)

(E15) Voilà qui ne rend pas optimiste. Aussi fait-*on* venir à Milan des officiers américains et des chimistes britanniques.

(*Le Monde* 30 juillet)

(E16) Les services de contrôle ont quadrillé ces deux zones et y effectuent des prélèvements de terre. Pour l'instant, *on* n'a pas trouvé de dioxine dans la zone B.

(*Le Figaro* 5 août)

(E17) Les autorités attendaient, sans prendre position, en espérant que « cela passe » comme il était arrivé souvent dans le passé. Mais l'intoxication intéressait encore des gens, les animaux mouraient par centaines. On commença à évacuer les plus touchés par le TCDD, *on* entoura la zone polluée de barbelés.

(*Libération* 4 août)

(E18) . . . les autorités ont annoncé qu'elles avaient convoqué Guy Waldogel, directeur général de la firme suisse Givaudan, dont Icmesa est une filiale. *On* reproche à celui-ci . . . « des omissions coupables et volontaires » dans les installations des appareils de sécurité de l'usine italienne.

(*Le Figaro* 19 août)

Il semble que trois « familles » de *on* puissent être distinguées dans les énoncés de presse que nous venons de citer : ceux qui accepteraient un *nous* dans l'interprétation que l'on peut en donner (E1 à E5), ceux qui reflètent ce que nous appellerons la « rumeur publique » (E7 à E11) et enfin les énoncés dans lesquels l'emploi de *on* est extrêmement proche des anaphoriques.

(1) Les énoncés E1 à E5 : l'emploi de *on* est, ici, lié à celui des verbes qui indiquent la relation que *on* entretient avec ce qui est prédiqué : « comprendre », « savoir », etc. Par ailleurs, il s'agit dans tous les cas d'un présent d'énonciation repéré par rapport au présent des lecteurs[17] : en ce sens, le journaliste comme les lecteurs font partie des locuteurs supposés pouvoir prendre en charge l'énoncé. L'énonciateur, repère origine de toute énonciation, parcourt la classe des locuteurs en s'incluant et en incluant les lecteurs : c'est ce qui explique que le *nous* serait acceptable. Cependant, à la différence du *nous*, le *on* permet de ne pas rendre explicite la présence du journaliste (l'énonciateur) aussi bien que celle des lecteurs : c'est une assertion dont le(s) énonciateur(s) ne sont pas identifiables, et tout particulièrement, bien sûr, le journaliste.

(2) Les énoncés E7 à E11 : l'ensemble de ces énoncés est localisé sur le lieu de l'événement, que cette localisation soit explicite (E7, E8, E9) ou implicite (E10, E11) : le présent d'énonciation correspond à cette localisation, ce qui exclut d'emblée les lecteurs des quotidiens cités. D'autre part, ces énoncés comportent tous des verbes déclaratifs : « on parle », « on estime », voire un conditionnel « journalistique » (E11) [18] . Ceci permet d'affirmer que ces énoncés sont des discours rapportés indirectement, discours produits par des personnes sur place, indistinctement : c'est ce que nous appelons la « rumeur publique ». Dans la mesure où le journaliste est censé être sur le lieu de l'événement, on peut l'exclure de cette classe de locuteurs ; par ailleurs, puisqu'il s'agit de discours rapporté, il est difficile de l'inclure au même titre que l'ensemble des locuteurs. C'est pourquoi nous suggérons que le journaliste soit, ici, défini comme le porte-parole de la rumeur publique, avec toute l'ambi-

guïté afférente. Là encore, les énoncés ne sont pris en charge par personne en particulier, c'est-à-dire par *on*.

(3) Les énoncés E12 à E17 : dans ces énoncés, l'interprétation de *on* semble exclure l'énonciateur et les lecteurs. En effet, en E13-15, il est permis de supposer qu'il s'agit plutôt d'instances officielles, mais cela uniquement pour des raisons d'ordre extra-linguistique : en fait, les agents de l'action ne sont pas déterminés. En revanche, dans les énoncés E16-18, il est possible de déterminer *on*, puisqu'il s'agit d'un fonctionnement anaphorique : dans l'énoncé E16, *on* est l'anaphore des « services de contrôle » et dans l'énoncé E17 et E18, *on* peut être considéré comme l'anaphore des « autorités ». Il ne s'agit donc plus, comme c'était le cas des énoncés E12-E15, d'une stratégie qui viserait à ne pas déterminer les agents.

C'est aussi le cas des deux textes historiques suivants :

(10) Les campagnes d'Argésilas montraient au gouvernement perse qu'il n'avait pas les moyens de vaincre Sparte sur terre. Mais *on* pouvait lui ravir cette maîtrise de la mer qu'elle possédait depuis 10 ans [19].

(11) Les monnaies d'or furent longtemps regardées avec suspicion par les Romains. *On* leur reprochait de ramasser sous un trop petit volume des valeurs considérables. Aussi exigeait-*on* des peuples vaincus que les indemnités de guerre fussent payées en monnaies d'argent. . . *On* mobilisa pour payer les soldats et les fournitures militaires tous les objets contenus dans le temple [20].

Nous sommes, ici dans le mode d'énonciation historique tel que E. Benveniste l'a défini [21]. Dans la mesure où il n'y a aucun repère par rapport à la situation d'énonciation nous pouvons interpréter sans ambiguïté ces *on* comme de la « non-personne » ou, en tout cas, comme un anaphorique, voire un substantif : en (10) *on* est l'anaphore du « gouvernement perse » et en (11) des « Romains ».

Si l'ensemble de ces énoncés, (1-11) (et E1-E18), et les interprétations [22] qu'il est possible d'en faire illustrent bien le fait que *on* a un fonctionnement discursif hétérogène, puisqu'il peut être identifiable à celui de tous les pronoms personnels en position de sujet, il n'empêche qu'il n'est pas équivalent en langue à ces formes : chaque fois que nous nous sommes engagée dans une interprétation de *on* dans des énoncés déterminés, et même s'il a pu nous arriver de dégager des arguments de reconnaissance, nous avons toujours ressenti une insatisfaction profonde : *on* nous échappait dans son caractère remarquable. Si *on* peut être identifiable au fonctionnement des divers marqueurs de la catégorie de la personne en (6), (7), (8), E6, il n'est pas indifférent que l'énonciateur emploie *on* plutôt qu'un marqueur de la personne. De même aussi bien en E12-E18 que dans les deux textes historiques présentés, l'emploi de *on* plutôt que celui d'un anaphorique, ou même d'un substantif, « colore » ces énoncés différemment. Dans les textes (10) et (11) l'historien donne l'impression de se mettre davantage du côté de Sparte que de la Perse pour (10) et des Romains pour (12). Ces textes révèlent un paradoxe : alors que nous avons des critères formels qui permettent d'exclure que l'énonciateur puisse faire partie de ces *on*, c'est une vague présence de l'historien qui est perçue[23]!

Tout ceci n'est, d'ailleurs, pas très étonnant, même s'il était indispensable de le montrer. En effet, il y aurait une contradiction grave si une même forme linguistique pouvait être équivalente à des formes si opposées dans leur fonctionnement que les marqueurs de la personne et ceux de la non-personne.

Avant de rechercher ce qui fait l'homogénéité de cette forme, à partir des données de son hétérogénéité, il faut souligner que l'interprétation de certains énoncés n'est pas toujours évidente : il s'agit des énoncés qui pourraient accepter une interprétation en *nous* tout autant qu'en *ils*. Reprenons l'exemple (5) : *Heureusement on a perdu la guerre !* Nous avions remarqué que le test de la traduction révélait au moins deux interprétations : « Heureusement, *nous* avons perdu la guerre » et « Heureusement, la guerre a été perdue ». La forme passive permettant d'éviter un *ils* qui nécessiterait une détermination, aussi vague soit-elle (nous reviendrons plus loin sur le fonctionnement du *ils* par rapport à celui du *on*). Dans tous les cas, les critères d'interprétation de cet énoncé ne nous semblent pas appartenir au domaine linguistique. En effet, selon le point de vue de l'énonciateur sur cette guerre, selon que celui-ci est connu ou pas de l'interlocuteur, et selon le point de vue de l'interlocuteur, *on* pourra, ou non, être interprété en *nous*. C'est, en dernière instance, à l'interlocuteur de choisir l'interprétation qui lui semble la plus pertinente.

Un extrait du *Monde*, illustre la complexité de ce type d'énoncés en *on* :

> Les hommes du IIIe régiment de Milan, qui ont entouré l'usine et trente hectares de terrains avoisinants d'un réseau de barbelés, ont travaillé les mains nues, sans précautions spéciales. C'est seulement hier qu'on leur a fourni des bottes de caoutchouc. Faudra-t-il les placer, eux aussi, sous surveillance médicale ? En tout cas, *on* est inquiet pour les habitants de Barucana et de Cesano . . . car *on* a décelé dans ces parages une nouvelle zone contaminée . . . les lésions cutanées - les plus apparentes - ne deviennent visibles qu'au bout de plusieurs jours. *On* redoute des gastro-entérites et même des effets à très long terme, des effets génétiques.
>
> (*Le Monde*, 29 juillet 1976)

Plusieurs lectures de ce texte sont possibles : soit le lecteur considère que le journaliste fait partie de ces *on*, soit il s'inclut lui aussi dans ce *on*, soit il interprète *on* comme les instances officielles uniquement. Si l'on admet que, de toutes manières, les instances officielles sont présentes dans ces *on*, le problème d'interprétation devient très intéressant puisque c'est le lecteur, en dernière instance, qui décide du statut énonciatif qu'il accorde à *on*.

On résiste aux tentatives qui viseraient à identifier son fonctionnement à celui des divers pronoms personnels, selon les énoncés envisagés. Ce n'est que par une étude contrastive de *on*, des marqueurs de la personne et des marqueurs de la non-personne qu'il est possible de rendre compte de la place unique que *on* occupe dans la langue.

En premier lieu, *on* ne peut apparaître qu'en position de sujet dans la relation prédicative, tout comme les marqueurs de la catégorie de la personne et ceux de la non-personne. C'est cette place dans la relation prédicative qui justifie qu'on compare son fonctionnement à celui des pronoms personnels sujets.

Alors que les marqueurs de la catégorie de la personne permettent de déterminer le statut des locuteurs dans le procès de communication, *on*, dans sa forme même, ne désigne aucune instance de discours.

Cependant, l'analyse des diverses interprétations possibles l'a montré, *on* peut tout à fait être interprété comme un *je, tu, nous,* ou *vous* ; et puisque c'est l'existence même de ces marqueurs qui définit l'inscription de l'intersubjectivité dans la langue, *on* pourrait-il être une marque singulière de l'intersubjectivité dans la langue ? Nous laissons la question en suspens pour l'intant.

Par ailleurs, toujours à propos des pronoms de personne, E. Benveniste a montré que ce sont des formes « vides » qui ne trouvent leur signification qu'à chaque énonciation : « Le langage propose en quelque sorte des formes « vides » que chaque locuteur en exercice de discours s'approprie et qu'il rapporte à sa « personne », définissant en même temps lui-même comme *je* et un partenaire comme *tu* ». Mais, ce qu'il faut souligner, c'est qu'elles ne peuvent être des formes vides et désigner des instances du discours que parce qu'à chaque énonciation le locuteur *et/ou* l'interlocuteur sont identifiés, ou en tout cas identifiables. Ainsi, à l'oral, l'identification du *je* se fait en voyant la personne qui parle et en lui attribuant un nom propre ou une identité sociale. Dans la correspondance, l'identification du *je* est rendue possible par la signature, et celle du *tu/vous* par un « cher(s) . . . » alors que, dans la presse le *tu/vous* correspond implicitement aux lecteurs. En bref, c'est la possibilité d'être identifié qui permet aux marqueurs de la personne d'exister comme formes vides.

En ce sens, le concept d'« embrayeur » (ou de « shifters ») tel qu'il est employé par R. Jakobson [24] ne recouvre pas tout à fait celui que l'on rencontre chez E. Benveniste. En effet, pour R. Jakobson, « chaque embrayeur possède une signification générale propre » [25]. Ainsi, « *je* désigne le destinateur (et *tu* le destinataire) du message auquel il appartient (. . .) En réalité, la seule chose qui distingue les embrayeurs de tous les autres constituants du code linguistique, c'est le fait qu'ils renvoient obligatoirement au message ».

Cette approche ne rend justement pas compte du fait que, pour être compris par les interlocuteurs, *je* doit pouvoir être identifié ; ceci n'étant possible que dans la situation d'énonciation. C'est pourquoi E. Benveniste définit les pronoms de la personne comme des formes « vides » : les « shifters », s'ils sont sui-référentiels, ne prennent leur sens qu'en référence à une situation d'énonciation déterminée : leur signification est unique.

Dans la problématique de R. Jakobson, les « shifters » en ne renvoyant qu'au message trouvent leur sens dans la langue elle-même (conçue alors comme un système autonome)[26], alors que E. Benveniste est contraint d'introduire la référence comme donnée de l'analyse puisque les « shifters » renvoient obligatoirement aux instances de discours : la langue dans son fonctionnement même est liée à la situation d'énonciation : « L'appropriation de la langue est, chez le locuteur le besoin de référer par le discours, et, chez l'autre la possibilité de co-référer identiquement » [27]. Ainsi, introduire la dimension référentielle au sens de la construction de valeurs référentielles[28] par l'énonciateur, est un point absolument fondamental puisque c'est ce qui fonde la différence entre les modèles structuraux, voire transformationnels, et une linguistique de l'énonciation.

La forme *on*, quant à elle, ne suppose justement pas, pour son fonctionnement, qu'il y ait une quelconque identification. Ne référant à personne spécifiquement, il peut tout aussi bien désigner « tout le monde y compris moi », « n'importe qui », « personne » etc. C'est ce qui lui donne ce caractère d'indéfini, sur lequel nous reviendrons, et que l'on peut formuler un peu différemment : *on* n'a aucune valeur référentielle. C'est ce qui explique qu'il soit impossible d'écrire « on, soussigné, M. Durand . . . », alors que le *nous* ne serait pas exclu : *nous* étant un « *je* dilaté »[29] cela implique qu'une personne au moins soit identifiée : l'énonciateur. Dans le fonctionnement de *on* la dimension du nom propre, ou en tout cas de l'identification à une classe, est gommée. C'est pourquoi les performatifs excluent absolument l'emploi de *on* puisqu'un énoncé, pour être performatif, devra être proféré par un locuteur investi de ce droit et dans les circonstances adéquates. Tout énoncé performatif doit être prononcé par un énonciateur identifié : en ce sens, les performatifs sont clairement des énoncés où il y a une identification constante du comportement intersubjectif et de la forme linguistique.

C'est aussi cette absence totale de valeur référentielle qui explique une formule très employée par les journalistes, à l'écrit comme à l'oral : « On déclare, de source autorisée . . . ». C'est bien parce que la source de l'information n'est pas identifiée par le journaliste, qu'il ne le veuille pas ou ne le puisse pas que seul *on* peut apparaître. Même un *ils* très indéterminé ne serait pas acceptable : « Ils déclarent, de source autorisée . . . ».

La mise en regard du fonctionnement de *il* et *ils* d'une part et de *on* d'autre part fait apparaître un point important : alors que les pronoms *il* et *ils* peuvent tout aussi bien référer à de l'humain qu'à du non-humain, ce qui explique que ces formes soient les marques de la non-personne, *on* ne réfère qu'à de l'humain : dans ce cas, il semble difficile qu'il puisse être considéré à son tour comme une forme de la non-personne. Par ailleurs, puisque *il* et *ils* sont des anaphoriques, il est toujours possible de leur attribuer une valeur référentielle : valeur unique qui ne trouve sa définition que dans le contexte lui-même.

Une légère distinction, cependant, est à faire entre les formes *il* et *ils* : la première implique nécessairement une identification claire de la personne dont il est question, alors que la seconde n'implique pas obligatoirement cette identification. Cela tient au fait que « le pluriel a une valeur d'indétermination par rapport au singulier » [30] . On peut aisément voir, de ce point de vue, la différence entre « *il* se moque de moi ! » et « *ils* se moquent de moi », où dans le cas de l'énoncé au pluriel le « *ils* » n'est pas nécessairement identifiable et peut renvoyer à une classe dans son entier ; à ceci près, malgré tout, que les interlocuteurs sont censés ne pas ignorer de quelle classe d'individus il s'agit.

Même si dans certains énoncés *on* peut être *interprété* comme un anaphorique, il s'agit toujours d'un pluriel : l'anaphorique singulier est trop déterminé pour être possible. De plus, c'est dans la mesure où *on* ne correspond pas complètement à la définition de la catégorie de la non-personne qu'il ne peut être équivalent à un *ils* : anaphorique dans certaines interprétations, il dénote toujours dans sa forme une classe spécifique : /être humain/.

Nous avons observé, par ailleurs, que si *on* ne peut jamais s'interpréter en *il,* trop déterminé, il lui emprunte néanmoins son fonctionnement morphologique et syntaxique : c'est un paradoxe qui nous servira ultérieurement.

Ce faisant, nous avons franchi une première étape du raisonnement puisque, en tenant compte à la fois du caractère indéfini de *on* et de sa position de sujet dans la relation prédicative, nous avons pu définir son caractère singulier dans la langue : « « Etymologiquement », *on,* c'est *homo*, n'importe qui, tout le monde, les gens, tout sujet à la condition qu'il soit indéfini. Qu'il soit un sujet l'autorise à prédiquer quelque chose de *il* ; qu'il soit indéfini signifie que, comme tout pronom personnel sujet, il remplace un nom propre, mais qui est dispensé d'avoir à se désigner. *On*, c'est *nous*, moi qui vous parle et vous qui m'écoutez ; c'est tout le monde et n'importe qui, sauf *il*, le seul terme défini du discours . . . » [31].

Il reste encore à expliquer le statut qu'il s'agit de lui accorder dans le fonctionnement de la langue. Rappelons brièvement les observations que nous avons faites :

(a) Ce n'est pas la forme elle-même de *on*, mais l'interprétation qu'il est possible d'en donner dans des énoncés déterminés qui révèle la complexité de son fonctionnement discursif.

(b) *On* est toujours sujet dans la relation prédicative, qui plus est un sujet humain.

(c) Son caractère indéfini implique que toute identification à un/des individus déterminés est impossible.

(d) Les diverses interprétations possibles de *on* indiquent qu'il peut être la classe /être humain parlant/ puisque, contrairement au fonctionnement des marqueurs de la personne, il ne désigne pas à l'intérieur même de cette classe, une instance de discours ; il peut tout autant être la classe /être humain/ caractérisée comme hors de la parole, par opposition à celle de /être humain parlant/.

La *Grammaire Générale et Raisonnée* de Port Royal pressentait une spécificité de *on* lorsqu'elle écrivait : « pour les impersonnels comme « amatur », « curritur », qu'on exprime en français par « on aime », « on court », il est certain que ces façons de parler en notre langue sont encore moins impersonnelles quoique indéfinies ; car M. Vaugelas a déjà remarqué que cet *on* là est pour « homme » et par conséquent il tient lieu de nominatif du verbe ». Remarquer que *on* tient lieu de « nominatif du verbe », pour paradoxal que cela puisse paraître, et noter que « cet *on* là est pour *homme* » suggère bien qu'il y a une homogénéité de *on*.

A partir des analyses de E. Benveniste, il est peut-être permis d'aller plus loin et de faire l'hypothèse suivante : puisque *on* est aussi bien la classe / être homme parlant/ que celle /être homme non parlant/, sans que l'on puisse distinguer un être particulier, *on* est le résultat d'une opération de parcours [32], doublement caractérisée : sémantiquement, puisque *on* est à la fois /être homme parlant/ et /être homme non parlant/, syntaxiquement, puisqu'il désigne une place de sujet dans la relation prédicative. Une telle formulation peut convenir si l'on ajoute que cette opération, dans le cas de cette forme, la révèle comme une *frontière* entre ces deux classes, comme une ligne de partage qui les délimite en marquant bien le caractère indécidable de son appartenance à telle ou telle classe : c'est ce qui donne la sensation d' « insaisissable » de cette forme linguistique. C'est bien parce que *on* est une frontière [33] qu'il n'est jamais clair, en situation de dialogue. Lorsqu'on dit : « Alors, on est contente aujourd'hui ? » ou « On n'a pas compris ce que je voulais dire ? », on peut se demander si l'énonciateur sollicite son/ses interlocuteurs en tant que co-énonciateur : l'interlocuteur n'est pas vraiment inscrit comme personne et peut en ressentir quelque malaise. De même il est toujours possible, pour l'interlocuteur, de ne pas vouloir comprendre qu'il est sollicité dans un énoncé du type « On va faire un grand ménage ! ».

Mais *on*, parce qu'il est frontière entre la personne et la non-personne, est aussi frontière entre ce qui est identifiable, et donc nommable, et ce qui ne l'est pas. Il est alors possible d'avancer une hypothèse sur le fait que *on* impose les contraintes morphologiques de *il* au verbe : c'est le seul pronom sujet auquel *on* ne peut pas s'identifier dans son fonctionnement énonciatif. Mais *on* en imposant les contraintes morphologiques du *il* au verbe, alors que *il* est tout à fait absent de sa problématique, ne risque pas de découvrir son jeu :

> Là dans l'écrit – la personne illusoire ironise encore : sur cette prétention à nommer *Ce* (jeune homme), montré du doigt mais manquant à l'appel, dont l'identité s'évanouit avec l'origine. .
> Et votre nom c'est comment ? Nar. *On* ne sait pas d'où cela vient.
> Au moment où l'*on*, impensable, mais inévitable sujet, donne son sens à la syntaxe.
> (langue se délie à vous entendre en elle) l'indéfini s'installe sous le défini, gouvernant provisoirement l'infinitif et le nom . . . [34].

A partir de là, il serait légitime de se demander si cette forme française est spécifique à cette langue ou bien si, au contraire, son existence révèle un fonctionnement plus général du langage : il se dégagerait alors un vaste champ d'investigation concernant le fonctionnement des pronoms personnels sujets. Notre analyse semble autoriser l'hypothèse suivante : *on* serait un terme métalinguistique, apparaissant en surface en français, nécessaire à la construction des marqueurs de la personne comme à ceux de la non-personne. *On* n'est donc pas plus une marque de l'intersubjectivité qu'une marque de l'objectivité, c'est une marque frontière qui permet aux deux domaines d'exister.

Partant de l'inscription nécessaire du sujet dans la langue, nous aboutissons à la nécessité d'un opérateur qui, pour engendrer la catégorie de la personne, ne doit justement pas comporter cette dimension de la subjectivité : « Les pronoms sont les modes par lesquels l'être vient à l'existence. On en trouve un qui est à la fois une personne et n'en est pas une puisqu'il affecte toutes les autres . . . Le *on* cohabite dans l'être, on ne peut pourtant l'appeler double, ou il faudrait alors le considérer comme le double de tous les doubles, l'un des deux termes d'une dialectique qui toujours oscille entre le nommable et l'innommable » [35]. Autrement dit, pour être inscrit dans la langue, le sujet doit n'y être pas. C'est ce paradoxe qui, vraisemblablement, permet à l'homme d'exister en faisant de lui un être parlant.

Au coeur du fonctionnement langagier, il existe au moins une forme qui révèle la langue comme une frontière entre le nommable et l'innommable. Mais alors, quel statut accorder à une description formelle, si le texte est une mise en acte des possibilités de la langue et si celle-ci est autant ce qui est nommé que ce qui n'est pas nommé ? Cet autre paradoxe risque d'interroger non seulement la linguistique mais aussi la psychanalyse, qui supposent de cerner ce que sont l'interprétation et la formalisation. Au risque d'une glose audacieuse, j'oserai citer J. Lacan, là où il me semble pointer les mêmes paradoxes :

> « Le prestidigitateur ne répète-il pas devant nous son tour, sans nous leurrer cette fois de nous en livrer le secret, mais en poussant ici sa gageure à nous l'éclairer réellement sans que nous y voyions goutte. Ce serait bien là le comble où put atteindre l'illusioniste que de nous faire par un être de sa fiction véritablement tromper . . . Et n'est-ce pas de tels effets qui nous justifient de parler ? » [36].

D R L, Paris VII

Notes

1. Les grammaires de référence pour cette présentation sont :
Grammaire du français classique et moderne, R.L. Wagner et J. Pichon, Paris, Hachette, 1965, pp. 193-203.
Le bon usage, M. Grevisse, Gembloux-Paris 1964, paragraphes 578, 579 et 587.

2. Wagner et Pinchon, *op. cit.*, p. 198.

3. *Grammaire structurale du français : nom et pronom*, Paris, Larousse, 1965, pp. 111-114.

4. J. Dubois, *op. cit.*, p. 111.

5. J. Dubois, p. 114.

6. J. Dubois, F. Edeline, J.M. Klinkenberg, J.M. Minguet, P. Minguet, F. Pire, H. Trinon, in *Rhétorique générale*, Paris, Larousse, 1970, pp. 166-167, attribuent à « on » une valeur rhétorique, l' argument étant justement la commutation possible.

7. Que ce soit, d'ailleurs, par syllepse ou sur des critères d'ordre strictement syntaxiques.

8. In *Grammaire structurale, op. cit.*

9. « Structure de la maxime », *Langages*, 13, Paris, Larousse, 1969.

10. *Ibid*, p. 75.

11. D'autant plus qu'à partir de là, S. Meleuc peut aisément expliquer le passage des énoncés en « on » aux phrases passives.

12. « Chaque locuteur en exercice de discours s'approprie (ces formes) qu'il rapporte à sa propre personne définissant en même temps lui-même comme « je » et un partenaire comme « tu », « De la subjectivité dans le langage » in *Problèmes de linguistique générale*, t. II, Paris, Gallimard, p. 263.

13. Benveniste (1974), *Problèmes* II, p. 82.

14. Benveniste (1966), *Problèmes* I, p. 256.

15. Même si certains énoncés, du type (6) - (9), ne peuvent apparaître qu'en situation de dialogue : ces énoncés ne font qu'élargir et confirmer la diversité des fonctionnements discursifs de *on*.

16. Tous ces énoncés se rapportent à un même événement survenu en juillet 1976.

17. Nous renvoyons à notre thèse de troisième cycle, *Approche linguistique du fonctionnement discursif : un exemple, la presse écrite d'information* (1981), soutenue à Paris 7, pour la caractérisation que nous proposons du présent en discours dans la presse quotidienne, pp. 46-49.

18. Toujours dans notre thèse, nous argumentons cette description du conditionnel journalistique comme une forme de discours indirect, et ses liens avec *on*, pp. 103-107.

19. J. Hatzfeld, *Histoire de la Grèce ancienne*, Paris, Payot.

20. P. Grimal, *La vie à Rome dans l'antiquité*, Paris, P.U.F., p. 41.

21. Dans « Les relations de temps dans le verbe français », *Problèmes de linguistique générale* vol. 1, *op. cit.*, p. 238. Cette distinction entre deux modes d'énonciation (histoire et discours) a été reprise par J. Simonin en des termes plus systématiques in « pour une typologie des discours », in *Langue, discours, société. Pour Emile Benveniste*, Paris, Seuil, 1975, pp. 85-121.

22. J. Simonin développe dans ce même recueil des critères formels d'interprétation du *on* dans un corpus de presse.

23. C'est, nous a-t-on dit, la raison pour laquelle l'emploi de *on* est loin d'être recommandé au cours de la formation des historiens.

24. R. Jakobson, « Les embrayeurs, les catégories verbales et le verbe russe » in *Essais de linguistique générale*, Paris, Minuit, 1968, pp. 176-196.

25. *Ibid*, p. 179.

26. A partir de là, R. Jakobson fait l'hypothèse que l'acquisition tardive des pronoms de personne par les enfants viendrait de la complexité de cette catégorie ou « code et message se chevauchent » (*Ibid*, p. 180). Il semble plutôt que l'apparition de ces pronoms soit liée à la constitution de l'enfant comme individu singulier et différent.

27. J.C. Milner in « Réflexion sur la référence » in *Langue française*, 30, et in *De la syntaxe à l'interprétation*, Paris, Seuil, 1978, pp. 198-204, fait une proposition de description qui, bien que sa conception de la référence ne soit pas identique à la nôtre, va dans notre sens puisqu'il oppose « les éléments non autonomes référentiellement » tels entre autres les pronoms personnels, aux noms « ordinaires » qui peuvent toujours recevoir « un substitut synonymique : leur définition ».

28. Nous empruntons ce concept à A. Culioli.

29. E. Benveniste, « La nature des pronoms », *Problèmes* ...

30. A. Culioli, « Notes sur « détermination » et quantification » : définition des opérations d'extraction et de fléchage » in *Projet interdisciplinaire de traitement formel et automatique des langues et du langage*, D.R.L, Université Paris VII, 1975, p. 7.

31. J. Favret (1978), *Les mots, la mort, les sorts*, Gallimard, p. 43.

32. Nous empruntons à A. Culioli la désignation de cette opération : si on symbolise la relation prédicative sous la forme aRb (la flèche indiquant l'orientation), on aura dans le cadre du parcours sur un argument : ( ) Rb ou aR ( ), où la place ( ) est une place vide ou « quelle que soit la valeur imaginée en parcourant le domaine des possibles, il n'existe aucun critère de choix » (« A propos des énoncés exclamatifs », *Langue française*, 22, Larousse, 1974, p. 9).

33. Nous ne sommes pas éloignée du concept de « frontière » tel qu'il est défini par J. Milner in « De quoi rient les locuteurs ? » *Change,* 29, Seghers, 1976, pp. 185-198.

34. Extrait de « L'on de la langue », montage fait de citation de D. Collobert, J.P. Faye et F.C. Montel in « La langue manifeste ; Littérature et théorie du langage », *Action poétique*, 1975, pp. 125-126.

35. R. Bellour, *Henri Michaux ou une mesure de l'être*, Paris, Gallimard, p. 105.

36. Séminaire sur « La lettre volée », in *Ecrits*, Paris, Seuil, 1966, p. 21.

That is the question *

Laurent Danon-Boileau

O. INTRODUCTION

Soient les deux grandes procédures énonciatives de détermination définies par Benveniste . discours et histoire ainsi que les marqueurs spécifiques qui leur sont traditionnellement associés (*je, ici, maintenant*, présent d'actualité, passé composé . . / *il, là, ce jour-là*, passé simple . . .) ; ou encore, chez A. Culioli, la dichotomie *deixis* (détermination situationnelle) / *anaphore* (détermination contextuelle), bien que le recouvrement entre ces deux couples ne soit que partiel.

L'objet des remarques qui vont suivre est de voir, à propos de certains emplois de *that* en anglais, quel parti on peut tirer de l'idée que histoire (ou détermination contextuelle ou détermination anaphorique) n'est pas simplement le terme non marqué du couple institué par Benveniste.

0.1. On fera d'abord remarquer, de façon générale, que chaque fois que l'on prend en considération une catégorie de marqueurs en relation avec les problèmes de la référenciation, il devient nécessaire de distinguer non pas deux mais trois positions, lesquelles correspondent à :

- détermination situationnelle (ou déictique) : par les procédures de type *discours* ;

- détermination contextuelle (ou anaphorique) : par les procédures de type *histoire* ;

- absence de détermination.

*Je remercie Paul Volsik, qui a eu la gentillesse de vérifier tous les exemples anglais originaux. Que Janine et Christian Bouscaren, ainsi que Dominique de Libera, soient aussi remerciés des suggestions qu'ils m'ont faites au cours de la rédaction de ce travail.

Ainsi, le *présent de vérité générale (absence de détermination* de la dénotation temporelle du procès) s'oppose tout autant au *passé simple* (détermination de la dénotation du procès par *anaphore*) qu'au *passé composé* (détermination par le système de la *deixis*).

De même (cf. ici même l'article de F. Atlani) pour les pronoms, *on* (indéterminé) s'oppose tout autant à *il* (déterminé par anaphore) qu'à *je* (déterminé par deixis).

Ceci peut être illustré par le tableau suivant :

détermination par deixis	détermination par anaphore	absence de détermination
passé composé	passé simple	présent de vérité générale
je	il	on

Dans le cadre qui nous occupe, nous classerions *this* du côté de la détermination par deixis, *that* du côté de la détermination par anaphore, réservant pour l'instant la place de l'« absence de détermination » (encore que *it*, partie prenante dans certaines opérations de référenciation, sans pour autant se confondre ni avec *this* ni avec *that*, pourrait peut-être correspondre à cette valeur – ceci n'est qu'une hypothèse).

D'emblée, ce parallèle indique, du moins pour le fonctionnement des temps et pour celui des pronoms personnels, que la répartition s'effectue en trois, et non en deux. Mais ceci exige alors que soit reconnue la valeur *positive* des procédures anaphoriques (ou de type histoire ou contextuelles), faute de quoi les deux dernières classes (détermination anaphorique et absence de détermination) se trouvent confondues dans la catégorie de la *non-deixis*. Pour notre part, nous refusons de voir seulement dans *contextuel*, ou *historique*, ou *de type anaphorique* un *moins de la deixis* (un effacement de l'énonciateur, etc.). Cela nous oblige à expliciter les procédures de référenciation anaphoriques indépendamment des procédures de deixis. C'est ce que nous allons tenter dans le cadre d'une analyse des emplois contrastés de *that* et *this*.

0.2. Nos remarques porteront essentiellement sur la discussion de certaines interprétations proposées par Fraser et Joly dans « Le système de la deixis » (1) et (2) (respectivement : « Le système de la deixis, esquisse d'une théorie d'expression en anglais », *Modèles linguistiques*, 1979, t. I; fasc. 2 ; et « Le système de la deixis (2) : endophore et cohésion discursive en anglais », *Modèles linguistiques*, 1980, t. II, fasc. 2, nommés par la suite *Deixis* 1 et *Deixis* 2).

Nous essaierons de montrer à cet égard qu'il existe certains emplois de *that* pour lesquels *this* n'est pas acceptable, sans qu'on puisse arguer du fait que l'énonciateur effectue nécessairement une mise à distance de la chose désignée en la renvoyant vers ou dans la sphère du « non-moi ». Nous ne nions pourtant pas à *that* cette valeur de « renvoi dans la sphère du non-moi » – la lecture des articles de Fraser et Joly persuadent aisément que tel est souvent le cas. Ce que nous pensons, c'est qu'à côté de cette valeur « non-deixis » de *that* et des effets de sens qui en découlent, il existe des emplois pour lesquels *that* est rendu directement nécessaire par le jeu de la détermination contextuelle (ou anaphorique, ou de type histoire).

En résumé, nous allons essayer de montrer que *that* a deux valeurs fondamentales :

- une première valeur, qui est l'effet de la positivité de la « détermination contextuelle ». La détermination dont *that* est la trace consiste alors à définir un objet 'o' par une propriété associée 'p' explicitement attestée dans le contexte.

- une deuxième valeur, qui s'interprète, cette fois, à partir du système de la deixis et pour laquelle *that* équivaut à *non-this*, « non-deixis », etc. Cette seconde valeur est celle mise en lumière dans les articles déjà cités de Fraser et Joly.

Nous essaierons de montrer qu'il est envisageable de dériver la seconde valeur fondamentale de la première, mais que l'inverse, en revanche, n'est pas possible.

On remarquera que rien, ici, n'est dit de *this*. Pour nous, il s'agit de la construction d'un objet 'o' par mise en rapport avec la situation d'énonciation (au sens de Culioli). Cela n'est pas équivalent à la définition donnée par Fraser et Joly (appartenance à la sphère de l'énonciateur, cf. *infra*).

1.0. DISCUSSION DE LA NOTION D'ENDOPHORE ET DE « SITUATION ».

Avant de préciser, par l'analyse d'exemples, ce que peut être cette propriété grâce à laquelle la procédure anaphorique construit une référence (l'objet), nous souhaiterions soulever un problème, tout à la fois théorique et méthodologique, qui se pose à toute recherche ayant trait de près ou de loin à la « référenciation ». Il s'agit du problème de la confusion entre les procédures linguistiques de référenciation et la nature du *designatum*. Il se pose dès l'utilisation du terme de « situation d'énonciation », ou d' « exophore » (que Fraser et Joly empruntent à Halliday et Hasan, 1976, p. 33). Soit l'exemple :

(1) *Give me* **that** *ash-tray on the table there*

Comment va-t-on interpréter le fonctionnement dont *that* est la trace ? Va-t-on parler à son propos de détermination « situationnelle » (ou encore d'« exophore ») ? Il est clair que la chose, le cendrier matériel, tangible, celui que je veux, est bien là, présent, à portée de main de mon allocutaire, dans la pièce où nous nous trouvons tous deux. Il appartient à notre « monde commun », à ce que l'on pourrait appeler notre référent d'énonciation commun. Mais va-t-on dire pour autant que ce cendrier appartient à la situation d'énonciation ? Il ne nous semble pas juste de le dire, ni qu'il est désigné à partir d'elle par exophore. Le concept de situation d'énonciation est une abstraction opératoire dans la théorie et non un élément du monde réel. Il n'a de sens que par rapport à des opérations (essentiellement celles de la deixis). Or, dans l'exemple, le fonctionnement discursif de la référenciation ne nous paraît pas être celui de la deixis. Il n'y a pas mise en jeu de Sit ($\mathcal{S}_\bullet , \mathcal{T}_\circ$) Pour nous, la référenciation est bel et bien de type anaphorique ou contextuel. C'est la propriété « be on the table there » qui permet de construire la référence, l'objet que désigne *that ash-tray*. Ce n'est pas un cas de référenciation par rapport à Sit ($\mathcal{S}_o, \mathcal{T}_o$), et le fait que le cendrier soit matériellement présent dans l'espace visible des deux parties prenantes du dialogue n'importe pas dans l'opération discursive qui nous occupe.

Les exemples donnés par Fraser et Joly ne sont bien sûr pas ausi simples. Mais dans :

(2) *Hand me* **that** *book* **there**, *will you* ?

nos auteurs interprètent le *that* comme « *exo*phorique » (*i.e.* défini à partir de la situation d'énonciation, par opposition à « *endo*phorique » : défini par le jeu du contexte). L'exemple appartient à une section du premier article (*Deixis* 1, p. 123), intitulée « deixis *exo*phorique ». Bien sûr, matériellement, le livre est visible par les parties prenantes du dialogue, mais, à notre avis, ce n'est pas ce qui compte pour la référenciation dont *that* est la trace. C'est plutôt le fait que l'objet est construit par une propriété que l'on pourrait expliciter en disant « *that* book *which is there* ». *That*, pour nous, est donc l'indice d'une procédure anaphorique. L'ambiguïté du terme d'*exophore*, à nos yeux, est de désigner à la fois un mode de calcul (une désignation définie directement par rapport à Sit ($\mathcal{S}_0, \mathcal{T}_0$) et un « lieu de résidence » de la chose *réelle* désignée : cette portion du monde « visible » par les parties prenantes du dialogue.

En fait, ce qui se trouve posé, c'est la distinction épistémologique classique entre chose (élément du monde réel) et objet (ce qui, dans la théorie, est construit par un ensemble d'opérations et *vaut pour* un élément du réel à décrire). Et dès lors que l'on cherche à s'appuyer sur les choses (et leur lieu de résidence) pour distinguer entre des objets, les problèmes surgissent. Car où passe la limite entre le lieu de résidence des choses désignées par exophore et le lieu de résidence des choses désignées par endophore ?

1.1. Afin de montrer qu'il ne s'agit pas d'une querelle d'aristarque, donnons quelques exemples des effets de confusion auxquels conduit la dichotomie exophore/endophore. Voici un exemple emprunté au deuxième article de Fraser et Joly (p. 32) :

(3) *It happened* **that** *green and crazy summer when Frankie was twelve years old* (C. McCullers, *The Member of the Wedding*).

et le commentaire qui en est fait :

> « Il s'agit de la première phrase du roman. On remarquera que le statut de *that* est ambigu. S'agit-il d'une deixis exophorique mémorielle (*allusion à une chose* absente physiquement mais appartenant au référent que le locuteur se donne – *L. D. – B.*) ou d'une deixis endo-anaphorique (référence à un avant-texte absent) ? En fait, les deux interprétations ne sont pas incompatibles, en raison même de l'identité fondamentale des mécanismes référentiels qu'elles impliquent. En tout état de cause, *that* marque l'éloignement temporel par rapport à la situation d'énonciation et place sur l'horizon de l'histoire le cadre du récit qui va se dérouler ».

Selon nous, le remplacement de *that* par *this* est impossible dans le contexte cité, sauf si l'on inscrit une virgule faisant de « when Frankie . . . » un segment descriptif et non restrictif. On peut avoir :

(3') *It happened* **this** *green and crazy summer, when . . .*

mais non :

(3") * *It happened* **this** *green and crazy summer when . . .*

Ceci nous incite à penser que les raisons de l'emploi de *that* tiennent au fait que la détermination de l'été dont il est question s'opère à partir de la propriété définie par la proposition « When Frankie was twelve years old ».

Donc, pour reprendre un instant la terminologie de Fraser et Joly, il ne s'agit ni d'une deixis exophorique mémorielle, ni d'une deixis endo-anaphorique, mais d'une deixis endo-cataphorique, c'est-à-dire d'une détermination anaphorique par le contexte droit et non par le contexte gauche.

1.2. Le problème des limites :

1.2.1. La notion de *présence non-tangible* vient encore renforcer le problème de la distinction entre exophore et endophore. Dans *Deixis* 1, p. 133, Fraser et Joly ont en effet défini un cas d'exophore dans lequel la chose visée constitue une « présence non-tangible ». Citons le passage : « Nous incluons également (dans la rubrique de l'exophore *in praesentia – L. D.–B.*) le cas où le référent n'est ni une personne ni un objet, mais une action, une attitude, une présence auditive, etc., le plus souvent désignées à l'aide d'un pronom supplétif ». Ainsi :

(4) « **This** *is a great kindness, Captain Ammidon, » she told him in her negative voice. « Come in here* » (Hergesheimer, p. 76).

(5) **That** *would have hurt anyone else but me* (C. McCullers, p. 43).

sont des exemples d'exophores dans lesquelles la chose est une « présence non-tangible ». Le second exemple est d'ailleurs donné comme un cas limite entre exophore *in praesentia* et exophore *in absentia.* Mais même si l'on s'en tient au premier, la différence avec l'endophore n'est pas nette.

Dans *Deixis* 2, p. 34, Fraser et Joly donnent l'exemple suivant comme cas d'endo-anaphore (détermination contextuelle avec antécédent situé *avant* la reprise avec le démonstratif) :

(6) *There is a charming detail in* **this** *section. Beside the angel, on the right, . . .* (James, p. 82).

Certes, dans le texte, la *partie* (« section ») de la cathédrale de Bourges décrite a déjà été mentionnée. Mais – Fraser et Joly l'indiquent – l'emploi de *this* permet de « maintenir le référent au premier plan ». Pourquoi alors refuser de dire que ce référent (ce que désigne « *this* section ») a été purement et simplement introduit dans le réel commun a l'écrivain et à son lecteur ? Pourquoi refuser à ce *this* le statut d'exophore *in praesentia* avec présence non-tangible ? On dira sans doute que cela tient à ce que « section » est mentionné dans le contexte. A quoi il nous semble possible d'opposer un exemple plus probant encore :

(7) *Balzac says in one of his tales that the real Tourangeau will not make an effort or displace himself, even to go in search of a pleasure and it is not difficult to understand the sources of* **this** *amiable cynicism. He must have a vague conviction that he can only lose by almost any change.*

(James p.9).

Ce passage est donné par Fraser et Joly (*Deixis* 2, p. 40) comme exemple d' « endophore ». Mais qu'est-ce qui empêche d'y voir un cas d'exophore avec présence non-tangible ? Pourquoi ne pas considérer le locuteur en présence de la chose (non-tangible) qu'il désigne par « *this* amiable cynicism » ?

1.2.2. **Exophore in absentia** : Dans notre critique du concept d'exophore, nous n'avons jusqu'ici parlé que de l'exophore *in praesentia* (la chose désignée est présente dans l'espace directement accessible au locuteur). Mais il convient également d'examiner la notion d'exophore *in absentia* ou « mémorielle ».

A propos de l'exophore mémorielle, Fraser et Joly écrivent (*Deixis* 2, p. 25) « l'exophore mémorielle oblige à un véritable retour en arrière qui est de l'ordre de l'anaphore ». Ceci indique que l'antécédent est situé vers la gauche ou dans le passé du locuteur. L'exemple donné dans *Deixis* 1, p. 135, est le suivant :

(8) **That** *dentist didn't make a very good job of the filling.*

Le commentaire suppose que le dentiste est absent et que l'énoncé fait allusion à un événement connu du locuteur seul. Cela est possible. Mais il n'est pas impossible de proposer une autre « scène » où le même énoncé est proposé en présence du dentiste. Parlera-t-on encore de retour en arrière à propos de « *that* dentist » ?

Pourquoi ne pas supposer, quelle que soit la situation « réelle », que *that* indique que l'objet a été construit à l'aide de la proposition « didn't make a very good job of the filling » ? On aurait alors une interprétation cohérente avec les emplois de *that* dans les syntagmes nominaux « restreints » par des propositions du type des *relatives*, comme :

(9) **That** *is a good man who can drive a car blindfolded.*

    * **This** *is a good man who can drive a car blindfolded.*

ou

                ***this**
(10) *The view of* **that** *part of the castle which figures today as the back* (. . .) *exhibits the marks of restoration* (. . .) (James, p. 30)

(exemples empruntés à Fraser et Joly, *Deixis* 2, p. 48 – ici, d'ailleurs, la commutation avec *this* est impossible).

1.2.3. Il nous apparaît que la dichotomie endophore/exophore pose un grand nombre de problèmes liés au fait que le critère mis en jeu s'appuie sur une différence définie sur le lieu de résidence des choses désignées et non sur les procédures de l'opération linguistique de référenciation proprement dite.

Aux termes d'exophore et d'endophore, nous préfèrerons, pour notre part, ceux de deixis et d'anaphore, qui visent, dans notre acception, les procédures de l'opération de référenciation. A cet égard :

– *deixis* veut dire : opération construisant une référence (ou objet) par rapport à Sit. ($\mathcal{S}_0, \mathcal{T}_0$).

– *anaphore* veut dire : opération construisant une référence (un objet) par le recours à une proposition 'p' donnée dans l'énoncé comme spécifique et singulière du *designatum*, de l'objet construit.

2. DEFENSE ET ILLUSTRATION DE THAT.

Revenons à présent à la justification de l'idée que certains des emplois où *that* ne peut commuter avec *this* sont anaphoriques et ne peuvent être interprétés à partir de l'hypothèse d'un rejet de l'énonciateur par rapport à ce qu'il désigne (renvoi dans la sphère du non-moi).

2.1 **Emploi anaphorique interphrastique à l'oral.** Dans un certain nombre de cas, l'emploi de *that* (non commutable avec *this*) est rendu nécessaire par le fait que la construction de l'objet référencé s'effectue par le truchement d'une qualité spécifique et singulière définie dans le contexte où cet anaphorique apparaît.

Nous commencerons notre examen par l'analyse d'exemples clairement anaphoriques, nonobstant le fait que la chose réelle correspondant à la référence construite est présente dans le lopin d'espace des énonciateurs.

(11) A : *Give me the ash-tray* !

B : *Which one ? Do you mean the one by the window ?*

A : *Yes,* **that** *one.*
***this**

Dans cet exemple, la raison de l'emploi exclusif de *that* tient au fait que la construction de la référence correspondant à « cendrier » est opérée par la propriété « be by the window ». C'est ce fait qui rend impossible pour A l'emploi de *this*. Il nous paraît peu vraisemblable, comme le voudraient sans doute, en l'occurrence, Fraser et Joly, que l'emploi exclusif de *that* tienne au fait que la propriété définitoire soit donnée, si l'on se place du point de vue de A, dans le discours de l'autre (= de B).

Pour tenter d'en convaincre, nous allons reprendre un exemple de Fraser et Joly (*Deixis* 2, p. 29) :

(12) Clara : « *An' them children – aren't they nice little things, Laura ?* »

Laura : « *They are* **that** (Lawrence, *The Widowing of Mrs Holroyd*, p.164).
*** this**

L'explication proposée par Fraser et Joly est la suivante : « La réplique de Laura, qui équivaut à une réponse affirmative, signifie, par l'emploi de *that*, que le locuteur souscrit entièrement à l'affirmation de l'allocutaire. » Ainsi donc, cet emploi de *that* signifierait que le locuteur vient coïncider avec l'autre quittant ainsi sans doute, sa « sphère du moi ». Nous ne pensons pas que telle soit la raison. Pour nous, comme dans l'exemple précédent, tout vient du fait que la référenciation s'appuie sur une qualification, une propriété considérée comme définitoire de l'objet. En l'occurrence, il s'agit de « be nice little things ». Toutefois, tandis que plus haut la propriété servait seulement à désigner l'objet, ici, elle tend à constituer la totalité du *designatum.*

Si l'explication de Fraser et Joly était suffisante, le fait d'inclure l'ensemble de l'échange dans le discours *d'un seul* énonciateur permettrait la reprise avec *this*. Or si l'on construit l'exemple :

(12') *I think they are nice little things. Yes they are* **that**
*** this**

il s'avère que *that* reste à nouveau le seul « démonstratif » possible. Il n'y a plus qu'un seul énonciateur. Il n'est donc plus possible de parler ici de « référence au discours de l'autre » ou d'adhésion « au discours de l'allocutaire ». La seule solution, à notre avis, est de dire que *that*, seul, a vocation à effectuer référenciation dès lors que cette référenciation s'appuie sur une « reprise de prédication ».

De ceci, on peut rapprocher :

(13) « *But listen : you are an Englishman* ? »
« **that** *I am* », *said the fellow, with an air of utmost superiority.*
* ? **this**

(Thackeray, *Barry Lindon,* p. 234, emprunté à *Deixis* 2, p. 47).

Aux dires des anglophones interrogés, le remplacement de *that* par *this* est pratiquement impossible. A notre avis, à nouveau, la raison en est que l'objet auquel « I » est identifié est ici référencé par le prédicat « be an Englishman ».

Ce même phénomène vaut encore pour ce dernier ensemble d'exemples :

(14) « *They thought I was a spook* ? » *(Hood) said sharply.*
« *At first* ».
« *Why didn't you tell me* **that** *before* ? »
« *Because I knew you weren't* . »

(P. Theroux, *The Family Arsenal,* p. 98).

(15) Olivia : « *He was a fraudulent company promoter. He went to prison a good deal.* »

Lady Marden : « *George, you never told me* **this**. »

(cité par Charleston, 1960, p. 161, Deixis 2, p. 38).

Dans ce couple d'exemples, Fraser et Joly expliquent le choix des « démonstratifs » par le fait que le locuteur qui dit *this* manifeste un intérêt pour ce dont il parle (il veut en savoir plus en la matière), tandis que celui qui dit *that* rejette le sujet abordé. Cette interprétation est éclairante, mais l'emploi de *that* en (14) peut également tenir au fait que ce que *that* reprend est une propriété (« be a spook »), reprise alors par le second locuteur.

Reste à expliquer l'emploi de *this* en (15). En fait, à notre avis, dans cet exemple, il n'y a pas de rapport anaphorique entre *this* et « went to prison a good deal ». Il nous semble plutôt qu'il y a deux opérations distinctes :

1. la construction d'un objet référentiel correspondant à l'événement itéré :

« he went to prison a good deal » ;

2. la désignation directe de cet objet référentiel par deixis (d'où l'emploi de *this*).

Cette hypothèse sur le fonctionnement de (15) supprime la possibilité d'un *this* anaphorique. Cela est sans doute un peu rapide, nous y reviendrons, (cf. *infra*, 4). Mais essayons dès à présent de conforter l'hypothèse. Revenons sur les effets de « he went to prison a good deal ». Pour cela, modifions (15) :

(15') Olivia : *He was a fraudulent company promoter.*

Lady Marden : *George, you never told me* **that**
***this**

On constate que la suppression de « he went to prison a good deal » rend nécessaire le remplacement de *this* par *that*. Comment interpréter ce fait ?

Il faut supposer que la façon dont Olivia s'exprime influe sur la façon dont Lady Marden peut faire allusion au contenu de son discours. Si Olivia introduit une propriété (« be a spook »), le « contenu » de son discours ne peut pas faire l'objet d'une référenciation directe (par deixis). En revanche, si Lady Marden met en place un événement, du coup cet événement peut faire l'objet d'une deixis.

D'une certaine manière, l'événement reste à disposition des interlocuteurs, présent dans leur espace de dialogue. C'est une réalité de leur communication (laquelle ne se superpose pas avec le lopin d'espace qu'ils ont sous les yeux).

Nous reviendrons plus bas sur d'autres exemples où l'emploi de *this* en lieu et place de *that* est possible mais s'accompagne d'effets sur lesquels nous sommes d'accord avec Fraser et Joly, bien que les causes nous semblent parfois différentes de celles qu'ils mentionnent. Pour l'instant, nous entendons poursuivre avec d'autres cas où la commutation n'est pas possible, et essayer de voir pourquoi.

2.2. *That* et la « restriction » :

2.2.1. Cataphores intraphrastiques strictes. Tout comme les anaphores interphrastiques envisagées en 2.1, l'anaphore intraphrastique dont il est à présent question peut fonctionner en mettant en rapport *that* avec un élément de son contexte droit (cataphore), ou un élément de son contexte gauche (anaphore *stricto sensu*).

Dans les cataphores *stricto sensu*, on trouve, définie à droite, la propriété qui sert de base à la référenciation. Citons les exemples proposés par Fraser et Joly ;

(9) **that** *is a good man who can drive a car blindfolded.*

(16) *Should we allow children to speak and write* **those** *grammatical forms which come most naturally to them* ?

(Trudgill, p. 65, *Deixis* 2, p. 48).

A ces exemples-là, nous ajoutons l'exemple déjà commenté :

(3) *It happened* **that** green and crazy summer when Frankie was twelve years old.

(C.McCullers, *Deixis* 2, p. 32).

ainsi que :

(17) *Give me* **that** *pen there on the table*

Dans tous les cas qui viennent d'être cités, *that* nous semble l'indice que le syntagme nominal sur lequel il porte permet de construire un « objet » sur la base d'une propriété spécifique et singulière donnée par le segment droit de l'énoncé – lequel a des effets analogues à ceux d'une relative restrictive.

2.2.2. **Un exemple de cataphore doublement intermédiaire.** Dans *Deixis* 2, p. 48, Fraser et Joly proposent l'énoncé suivant comme exemple de cataphore :

(18) *It has fallen from the state of a noble residence of the sixteenth century to* **that** *of a warehouse and a set of offices* » (James, p. 141).
*** this**

Il est clair que dans « *that* of a warehouse and a set of offices », « of a warehouse and a set of offices » est à droite de *that* et exprime la propriété sur la base de laquelle est construite la référence de l'ensemble de l'expression. Mais il est aussi clair qu'un lien anaphorique existe entre « *state* (of a noble residence . . .) » et « *that* (of a warehouse) ».

Il est donc difficile de trancher ici entre anaphore et cataphore. Mais le problème réel est d'essayer de comprendre comment s'effectue la construction de la référence. Car le modèle de la cataphore stricte n'est plus directement applicable.

Essayons de raisonner par analogie, en reprenant l'un des rares exemples que nous n'ayons pas emprunté à Fraser et Joly :

(11) A : *Give me the ash-tray !*
B : *Which one* ? *The one by the window* ?
A : *Yes,* **that** one.
***this**

Dans une précédente analyse, nous avons rendu compte du fait que *that* ne commute pas avec *this* en disant que *that* indiquait que la construction de la référence s'appuyait sur la propriété « be by the window ». En (18), il ne fait aucun doute que la propriété définitoire de l'objet désigné par *that* (« be of a warehouse and a set of offices ») diffère de la propriété assortie à l'antécédent (« state of a noble residence »). Mais peut-être peut-on dire, en première approximation, que ce n'est pas seulement « state » qui est repris d'un syntagme à l'autre mais également le fait que ce « state » est déterminé par une « queue de syntagme » qui a la valeur d'une propriété restrictive. Sans doute, le *contenu* de la propriété restrictive change, mais ce que marque *that* c'est le fait que la construction référentielle se fait à partir d'une propriété restrictive. Pour nous, le *that* de la reprise peut être paraphrasé par « équivaut à 'state' +Δ », Δ étant une propriété restrictive « dummy » que vient instancier « a warehouse and a set of offices ».

2.2.3. **Quand la cataphore avec *that* peut être contrastée avec un énoncé en *this*.** Dans *Deixis* 1, p. 132, Fraser et Joly proposent les deux exemples suivants :

(19a) **This** *is our bus coming up the road*

(19b)**That***'s our bus coming up the road*

Leur commentaire est le suivant : « (Dans le premier exemple) le locuteur désigne par *this* le mouvement de l'autobus vers le lieu qu'il occupe. Avec *that* (19b), le locuteur insiste davantage sur la position du véhicule, et la phrase signifie : '*That*'s our bus at the bottom of the road' (et il quitte l'arrêt précédent »).

Pour Fraser et Joly, l'opposition *this/that* est liée au fait que le locuteur désigne l'autobus par rapport au mouvement de rapprochement que le véhicule effectue (approche, sphère du moi = *this*), ou au contraire qu'il le définit par rapport à la position occupée par le bus.(= *that*)

Sur cette interprétation, nous différons. Pour nous, en effet, la différence de sens tient au fait que *this* et *that* sont l'indice de différences dans l'opération même de référenciation.

D'une certaine façon, dans le premier énoncé, on peut dire que « coming up the road » a une valeur descriptive. Cette propriété ne sert pas à construire l'objet correspondant à « the bus ». *This* indique que la référenciation est faite d'emblée par rapport à la situation d'énonciation.

Dans le second énoncé, en revanche, « coming up the road », a valeur restrictive. C'est cette propriété qui permet de construire la référence (l'objet). On pourrait ainsi paraphraser :

(19a) **This** *is our bus coming up the road*

par

(19a') **This** *is our bus – and, by the way, it is coming up the road*

et

(19b) **That** *is our bus coming up the road*

par

(19b') **That** *thing which is coming up the road is our bus*

La différence notée par Fraser et Joly demeure : dans le premier énoncé, l'objet étant totalement construit dès l'emploi de *this*, le locuteur décrit alors le mouvement de l'autobus. Dans le second exemple, en revanche, l'objet dépend de la propriété exprimant la position spatiale qu'il occupe. Cette propriété (« be coming up the road ») est rendue définitoire par l'emploi de *that*. D'où l'effet de sens de localisation plus que de description du mouvement. Bien que dans les deux cas la chose soit dans le champ visuel réel des locuteurs, il n'y a deixis (ou « exophore ») que dans le premier cas. Dans le second cas, il y a référenciation par le recours à une propriété explicitée dans l'énoncé, (cataphore). La différence mouvement d'approche / position découle de l'utilisation stratégique par le locuteur de « be coming up the road ».

3. COMMUTATIONS **this/that**.

Hormis en 2.2.3., dans la plupart des exemples que nous avons cherché à interpréter (ou a réinterpréter), *that* apparaît comme nécessaire et non commutable avec *this*. Reste que, souvent, la commutation avec *this* est possible et dépend du choix de l'énonciateur. Ceci, comme le font très pertinemment remarquer Fraser et Joly, ne veut pas dire que *this* et *that* se valent.

Nous sommes encore d'accord avec eux pour dire que *this* marque une détermination directe de la référence par un rapport institué immédiatement avec l'énonciateur, et que les valeurs qui en découlent dans les contextes peuvent toutes se ramener à l'idée d'une coïncidence (ou d'un rapprochement) avec la « sphère du moi » – traduisant, en quelque manière, l'intérêt ou la proximité de l'énonciateur avec ce qu'il désigne.

En revanche, s'il existe des cas où *that* marque un rejet, un renvoi dans la sphère du non-moi, il ne nous apparaît pas que tous les emplois de *that*, lorsque *that* peut commuter avec *this*, soient rattachables à cette valeur fondamentale. Nous allons à présent examiner des exemples de ce type. Nous prions néanmoins le lecteur de ne pas penser que nous nions à *that* la « valeur de rejet ou d'éloignement du locuteur » proposée par Fraser et Joly.

3.1. Soit l'exemple suivant (*Deixis* 1, p. 127) :

(20) **That's** *a clever girl* !

De cet énoncé, Fraser et Joly proposent l'interprétation suivante : « Le locuteur semble aller vers son allocutaire pour la féliciter ... La tonalité est « laudative », l'enfant a accompli une action qui peut être considérée comme entièrement achevée et dont l'accomplissement apporte un certain soulagement au locuteur (« n'en parlons plus »). *That* y a une valeur conclusive comparable à celle de *there* dans « *There* you are » !. »

Nous sommes d'accord avec la valeur conclusive et laudative de ce *that*, mais il ne nous paraît pas évident de la rattacher à l'idée d'un trajet vers la sphère du non-moi.

Nous pensons, quant à nous, que par cet énoncé le locuteur use de rhétorique et fait comme s'il construisait la référence qu'il propose par la seule et unique propriété « be a clever girl ». L'enfant devient totalement réductible à cette propriété : elle devient un parangon, un modèle de petite fille « intelligente ».

Et si l'on contraste l'énoncé avec :

(20') **This** *is a clever girl.*

la différence avec l'emploi de *that* apparaît nettement. Avec *this*, l'objet désigné est totalement défini par son rapport avec l'énonciateur. Ce n'est que dans un second temps qu'il est qualifié par « be a clever girl ». Il s'agit d'une qualité énoncée à propos d'un objet construit.

Un autre exemple de Fraser et Joly confirme l'interprétation d'emploi hyperbolique de *that*, tel que nous venons de la proposer (*Deixis* 2, p. 41). Le voici :

(21) Holroyd : « *I'm not as daft as you imagine. I'm no fool, I tell you* ».

Mrs Holroyd : « *No, you're not. You're a drunken beast,* **that'***s all you are* ».

(D.H. Lawrence, *The Widowing of Mrs Holroyd,* p. 166).

that construit une référence à partir de la propriété « be a drunken beast ». Elle devient aux yeux de Mrs Holroyd, définitoire de son cher époux. Mais il y a plus, car de définitoire, cette propriété devient exhaustive de toutes les qualités du conjoint (« *all* you are »). A notre avis, le « all » de « all you are » reprend et développe une tendance implicite à la désignation d'un objet par une propriété spécifique et singulière : celle qui consiste à le résumer à la seule propriété qui a servi à sa construction.

Nous pourrions multiplier les exemples où *that* fait intervenir une propriété définitoire de l'objet construit. En voici quelques-uns que, pour une fois, nous n'emprunterons pas à Fraser et Joly, mais à un décryptage d'entretiens oraux (*Viewpoints*, O'Neill et Scott, Longman) :

(22) Interviewer : *Some children are aggressive simply in order . . .*

Mrs Hobson : *To gain attention.*

Interviewer : *To gain . . .*

Mrs Hobson : *Aggressiveness usually is* **that**.

(*op. cit.*, p. 153).

(23) Sollicitor : *My firm has a reputation for . . . um . . . successful criminal defence*

Interviewer : *Mm . . .*

Sollicitor : *And to some extent is trying to continue* **that** *reputation.*

(*op. cit.*, p. 147).

(24) Social worker : *Suppose you had, say, a grandmother who had gone a bit senile, couldn't look after herself. Now it could be that* **that** *senile person would be in and out of bed all day . . .* (*op. cit.*, p. 169).

Le premier exemple (22) ne diffère pas du « they are *that* » analysé plus haut (12). En (23), ce qui permet de désigner la « réputation », c'est la propriété « for successful criminal defence ».

L'exemple (24), en revanche, nous paraît plus intéressant parce qu'il s'accompagne d'autres éléments qui marquent que la « senile person » n'est pas envisagée par le locuteur comme actuelle, mais seulement à titre d'hypothèse d'école (« suppose, . . . say, it could be »). Il est logique qu'elle soit désignée par le truchement de la propriété dont elle apporte l'illustration. Elle est le cas gériatrique type, ne vaut qu'en tant que tel, et non en tant qu'individu.

Revenons à présent à des exemples de Fraser et Joly. Voyons tout d'abord ceux tirés des minutes du procès du livre *Lady Chatterley's Lover* (*Deixis* 1, p. 121). Les voici :

(25) *Members of the Jury, you have* **this book**. *You have its effects, as I suggest it must be, on the mind of those, or many of those, reading it. Sometimes it is said of a book, « Ah well, that may be so, but » . . . Do we have anything of that kind in* **this book** ? (LCT, p. 217).

(26) *Again I am asking you to look at it not from the Olympian heights, but as the ordinary man in the street. Do you think when you read* **that book** *that, generally speaking . . .* ? (LCT, p. 217).

Pour Fraser et Joly, le choix du « démonstratif » est lié au fait que, dans le premier extrait (25), l'avocat souhaite rassembler les membres du jury et lui-même dans une même sphère du moi (d'où l'emploi de *this*), tandis que dans le second exemple (26), il s'écarte d'eux pour les laisser seuls juges des effets du livre, et les renvoie pour ce faire dans la sphère du non-moi (emploi de *that*).

A notre avis, les raisons des différences d'emploi tiennent au fait que lorsqu'il est dit « *this* book », c'est pour que la chose soit rendue présente dans l'espace intersubjectif créé par la deixis, et qu'elle fasse peur.

Mais dans le second exemple – dont Fraser et Joly rappellent qu'il n'est distant du premier que de quelques phrases – le livre n'est plus une chose menaçante que l'on présente : c'est un objet soumis au jugement du jury. Il est alors désigné (« *that* book ») par une procédure linguistique (l'anaphore), qui s'appuie sur la mise en jeu de ses propriétés, ou plutôt de celle qui, en l'occurence, est l'expression de son caractère pernicieux (« its effects on the mind of those reading it » – en clair : son caractère pornographique). Car c'est là-dessus que doit porter le jugement du jury.

Nous tenterons une dernière analyse des effets du libre choix de *this* ou *that* par l'énonciateur en empruntant l'exemple de Fraser et Joly (*Deixis* 1, p. 101). Ici, il illustre un jeu inverse à celui qui a été analysé plus haut. Le passage s'effectue de *that* à *this*.

(27) GEORGE.	*Martha . . . (long pause). . . our son is . . . dead. (Silence). He was . . . killed . . . late in the afternoon . . . (Silence). (a tiny chuckle) on a country road, with his learner's permit in his pocket, he swerved, to avoid a porcupine, and drove straight into a . . .*
MARTHA	*(rigid fury). YOU . . . CAN'T . . . DO . . .* THAT !
GEORGE . . .	*large tree.*
MARTHA	*(quivering with rage and loss). NO ! NO ! YOU CANNOT DO* THAT ! *YOU CAN'T DECIDE* THAT *FOR YOURSELF* ! *I WILL NOT LET YOU DO* THAT !
GEORGE.	*We'll have to leave around noon, I suppose . . .*
MARTHA.	*I WILL NOT LET YOU DECIDE* THESE THINGS !
GEORGE. . . .	*because there are matters of identification, naturally, and arrangements to be made . . .*
MARTHA	*(leaping at GEORGE, but ineffectual). YOU CAN'T DO* THIS !

(Albee, Act III, p. 135 ; les capitales sont dans le texte).

Ce qui est intéressant dans ce passage, c'est que *that* et *this* désignent, d'une certaine façon, la même chose : la mort de ce fils imaginaire, grâce auquel George et Martha se séduisent et se torturent au cours du jeu que l'on sait. Selon nous, le passage de *that* à *this* traduit, de la part de Martha, le fait qu'elle cesse de voir dans cette mort une fiction formée par George, une hypothèse d'école, qui ne vaudrait que par les propriétés exemplifiées, mais y voit tout à coup un objet de discours correspondant à une réalité de leur espace d'interlocution.

Ce qui est remarquable, c'est que le passage à la deixis a lieu lorsque

George, cessant d'énoncer les qualités de l'hypothèse perverse qu'il formule, envisage les conséquences « pratiques » que la mort de « leur enfant » va avoir sur lui-même et sur Martha (« We'll have to leave around noon »). La situation fictive qu'il envisage cesse d'être telle pour devenir une *réalité*. C'est à partir de ce moment que Martha déclare « You can't do *these things* » : elle refuse à George le droit d'introduire dans le jeu la mort de leur fils. Mais le fait qu'elle dise « *these things* » – et surtout son *this* final (« You can't do *this* ») – indique qu'elle accepte déjà comme objet accessible par deixis, inhérent à leur espace interlocutif ce qu'elle prétend interdire à George (« You *can't* do this »). Nul doute qu'elle soit, comme le note le jeu scénique, « ineffectual », puisque son emploi de *this* atteste qu'elle admet comme « réalité » l'hypothèse de jeu qu'elle entend faire retirer à George.

4. Essayons à présent d'aborder le fonctionnement d'exemples où *this* semble être utilisé de façon anaphorique. En voici deux :

(28) Dilys : *Er . . . I'm 28 now. I'm not married. Erm . . . and . . . I . . . I'm still more or less expected to live a good, clean, virginal life. And I'm not supposed to admit to having lovers, to having affairs, whereas it's . . . it's perfectly respectable, in fact always has been, for a man to admit* **this**.
Interviewer : *Uhum.*
Dilys : *To . . . to talk seriously about such things,*
Interviewer : *Uhum.*
Dilys : *In most circles, for a woman, is still frowned upon.*
(*Viewpoints*, p. 158).

(29) Mr Marden : *I know that . . . uhm . . . other countries are said to have a better strike record than us, and in the case of Germany this is undoubtedly true, but it is not true in the case of France, United States, Canada and Italy,*
Interviewer : *Hum . . .*
Mr Marden : *Also our competitors.*
Interviewer : *Hum . . .*
Mr Marden : *and I do feel we get a very bad press on* **this**.
(*Viewpoints*, p. 143).

On remarquera que, dans chaque cas, *this* désigne le sujet central du passage (en (28), la vie sexuelle et affective d'une femme de vingt-huit ans ; en (29), le « strike record »). A notre avis, il n'y a pas à proprement parler d'anaphore entre « to having lovers . . . affairs » ou « to have a better strike record than us » et *this*. L'emploi de *this* indique que, pour l'énonciateur, la prédication qui définit son thème a déjà formé un objet de discours directement accessible par deixis. Nous ne sommes pas loin de ce que Fraser et Joly appellent une « présence non-tangible », à cela près toutefois que, pour nous, cet objet n'est pas un *en soi*, mais un *objet*, c'est-à-dire l'effet d'une production discursive, envisagé dans le rapport de communication entre le locuteur et l'allocutaire.

Sur le fond, dans les cas de ce genre, l'énonciateur conserve le droit de décider si les propos qu'il a tenus vont constituer un « objet de discours » directement accessible par deixis, ou bien si, au contraire, ils resteront des propriétés qui serviront de médiation éventuelle dans une opération de référenciation anaphorique. Le choix évidemment n'est pas innocent. S'il opte pour l'anaphore, d'une certaine façon, il semble confier aux propriétés définies dans son discours le soin de désigner l'objet. S'il choisit la deixis, il se « met en avant », puisque c'est par rapport à lui – et à lui seul – que l'objet est désigné. Ici, nous rejoignons totalement les conclusions de Fraser et joly.

5. Reste encore à rendre compte des cas où *this* semble obligatoirement employé à l'exclusion de *that*, puis à envisager l'ensemble des valeurs assignées à la différence d'emploi entre *this* et *that* par Fraser et Joly, afin de voir s'il est possible de les relire dans le cadre de l'hypothèse que nous formulons.

En fait, ces deux points se recoupent partiellement. Si l'on fait l'inventaire des valeurs assignées à la différence d'emploi de *this* et *that* dans *Deixis* 1 et 2, on trouve ce qui suit :

- moi/hors-moi,
- proximité/distance,
- intérêt/rejet,
- inclusion/exclusion,
- univers du locuteur/univers commun,
- premier plan/second plan,
- responsabilité du locuteur/responsabilité de l'allocutaire,
- discours de « je »/discours de l'autre,
- valeur d'appel/valeur conclusive.

Dans l'ensemble, on constate que ces différences d'effet de sens sont rattachables à l'opposition définie par Fraser et Joly en termes de « sphères du moi/sphère du non-moi ». Cette dichotomie est fondée sur l'hypothèse que l'emploi de *that* par le locuteur est totalement réductible à la décision de ne pas faire appel aux valeurs liées à *this* (= sphère du moi, mise en avant du locuteur, etc). Ceci est largement recevable. Mais il existe des cas où cette interprétation, à nos yeux, n'est pas opératoire. Parfois l'emploi de *that* traduit autre chose. Du moins avons-nous essayé de le montrer.

En fait, la seule opposition qui pose un problème et ne peut être immédiament rattachée à l'hypothèse fondamentale concernant la sphère du moi est la dernière : « valeur d'appel de *this* » *vs* « valeur conclusive de *that* ». Or, il s'avère également que dans les cas d'emplois de *this* avec valeur d'appel, le remplacement par *that* semble quasiment impossible. C'est en cela que les deux étapes de notre démarche argumentative se rejoignent.

Examinons donc les exemples de Fraser et Joly (*Deixis* 2, p. 43) illustrant la valeur d'appel de *this* :

(30) *I lighted on a certain place where was a Den, and I laid me down in that place to sleep (. . .). / He dreams of a man /. He brake out with a lamentable cry, saying « What shall I do ? » In* **this** *plight, therefore, he went home and refrained himself as long as he could*
(John Bunyan, *The Pilgrim's Progress*).

(31) *Such things as advertisements, posters, pop-songs (. . .) invite us to an avid enjoyment by parading the fact that their creators don't expect them to last. And* **this**, *in turn, relates to the kind of society we live in*
(*Times*, 15/02/66 dans Levine (ed.), 1971, p. 31).

Le commentaire de Fraser et Joly est le suivant : « *therefore* (dans l'exemple (30)) et *in turn* (en (31)) établissent un lien entre l'avant et l'après du texte et semblent être incompatibles avec *that* que sa valeur conclusive rend inapte à un développement ». Nous souscrivons totalement à cette analyse qui éclaire tout particulièrement la façon dont le contexte (*therefore*, *in turn*) soutient/renforce la valeur d'appel de *this* et forclôt l'emploi de *that* réputé conclusif.

Mais le problème subsiste de savoir comment il est possible de rattacher cet effet de sens (appel *vs* conclusion) aux hypothèses de base formulées à propos des différences d'emploi de *this* et *that*. Nous allons nous efforcer de donner quelques éléments à cet égard.

On notera tout d'abord que, dans chacun de ces énoncés, *this* est nettement séparé de l'ensemble prédicatif dont il constitue le sujet par une incise (« therefore » ou « in turn »). Et cette incise garantit le fait que la prédication opérée par le membre de droite a, ici, valeur descriptive et non restrictive. Dès l'abord, on sait donc que les éléments prédicatifs rapportés à *this* « décrivent » l'objet que *this* a créé, mais n'ont pas servi à le produire. Ceci peut être un indice de la raison pour laquelle *that* n'est pas utilisé (du moins un *that* du type « *that* is a good man who can drive a car blindfolded »).

A chaque fois, donc, les incises indiquent que la référenciation dont *this* est la trace ne se fonde pas sur des propriétés définitoires de l'objet, qui seraient exprimées à sa droite. Mais cela n'explique pas encore en quoi et pourquoi *this* a une « valeur d'appel ».

Toutefois, si l'on nous accorde que *this* atteste la formation, pour le locuteur, d'un objet de discours qu'il se donne le droit de désigner directement, sans passer par ses propriétés définies dans le contexte, alors la valeur d'appel de *this* devient intelligible : si l'énonciateur cite cet objet de discours, c'est pour énoncer de nouvelles propriétés et décrire à son propos des qualités qu'il ne lui a pas encore assignées. Dire *this*, c'est citer à comparaître un objet pour en faire le point de départ d'un commentaire (entendu ici de façon non technique) au cours duquel seront énumérées des qualités et des propriétés nouvelles.

Ces qualités-là, ce sont précisément celles que *this* « appelle ». Elles ne sont pas nécessaires à la construction de la référence, de l'objet, mais le décrivent, une fois introduit.

On peut approcher la valeur conclusive de *that* en utilisant les mêmes hypothèses de base. *That* indique qu'un objet a été construit sur la base de ses propriétés. On a vu même, dans l'analyse de certains exemples, qu'il finissait par identifier l'objet désigné à cette propriété donnée comme définitoire. Or, ce mouvement-là, dans son intention, est conclusif, si l'on nous accorde que conclure c'est rassembler les qualifications données à propos d'un *topos* et les considérer comme exhaustives de ce *topos* – c'est-à-dire les identifier à lui.

Que si conclure c'est dire que l'ensemble des prédicats affectés à un sujet vaut pour ce sujet lui-même, alors la nature conclusive de *that* n'a rien d'étonnant.

6. Nous voudrions terminer par deux remarques rapprochant la valeur de *that* discutée tout au long de ces lignes de deux autres *that*, dont les valeurs confortent l'hypothèse avancée (surtout si l'on tient compte du fait qu'aucun *this* parallèle à ces *that*-là n'existe).

Considérons tout d'abord le *that* relatif :

(32) *The man* **that** *I saw the other day phoned this morning*

Ici, le *that* relatif indique que la désignation de l'objet de discours correspondant à « man » s'appuie sur la propriété définie dans le contexte droit « I saw the other day ».

Par ailleurs, à propos du *that* complétif, Bolinger indique clairement que, lorsque *that* n'est pas supprimé (« He told me *that* he would come » par opposition à « He told me he would come »), c'est que le locuteur reprend une information déjà exprimée, ou, à tout le moins, qu'il suppose déjà connue de son allocutaire.

Ici, à nouveau, *that* a partie liée avec l'anaphore, la reprise d'un « déjà exprimé ».

Enfin, dans un énoncé du type :

(33) *He is not* **that** *stupid*

le *that* réfère à un « degré de bêtise » que le locuteur suppose déjà donné. A nouveau, *that* se trouve impliqué dans un processus, sinon de reprise de prédication, du moins de reprise de degré de prédication (ce que l'on peut envisager comme prédication de prédication). Tout cela, bien sûr, reste à conforter.

7. En conclusion, nous pensons qu'il y a matière à croire que *that* ne se réduit pas à un « non-*this* », bien que dans certains cas où le contexte autoriserait l'emploi de *this*, le recours à *that* traduise un certain « désengagement apparent » de l'énonciateur.

This a effectivement la valeur fondamentale proposée par Fraser et Joly : il est l'indice de la construction d'une référence à partir de la situation d'énonciation du locuteur (laquelle ne se confond pas avec le réel que le locuteur peut avoir sous les yeux, comme nous l'avons indiqué dans notre critique de la dichotomie exophore/endophore).

That, en revanche, a deux valeurs :

1) Il marque que la construction de la référence d'un objet s'est effectuée par le truchement de propriétés définitoires, le plus souvent explicitées dans le contexte où *that* apparaît.
2) Cette construction, dans certains cas, peut indiquer que l'énonciateur a cherché à se « défaire de ses responsabilités dans l'acte de référenciation », « faisant comme si » la référenciation découlait naturellement de son énoncé. Mais, bien entendu, de cette manoeuvre, il est encore responsable.

Université de Paris III

BIBLIOGRAPHIE

1. *Corpus*

ALBEE, E. (1962, 1968), *Who's Afraid of Virginia Woolf* ? Penguin Books.

BUNYAN, J. (1678, 1945), *Pilgrim's Progress*, Oxford University Press.

CHARLESTON, B.M. (1060), *Studies in the Emotional and Affective Means of Expressions in Modern English*, A. Francke, Berne.

HERGESHEIMER, J. (1919, 1923), *Java Head*, Heinemann, London.

JAMES, H. (1884, 1954), *A Little Tour in France*, Tauchnitz, Stuttgart.

LAWRENCE, D. H. (1914, 1969), *The Widowing of Mrs Holroyd*, dans *Three Plays*, Penguin books.

LEVINE, A. ed. (1971), *Penguin English Reader*, Penguin Books.

McCULLERS, C. (1946, 1962), *The Member of the Wedding*, Penguin Books.

O'NEILL, R. & SCOTT, (1974), *Viewpoints*, London, Longman.

ROLPH, C.H. ed. (1961), *The Trial of Lady Chatterley*, Penguin Books.

THACKERAY, W.M. (1844, 1974), *The Memoirs of Barry Lindon Esq.*, Penguin Books.

THEROUX, P. (1976, 1977), *The Family Arsenal*, Penguin Books.

TRUDGILL, P. (1975), *Accent, Dialect and the School*, London, Edward Arnold.

2. *Ouvrages et articles de linguistique, grammaires.*

ATLANI F.« On, l'illusionniste », ici même, p.

BARRIE, W. (1968), *Which and How*, Paris, Didier.

BENEVISTE, E. (1966), *Problèmes de linguistique générale I*, Paris, Gallimard.
(1974), *Problèmes de linguistique générale II*, Paris, Gallimard.

BOLINGER, D. (1972), *That's That*, The Hague, Mouton.

DAMOURETTE, J. & PICHON, E. (1911 - 1940, *Des mots à la pensée. Essai de grammaire de la langue française*, Paris, d'Artrey.

DELMAS, C. (1980), *Quelques éléments de la métalangue naturelle*, thèse de 3è cycle, Paris, 1980.

FRASER, Th. & JOLY, A. (1979), « Le système de la deixis. Esquisse d'une théorie d'expression en anglais », dans *Modèles Linguistiques*, I, 2, pp. 97-157.
(1980), « Le système de la deixis (2) : endophore et cohésion discursive en anglais », dans *Modèles Linguistiques*, II, 2, pp. 22-51.

HALLIDAY, M.A.K. & HASAN, R. (1976), *Cohesion in English*, London, Longman.

JESPERSEN, O. (1914 et 1927), *A Modern English Grammar*, Munksgaard, Copenhagen ; Allen & Unwin, London.

TELLIER, A.R. (1967), *Grammaire anglaise*, Sedes, Paris.

QUIRK, R. et al. (1972), *A Grammar of Contemporary English*, London, Longman.

ZANDVOORT, R.W. (1953), *A Handbook of English Grammar,* London.

ANNEXE

On trouvera ici rassemblées des correspondances approximatives avec les exemples anglais.
En aucun cas il ne saurait s'agir de traduction (d'ailleurs, la différence that/ this n'a pas d'équivalent direct en français).

(1) Donne- moi ce (*that*) cendrier sur la table là-bas.
(2) Donne-moi ce (*that*) livre là-bas s'il te plaît.
(3) Cela arriva cet (*that*) été-là où Frankie fêta ses dix ans.
(4) C' (*this*) est fort aimable, Capitaine A., dit-elle de son ton acerbe « Venez par ici ».
(5) Cela (*that*) aurait heurté tout autre que moi.
(6) Il y a un détail charmant dans cette (*this*) partie. A côté de l'ange, sur la droite. .
(7) Balzac écrit dans l'une de ses nouvelles, que le véritable tourangeau ne fera jamais le moindre effort, fût-ce pour se mettre en quête d'un plaisir. Il n'est pas difficile de saisir la source de ce (*this*) plaisant cynisme. . .
(8) Ce (*that*) dentiste n'a pas réussi son plombage.
(9) C'(*that*) est un juste celui qui peut conduire sa voiture les yeux fermés.
(10) La vue que l'on a sur cette (*that*) partie du château qui est aujourd'hui l'arrière présente des traces de restauration.
(11) A : Donne-moi le cendrier/ B : lequel ? Celui qui est près de la fenêtre ? / B : Oui, celui-là (*that*).
(12) C : Ne sont-ce pas des enfants ? - de gentils petits, Laura ? / L : Oui, ils le (*that*) sont.

(13) Mais dites-moi : Vous êtes anglais ? / Ça (*that*), je le suis en effet.

(14) Ils ont cru que j'étais un revenant ? / Oui, au début / Pourquoi ne me l' (*that*) avez-vous pas dit plus tôt ? / Parce que je savais que vous n'en étiez pas un.

(15) C'était un homme d'affaire véreux. Il a été souvent en prison. Georges, vous ne m'en (*this*) avez jamais parlé.

(16) Devons-nous laisser les enfants s'exprimer et écrire ces (*those*) formes grammaticales qui leur viennent naturellement ?

(17) Donne-moi ce (*that*) livre qui est sur la table.

(18) Il est tombé de l'état de noble demeure du XVIe siècle à celui (*that*) de hangar et de bureaux.

(19) Voici notre bus qui arrive.

(20) Comme elle est intelligente cette petite-là !

(21) Je ne suis pas aussi cinglé que tu le penses / Non, t'es un saoulard, c'(*that*)'est tout ce que t'es.

(22) Certains enfants sont agressifs juste pour . . . attirer l'attention. . . l'agressivité souvent c'est ça (*that*).

(23) Mon cabinet a une bonne réputation en matière de défense pénale et d'une certaine façon j'essaye de maintenir cette (*that*) réputation.

(24) Prenons le cas d'une grand-mère un peu sénile, qui ne peut pas rester seule. Il peut arriver que cette (*that*) personne sénile passe son temps à sortir de son lit, par exemple . . .

(25) Messieurs les jurés vous avez devant vous ce (*this*) livre.
Vous avez ses effets, j'ai essayé de dire qu' ils ne manqueront pas d'être sur ceux qui le liront. Parfois on dit d'un livre 'C'est possible, mais . . . ' Avons-nous ici quelque chose de la sorte dans ce (*this*) livre ?

(26) A nouveau, je vous demande de considérer les choses non du point de vue de Sirius mais comme l'homme de la rue. Croyez vous, en lisant ce (*that*) livre que. . .

(27) G : Martha . . . notre fils est mort . . . Il s'est tué en fin d'après-midi (petit gloussement) . . . sur une route de campagne . . . avec son permis de conduire dans la poche, il a donné un coup de volant pour éviter un porc-épic, et il a foncé sur . . . / M : Tu n'as pas le droit de faire ça (*that*) . . . / G : un gros arbre. / M (tremblante de peur et comme perdue) Non ! Non ! Tu n'as pas le droit de faire ça (*that*) / G : Il va falloir partir vers midi, j'imagine . . . / M : je ne vais pas te laisser décider ça (*these*) / G : il y a des histoires d'identi-

fication, et des dispositions à prendre . . . / M : (bondissant sur Georges, mais inefficace.) : Tu n'as pas le droit de faire ça (*this*).

(28) J'ai 28 ans. Je ne suis pas mariée . . . On voudrait que je mène une vie bien propre, chaste, virginale. On ne s'attend pas à ce que je reconnaisse que j'ai des amants et des liaisons alors que pour un homme il a toujours été parfaitement normal d'admettre cela (*this*). . . De parler de ça (*this*) dans la plupart des milieux c'est mal vu.

(29) Je sais qu'il y a des pays qui ont de meilleurs scores que nous pour les grèves, et pour l'Allemagne c'est vrai, mais ce n'est pas vrai de la France, des Etats-Unis, du Canada et de l'Italie, qui sont aussi nos concurrents, et à mon avis les journaux donnent de nous une image déformée sur ce point (*this*).

(31) Des choses comme les publicités, les affiches, les chansons nous invitent à nous laisser aller au plaisir qu'elles procurent du fait qu'elles manifestent avec éclat que ceux qui les ont créées ne s'attendaient pas à ce qu'elles durent. Et ceci (*this*) d'ailleurs est à mettre en rapport avec le type de société dans lequel nous vivons.

(32) L'homme que (*that*) j'ai vu l'autre jour a appelé ce matin.

(33) Il n'est pas si idiot que ça (*that*).

Qui interroge qui et pourquoi ?

Almuth Grésillon &
Jean-Louis Lebrave

O. INTRODUCTION

Ce travail est né d'un étonnement face à un paradoxe de la *Lutezia* de H. Heine [1] : ce texte qui se veut une description objective de la réalité politique, sociale et culturelle de la France sous la Monarchie de Juillet, et qui consiste en une suite de reportages initialement écrits au jour le jour par Heine pour un journal allemand, ne fait intervenir la forme du *dialogue* que d'une façon accidentelle ; or, il comporte une quantité impressionnante de questions qui, pour la plupart, ne sont pas des questions rhétoriques, mais de « vraies » questions, suivies d' énoncés qu'on peut considérer comme des réponses à ces questions. Pour formuler le paradoxe sous une forme caricaturale, comment se fait-il qu'on trouve en abondance des couples question-réponse dans un texte écrit à visée descriptive et ne recourant pas à la fiction du dialogue [2] ? Qui donc pose ces questions ? A qui sont-elles posées ? Qui fournit les réponses ? Et pourquoi le recours à cette forme de questions-réponses ?

Pour tenter de faire face à ce problème, nous nous sommes posé deux questions :

a) En premier lieu, existe-t-il un cadre théorique qui permette de rendre compte de telles données ? Nous cernerons cet aspect en 1. , en nous limitant à un examen *sélectif* de ceux des travaux consacrés à l'interrogation qui soulèvent le problème des locuteurs. Nous avons donc laissé de côté toutes sortes d'autres recherches sur l'interrogation qui ne concernent pas directement notre centre d'intérêt : c'est le cas par exemple des études d'inspiration logique, de celles qui sont liées à la grammaire généra-

tive (puisqu'elle opère avec un locuteur-auditeur « idéal »), des recherches typologiques (questions totales, partielles, disjonctives) ou de celles qui se consacrent à la description exclusive d'un type particulier de questions.
On le verra, nos commentaires et nos critiques sont dictés dans un premier temps par le matériau dont nous cherchons à traiter. Mais dans la mesure où nous refusons de considérer ce matériau comme une exception à l'intérieur du phénomène général de l'interrogation, ces remarques ont aussi une portée plus générale : elles doivent contribuer à cerner plus clairement des points dont une théorie générale de l'interrogation doit pouvoir rendre compte.

b) Nous avons retenu dans notre corpus 76 couples de questions-réponses en excluant les questions rhétoriques, non pour les isoler une fois de plus du cadre général de l'interrogation, mais parce qu'elles ont été abordées ailleurs [3]. Cet ensemble contient-il des indices linguistiques qui permettent de *décrire* et d'*interpréter* des couples question-réponse figurant dans des suites textuelles écrites non dialoguées ? C'est au repérage et à l'analyse de tels indices que sera consacrée la majeure partie de ce travail (cf. 2.).

Nous tenterons en 3. d'évaluer l'intérêt que l'étude de ce corpus spécifique de questions-réponses comporte sur un plan plus général. Sur le plan linguistique, nous proposerons d'intégrer la notion de *double locution* à la description des questions-réponses. Sur le plan textuel, nous montrerons que les réponses remplissent une fonction « textualisante » et « topicalisante ». Enfin, nous évaluerons, sur le plan discursif, le potentiel assertif propre aux couples questions-réponses dans certains types de discours écrits.

1. QUELQUES THEORIES DE L' INTERROGATION

Nous examinerons tout d'abord quelques approches théoriques de l'interrogation, notamment celles dont on peut espérer une certaine capacité à rendre compte des faits précis qui caractérisent notre corpus. Ces faits précis sont les suivants : 1) les couples question-réponse émanent d'un corpus *écrit* ; 2) les couples question-réponse, dans leur grande majorité, ne correspondent pas à une situation de dialogue [4]. Concernant le deuxième point, il nous a paru important de regarder de plus près les travaux sur l'interrogation qui intègrent la notion de locuteur et de vérifier en particulier si le type de description proposé est susceptible d'englober non seulement la situation de dialogue, mais aussi la configuration qui nous occupe, où le couple question-réponse est assuré par un seul locuteur réel.

1.1. L'hypothèse pragmatique

Les travaux pragmatiques, s'inspirant explicitement ou implicitement des *Actes de langage* de Searle et des *Maximes conversationnelles* de Grice, examinent l'interrogation prioritairement comme acte illocutionnaire et moins comme un couple de phrases déterminé - entre autres ! - par des régularités syntaxiques. Autrement dit, les problèmes de locuteur se trouvent effectivement au premier plan, mais les correspondances entre question et réponse sont diluées complètement dans une sorte de psychologie sociale, où l'échange question-réponse est réglé essentiellement par des principes de comportement face à un « savoir sur le monde ». Le problème des locuteurs apparaît donc sous une forme bien précise : un locuteur-1, guidé par un désir d'information, s'adresse à un locuteur-2 qui est censé pouvoir et vouloir fournir l'information requise et qui le fait de la façon la plus brève possible (cf. Grice : « Be relevant ! ») [5].

Cette perspective nous paraît comporter deux dangers : d'une part, elle néglige largement l'examen des formes linguistiques (on étudie plutôt le comportement de deux personnes réelles l'une en face de l'autre, et le contexte d'utilisation des formes linguistiques finit par étouffer l'étude de ces formes elles-mêmes et de leurs régularités) ; d'autre part, et à l'intérieur du cadre pragmatique lui-même, on réduit pour l'essentiel l'interrogation dans son ensemble au désir d'information, même si, à l'occasion, on mentionne d'autres conditions d'emploi. Or, nombreux sont les cas où la question n'est absolument pas assimilable à un désir d'information : que l'on songe par exemple aux questions d'examen (l'enseignant est censé être en possession de l'information demandée !), aux questions rhétoriques (le locuteur-1 ne veut rien savoir du locuteur-2, mais au contraire obtenir de lui son assentiment), aux demandes d'agir (assimilables plutôt à l'injonction), aux questions-écho (qui cherchent à faire préciser non un savoir, mais les termes exacts d'un énoncé antérieur), etc. [6, 7].

Outre ces points de critique générale, l'approche pragmatique de l'interrogation nous a « laissés sur notre faim » à l'endroit où précisement nous l'attendions le plus : le problème des locuteurs. Bien qu'elle inscrive ce problème au centre de son analyse, nous n'y avons pas entrevu de solution satisfaisante pour la description de ce qui fait la spécificité de notre corpus, à savoir une configuration où le couple question-réponse est assuré par le même locuteur [8] . Certes, on peut trouver quelques remarques allusives à ce sujet, selon lesquelles il faudrait recourir à un dédoublement de ce locuteur unique pour décrire ce type de questions-réponses. Mais que peut vouloir dire « dédoublement » dans un cadre théorique qui, à mille lieues de la théorie psychanalytique du sujet clivé, se fonde sur la présence de locuteurs « entiers », conscients de leur dire et faire ?

Un autre type de questions encore semble difficile à intégrer à ce cadre pragmatique qui suppose, comme origine de la question, un locuteur réel. En effet, comment traiter ces questions anonymes, attribuables à une sorte de *vox populi*, à l'air du temps, ces questions pour lesquelles il faudrait poser un locuteur collectif, ainsi par exemple :

- Faut-il maintenir la peine de mort ?
- Peut-on encore présupposer ?
- Y aura-t-il une troisième guerre mondiale ?

Nous n'avons évoqué jusqu'ici que les problèmes afférents à la question. Mais le modèle pragmatique impose des contraintes sur la réponse qui, elles aussi, nous paraissent pour le moins discutables. Non seulement le cas où la réponse est fournie par le même locuteur n'est pas envisagé, ce qui s'explique bien sûr par la situation de dialogue choisie au départ, et rend en même temps difficile l'utilisation de ce schéma pour la description de notre corpus. Mais les contraintes formulées sur la réponse donnée par le locuteur-2 sont elles-mêmes très loin de ce qui se passe dans la majorité des échanges réels. En effet, comme le couple question-réponse est analysé essentiellement en tant qu'illustration du principe de coopération, le locuteur-2 s'engage à formuler sa réponse d'une façon qui satisfasse le désir d'information de son interlocuteur « en son âme et conscience », le plus précisément, mais aussi le plus brièvement possible. Autrement dit, on pose comme évidence spontanée que le locuteur-2 a compris la question « sans problème », qu'il dispose de la « bonne » réponse, qu'il a nécessairement envie de la donner, et qu'il fera tout ce qui est en son pouvoir pour qu'elle soit directe, concise et ne déborde pas le domaine interrogé. C'est ainsi que tout ira pour le mieux dans le meilleur des mondes, c'est ainsi que la question-réponse atteint son but : la coopération intersubjective. Or, il est bien clair que ce n'est pas sous cette forme idyllique que se passe le commerce humain[9] ! En particulier, les réactions verbales de celui à qui on pose une question divergent bien souvent du schéma esquissé. Car il peut avoir mal entendu ou mal compris la question et demander qu'elle soit reformulée. Il peut aussi avoir bien compris la question et néanmoins refuser d'y répondre. Il peut encore donner délibérément une mauvaise réponse pour induire ainsi son interlocuteur en erreur. Il peut donner une réponse partielle ou, au contraire « hyper-informative » (et ce dernier cas est effectivement fréquent). Il peut enfin enrober sa « réponse » dans un long commentaire qui comporte sous forme indirecte l'information demandée. Or, aucun de ces cas pourtant courants n'est pris en compte par les travaux pragmatiques, et s'ils sont mentionnés, c'est pour être écartés aussitôt comme relevant d'autre chose. Tout se passe comme s'il fallait à tout prix nier ce qu'il y a de complexe et d'hétérogène dans l'échange question-réponse . . . et dans l'échange verbal tout court.

Nous arrêtons là ce bref survol des travaux pragmatiques consacrés à l'interrogation. Sans doute ce cadre est-il opératoire pour la description d'un certain type d'interrogatives. Mais dans la mesure où il s'avère inapte à rendre compte d'un grand nombre d'autres phénomènes liés à l'interrogation - en fait, toutes les questions qui ne sont pas demande d'information et toutes les configurations question-réponse à locuteur unique - nous renonçons à l'idée, initialement séduisante, d'analyser notre corpus à l'aide de la pragmatique. Et nous ajoutons une remarque plus générale : une théorie globale de l'interrogation devrait à notre avis être capable de rendre compte de *tous* les phénomènes de l'interrogation. Elle devrait en particulier pouvoir rendre compte de questions dont le type reste ambigu tant qu'on ne connaît pas la réponse. Ainsi par exemple *Qui veut la guerre ?*, isolé de la réponse et non muni d'indices intonatoires, peut être soit une question d'information (dont la réponse consistera à substituer à la variable un N spécifique), soit une question rhétorique (impliquant la réponse : *personne*).

1.2. L'ouvrage de R. Conrad

Nous prendrons cet ouvrage comme théorie de référence, dans la mesure où il dresse un bilan des principaux travaux existants dans le domaine allemand et fournit les éléments d'une synthèse. Nous en ferons une présentation relativement détaillée, car, malgré les points de désaccord que nous serons amenés à expliciter, et bien que nous ayons été amenés ensuite à opter pour un cadre théorique différent, le travail de Conrad nous a largement servi dans l'élaboration de la description des questions-réponses de notre corpus, y compris - et ce n'est peut-être pas le moins important - pour mieux cerner par contraste la spécificité de ce corpus de questions-réponses.

Pour définir la question, il est nécessaire de prendre en compte un certain nombre de paramètres : la situation de discours, l'existence d'une réponse, la nature de la relation entre la question et la réponse, etc. Il s'agit là de constatations banales, dont nous reprendrons les principaux points ici : qu'est-ce qu'une question ? A quels critères la réponse doit-elle satisfaire pour mériter le nom de réponse ? Quelle est la relation entre la question et la réponse ?

1. 2. 1. La question

1) En premier lieu, Conrad rappelle que le jeu des questions-réponses suppose la présence de deux *partenaires* dans une *conversation* (Gesprächspartner) où le questionneur lance à son partenaire une *demande* (Aufforderung). Ceci rappelle en même temps la parenté entre les questions et les énoncés injonctifs (ordres, énoncés à l'impératif, etc.). Conrad résume ce caractère par la composante AUFF (Aufforderung).

Dans la présentation de Conrad, le statut des deux partenaires n'est pas défini explicitement et la chose est présentée comme allant de soi [10]; pourtant, on aimerait savoir à quelle théorie linguistique cette notion renvoie : s'agit-il de termes inspirés du modèle issu des théories de l'information, ou encore faut-il chercher une référence à une théorie de l'énonciation, ou à un modèle pragmatique ? Il serait pourtant crucial de définir ces termes d'une façon plus précise, faute de quoi des ambiguïtés graves subsistent : sont-ce des personnes réelles (protagonistes réels d'un échange réel), sont-ce des constructions de la théorie linguistique, et, si oui, quelle place occupent-elles dans cette théorie ? On voit d'emblée les inconvénients que cette imprécision comporte si on tente d'appliquer le modèle de Conrad à un corpus écrit où il n'y a ni partenaires ni conversation.

En liaison avec ce premier point, on notera la dissymétrie entre « Fragesteller » (questionneur) et « Gesprächspartner » (partenaire dans la conversation), où se trahit une conception du « partenaire » comme un élément secondaire qui ne se définit que par rapport au « questionneur ». Etant donné les conséquences de telles options sur le statut des objets traités, il est dommage qu'elles soient simplement admises comme des présupposés implicites.

Signalons enfin que ce modèle se situe bien sûr dans les conditions du *dialogue*.

Notre critique ne s'adresse pas ici à Conrad en particulier : les points que nous venons de dégager réapparaissent massivement dans les travaux sur les questions, et sous la même forme d'évidence implicite que chez Conrad (couple questioner-addressee, Fragesteller-Gesprächspartner, questionneur-destinataire, etc).

Or, l'existence même d'un corpus écrit où les questions ne sont pas insérées dans un contexte de dialogue rend ce postulat problématique pour une théorie générale des questions. Faut-il en conclure que les questions écrites relèvent d'une théorie particulière, parce qu'elles impliquent un usage déviant ou dérivé ? Ou bien peut-on élargir la théorie des questions-réponses pour y inclure le traitement des questions écrites ? Nous soulevons le problème dès maintenant, et nous tenterons d'apporter au moins des éléments de réponse à l'aide de l'étude de notre corpus. De toute façon, on doit se demander *à qui* s'adressent les questions écrites, et quel type de réponse elles peuvent provoquer.

2) Conrad distingue deux types de questions : les questions *communicatives* et les questions *gnoséologiques*.

a) La situation fondamentale est la suivante : « le questionneur ignore des événements ou des situations du monde réel, mais il présuppose que leur existence objective est possible (supposition qu'une question a au moins une réponse vraie) » (p. 23).

On notera que cette définition ne fait pas appel à des critères de forme, mais uniquement à des critères logico-sémantiques (cf. le recours à la réalité extérieure et à la notion de vrai-faux). Elle opère donc d'emblée un tri parmi les questions entre les « vraies » et les autres en fonction de ces critères. Que faire de ces « autres » questions, massivement représentées dans l'usage de la langue (et pas seulement dans la langue écrite) ? Où situer les critères de définition non-sémantiques (forme syntaxique, intonation) ? C'est un problème crucial dans l'étude d'un corpus écrit comme le nôtre, où bien peu de questions mériteraient d'être étudiées si l'on s'en tenait strictement à l'esprit de cette définition.

b) Dans le cas des questions communicatives, il existe un interlocuteur, « dont le questionneur suppose qu'il peut répondre à la question posée. C'est pourquoi il s'adresse à lui en lui enjoignant de satisfaire son besoin de connaissance ou de savoir en lui communiquant la réponse correspondante » (ibid. p. 23). Cette définition s'inscrit tout à fait dans le cadre pragmatique tel que nous l'avons décrit précédemment.

La question communicative est donc décrite comme un acte de langage accompli par un locuteur-1 et provoquant une réaction appropriée de la part d'un locuteur-2. Ceci suppose en outre que le questionneur est animé d'un « désir d'information » qu'il pense pouvoir satisfaire grâce à son interlocuteur. Conrad se place donc (implicitement) dans le cadre d'une linguistique « conversationnelle » régie par des postulats dont ceux de Grice fournissent le modèle.

Notre critique ne porte pas ici sur la fait que les questions peuvent servir à d'autres actes de langage que le questionnement (actions indirectes). C'est un point discuté par Conrad lui-même (en particulier p. 81) et qui lui permet de conclure que « la fonction fondamentale d'une interrogative est d'exprimer une question ». Nous ne discuterons pas non plus des présupposés conversationnels en eux-mêmes, et nous contenterons de rappeler que, si on prend ce type de définitions au pied de la lettre, la plupart des questions de notre corpus contreviennent systématiquement à tout ou partie de ces postulats et ne relèvent pas de la définition des questions élaborée par Conrad. Et si la relation entre deux « partenaires » est fondamentale dans la définition des questions-réponses, qu'est-ce qu'une question qui fait abstraction de cette relation ?

c) A côté des questions communicatives, Conrad dégage un second type de questions, les questions gnoséologiques, qui constituent une incitation à faire progresser les connaissances sur un point où il n'y a pas de réponse disponible au moment où la question est posée. Ces questions « semblent faire abstraction de la relation entre locuteur et auditeur ».

Cette suggestion est destinée à rendre compte des questions qu'on trouve par exemple dans un titre de journal (*Qui a posé la bombe?*) ou qu'un savant pose à la communauté scientifique (*Les trous noirs existent-ils ?*). On peut regretter qu'après en avoir posé l'existence (et inclus la composante REC - pour *rekognoszierend* - dans le schéma général des questions pour en rendre compte), Conrad les fasse totalement disparaître de la suite de son travail, alors même qu'elles pourraient constituer une exception de poids aux lois générales de relation entre question et réponse fondées sur le fonctionnement du dialogue [11].

d) Enfin, Conrad dégage une troisième composante dans la question : c'est la relation de spécification entre la question et la réponse. L'analyse de cette relation débouche sur la notion de *détermination structurale de la réponse* (« strukturelle Antwortdetermination », en abrégé *SAD*) à laquelle une part importante du travail de Conrad est consacrée. Etant donné les incidences de cette notion sur la description des couples question-réponse, nous la discuterons d'une façon plus détaillée.

3) *La « détermination structurale de la réponse »*

L'impossibilité de se limiter à une description strictement « syntaxique » est démontrée par Conrad à partir d'un certain nombre d'exemples où la relation entre la question et la réponse ne respecte pas le « schéma syntaxique » de phrase proposé par la question. Nous nous appesantirons un peu sur ces exemples, car il s'agit selon nous d'un point crucial dans le traitement des questions-réponses : c'est en effet l'analyse de ces exemples qui permet à Conrad de justifier, dans la description des questions-réponses, qu'il ne s'en tienne pas aux seules régularités de langue, mais fasse appel à des considérations incluant des notions pragmatiques au sens large. Or, l'argumentation de Conrad nous apparaît, en partie au moins, discutable. Si tel est bien le cas, il faudra alors songer à élaborer une définition des questions-réponses prenant plus rigoureusement en compte les régularités linguistiques.

a) Questions et réponses « synonymes » [12]

(37) Wie schwer ist eigentlich ein Ruder ?
(37 a) Wieviel wiegt eigentlich ein Ruder ?
(37 b) Was wiegt eigentlich ein Ruder ?
(37 c) Welches Gewicht hat eigentlich ein Ruder ?
(37 d) Wie gross ist eigentlich das Gewicht eines Ruders ?

(37') Ein Ruder ist 1900 Gramm schwer
(37 a') Ein Ruder wiegt 1900 Gramm
(37 c') Ein Ruder hat ein Gewicht von 1900 Gramm

Conrad pose que « visiblement, ces réponses sont également acceptables comme réponses licites aux cinq formes de la question » (ibid. p. 32), ce qui interdirait de partir d'une détermination syntaxique dans la définition de la relation entre la question et la réponse. Or,

- les questions (37 c) et (37 d) sont pour le moins peu usuelles, ce qui réduirait à trois le nombre des questions synonymes ayant même valeur logico-sémantique avec des formes syntaxiques différentes ;

- la réponse la plus habituelle à ces trois questions serait « *1900 Gramm* » tout seul, et les réponses proposées par Conrad ont un caractère artificiel. Si toutefois on les accepte, il paraît intuitivement - et c'est bien sur le plan de l'intuition que Conrad se place ici - que les couples (37) - (37') et (37 a) - (37 a') sont plus « attendus » et plus habituels que les autres combinaisons. Nous ne voyons pas pourquoi la « déviation » n'est pas prise en compte dans ce cas particulier, alors qu'elle est utilisée ailleurs comme un discriminant entre différents types de « réponses ».

b) Exemples (38) et (40)

(38) Was machen deine Eltern ? - Mutti ist Verkäuferin und Vati Bauleiter.
(Que font tes parents ? - Maman est vendeuse et Papa chef de chantier)

(40) Wo hast du die Bücher gekauft ? - Einige habe ich im Herbst in Moskau gekauft, dieses hier in der Franz-Mehring-Buchhandlung und die restlichen drei im Antiquariat.
(Où as-tu acheté ces livres ? - j'en ai acheté quelques-uns l'automne dernier à Moscou, celui-ci à la librairie Franz-Mehring et les trois autres à la librairie d'occasion).

On notera que (38) contient un prédicat appartenant à une classe bien particulière (*Was ist mit ? Wie verhält es sich mit ? Welche Bewandtnis hat es mit ?* etc.) qui n'impose à la réponse que des contraintes très floues. (38) est une question « ouverte », dont Conrad lui-même précise (p. 37 et suiv.) qu'elle n'impose pratiquement pas de contraintes à la réponse. Sans doute, le caractère « ouvert » n'est pas définissable en termes de « syntaxe de surface ». Mais il nous semble que la caractérisation sémantique qui est faite du rapport entre ces questions et les réponses n'entraîne pas inévitablement le rejet de toute argument syntaxique au profit de critères « logico-sémantiques » plus difficilement contrôlables, d'autant plus que la parenté entre questions et réponses est dans ce cas descriptible en termes de paraphrase.

En outre, le problème tient peut-être à la valeur « dénombrable » des groupes nominaux contenus dans la question (*Eltern*, *die Bücher*) plutôt qu'à la question elle-même.

Enfin, l'exemple (40) pourrait être interprété différemment, et ce dans l'esprit même des analyses de Conrad : on pourrait considérer que, dans l'esprit du locuteur-1, les livres constituent un ensemble homogène, appelant une réponse directement déductible de *wo*, alors que la réponse revient à corriger la question (à rejeter un des présupposés de la question). De même, en (38), *die Eltern* constitue pour le locuteur-1 une entité homogène, non divisible, ce que l'interlocuteur récuse en décomposant cette entité. Ce type de raisonnement, fréquent dans le travail de Conrad, se fonde sur des arguments pragmatiques mais ne nous paraît pas remettre en cause nécessairement le caractère « syntaxique » de la relation entre question et réponse.

d) En conclusion, les arguments avancés par Conrad en faveur d'un traitement *exclusivement logico-sémantique* de la SAD sont assez ténus et ne valent guère qu'au regard d'une conception très restrictive de la syntaxe (en gros celle de la grammaire générative du modèle *Aspects*). Il est frappant en outre que dans leur totalité, les exemples utilisés par Conrad font intervenir des problèmes de déterminant du groupe nominal et de quantification, et jouent sur un domaine très particulier de la « sémantique », dont les régularités remarquables sont inscrites dans la langue et peuvent faire l'objet d'un calcul rigoureux (cf. par exemple Culioli). C'est précisément au nom de ces régularités qu'il nous paraît possible d'étendre le domaine de la description strictement linguistique des questions-réponses, au lieu de recourir dès le principe, comme le fait Conrad, à des considérations « logico-sémantiques » dont les lois de fonctionnement sont beaucoup plus floues. Nous espérons pouvoir montrer dans la seconde partie de cette étude la fécondité d'une telle attitude.

1. 2. 2. La réponse

Elle est définie en fonction des principes énoncés dans la définition de la question :

> « Une réponse R à une question Q est une phrase ou une suite de phrases qui suit le schéma de réponse impliqué dans la structure de la question Q et qui satisfait aux conditons d'insertion de l'inconnue contenue dans la question telles qu'elles sont déterminées dans cette question » (p. 51).

1) Conrad prend soin de distinguer « réponse » et « réaction à une question de l'interlocuteur ». Les réponses véritables ne constituent qu'une petite partie des réactions possibles, le reste relevant de « l'impossibilité de répondre à la question » (« Unbeantwortbarkeit der Frage »). Celle-ci peut être selon Conrad de nature diverse :

- gnoséologique (réaction : *je ne sais pas*)
- pragmatique (réaction : *das möchte ich nicht sagen*)
- communicative (réaction : *ich habe die Frage nicht verstanden*)

- sémantique (rejet d'au moins un des présupposés de la question)

2) Types de réponses (il serait sans doute plus exact de parler de réactions) :

Selon le degré d'adéquation à la SAD, Conrad distingue entre *echte Antworten* (phrases remplissant pleinement les conditions de la SAD), *unechte Antworten* (phrases ne satisfaisant pas, ou en partie seulement, à ces conditions) et *Nichtantworten* (phrases sans rapport avec la SAD). L'ensemble *echte Antworten* + *unechte Antworten* constitue les « réponses au sens large », et c'est à l'intérieur du classement de celles-ci que certains problèmes nous paraissent se poser. Conrad développe en effet différents points de vue qui sont schématiquement les suivants :

a) Le but visé par la question (désir d'information du locuteur-1) est-il atteint ou non ?

Ceci est lié à la *(Un)beantwortbarkeit* de la question. Conrad distingue entre réponses non-éludantes et réponses éludantes. Pour ces dernières, l'impossibilité de répondre peut être d'origine *pragmatique* (*je ne sais pas*, *je n'ai pas envie de répondre*, etc.) ou d'origine *communicative* (liée à l'acte de parole : *je n'ai pas compris la question*).

A l'intérieur des réponses non-éludantes, Conrad distingue entre :

- réponses partielles (*Wer hat Peter geschlagen ? - Ein grosser Junge.* Une réponse véritable serait apportée par *Der grosse Junge*) ;

- réponses rejetant tout ou partie des présupposés de la question (*Warum hörst du nicht, was dein Vater sagt ? - Das ist ja gar nicht mein Vater*)

- réponses apportant une correction (*- Das ist doch mein Opa*)

- réponses restrictives (*Darf ich ein Stück Schokolade kriegen ? - Ja, aber nur, wenn du artig bist*).

Parallèlement à cette classification, Conrad introduit une distinction entre réponses déterminées et réponses indéterminées, qui peut s'appliquer à chacun des types précédents. Sont indéterminées les réponses comportant *vielleicht*, *kann sein*, *es ist möglich*, etc.

(Conrad examine aussi les réponses hyperinformatives, qui fournissent plus d'information que n'en demandait la question).

b) Réponses directes/indirectes : la réponse est-elle donnée sous forme immédiate ou non ?

> « par réponse indirecte nous entendons donc (. . .) toute phrase ou suite de phrases ou réaction à une question dont une des formes possibles de réponse directe découle, c'est-à-dire peut être dérivée par déduction logique » (p. 73).

On aura remarqué qu'à l'intérieur de cette classification, Conrad introduit pour décrire les « unechte Antworten » des discriminations qui font appel à des critères auxquels la définition des « echte Antworten » ne recourt pas ; or ces critères sont :

- d'une part de nature pragmatique (*je ne sais pas* ; *je rejette les présupposés de la question*) ;

- d'autre part de nature communicative (*je n'ai pas compris la question*) ;

- enfin de nature énonciative (réponses indéterminées, où la réponse comporte une modalisation), mais ce n'est pas sous cet angle que Conrad les envisage, mais uniquement en tant qu'elles ne satisfont pas pleinement au « désir d'information » du questionneur.

On peut se demander comment appliquer ces critères lorsqu'on rencontre ce type de questions-réponses dans un texte écrit : comment concilier l'impossibilité pragmatique de répondre et le désir d'information du questionneur lorsque question et réponse sont produites par le même locuteur, comme dans l'exemple suivant :

> Geniesst der Herzog von Nemours wirklich die allerhöchste Ungnade des souveränen Volks, wie manche Blätter insinuieren und wie von manchen Leuten mit übertriebenem Eifer behauptet wird ? Ich will darüber nicht urteilen !
>
> (Le duc de Nemours jouit-il réellement de la disgrâce très haute du peuple souverain, comme l'insinuent plusieurs journaux et comme plusieurs personnes l'affirment avec un zèle excessif ? Je ne veux pas prendre position sur ce point).

Comment comprendre que le questionneur pose une question à laquelle il sait ne pas pouvoir satisfaire pleinement ?

> Was ist aber der Grund dieser Erscheinung ? Die Lösung der Frage gehört vielleicht eher in die Pathologie als in die Asthetik. (. . .) Vielleicht aber liegt die Lösung der Frage nicht so abenteuerlich tief, sondern auf einer sehr prosaischen Oberfläche. Es will mich manchmal bedünken, (. . .)
>
> (Mais quelle est la raison de ce phénomène ? La solution à cette question est peut-être à chercher plutôt dans la pathologie que dans l'esthétique (. . .) Mais peut-être que la solution à cette question ne se situe pas dans des profondeurs aussi aventureuses, mais dans une surface très prosaïque. Parfois, j'ai l'impression que (. . .))

Et est-il nécessaire de faire appel à la pragmatique pour rendre compte de ces questions et de leurs réponses ?

En tout cas, il nous paraît dangereux de poser comme trait pertinent unique, à l'intérieur de la définition de la question, l'existence du « désir d'information ». Et on ne peut que regretter que Conrad ne fasse pas intervenir à ce point de son argumentation les questions gnoséologiques mentionnées au début de son travail. Peut-être faudrait-il une séparation plus « propre », à l'intérieur de la définition des questions-réponses, entre les critères strictement linguistiques (présence en chaîne de marqueurs attestant des régularités de langue) et les conditions d'emploi des questions.

Nous ne voudrions pas terminer cette présentation de Conrad sur ces remarques quelque peu négatives : s'il est vrai qu'on peut reprocher à Conrad de faire flèche de tout bois sans toujours distinguer suffisamment entre les différents niveaux d'analyse utilisés, il reste qu'il a l'immense mérite de poser qu'on ne saurait analyser les questions indépendamment des réponses et indépendamment du contexte dans lequel la question est produite. Malgré une conception trop restrictive du « syntaxique » qui, réduit à une pure combinatoire de formes, n'a qu'un pouvoir explicatif minime, ses analyses sont beaucoup plus linguistiques que l'ensemble des travaux pragmatiques que nous avons pu consulter, notamment par l'insertion dans la définition de la question de la « détermination structurale de la réponse » et par la précision avec laquelle Conrad analyse les différents types de réponses. Enfin, et même si notre corpus nous amène à récuser le cadre théorique général des analyses de Conrad, il n'en reste pas moins qu'elles nous ont été très précieuses dans l'élaboration d'une description des questions-réponses de notre corpus et dans la mise à plat des problèmes posés par cette description.

1.3. Les hypothèses de J. Milner

Nous avons enfin pris connaissance des travaux que Judith Milner a consacrés à l'interrogation [13]. Posant d'emblée la nécessité de recourir à un *concept* de locuteur(s) (différents de deux locuteurs réels) pour la description du couple question-réponse et instaurant une différence fondamentale entre les questions d'information et les autres types de questions (confirmation de soi, demande d'assentiment, proposition de faire, questions clôturantes, etc.), elle inscrit au coeur de ses hypothèses deux problèmes qui nous sont apparus comme primordiaux pour le traitement de notre corpus : la question du/des locuteurs(s) et la variété de la question. Dans une argumentation que nous n'avons pas la place de rappeler ici, J. Milner montre qu'il faut poser deux niveaux différents pour la description de l'activité des locuteurs. En effet, dans un couple question-réponse avec question d'information, les rôles des deux locuteurs sont parfaitement interchangeables - même si dans la réalité de l'échange verbal le locuteur qui pose la question dispose de latitudes plus grandes que celui qui y répond : rien n'empêche en effet le locuteur-2 par la suite de jouer le rôle d' « initiateur » occupé au départ par le locuteur-1. Il en va tout autrement des questions qui ne sont pas d'information : le locuteur-2 se trouve par nécessité inscrit dans un champ extrêmement limité : il doit donner son assentiment (souvent tacite) ou poursuivre, sinon renchérir, dans le sens imposé par le locuteur-1. D'où la nécessité, pour ces cas, de recourir effectivement à un concept de locuteurs qui tienne compte de l'altérité fondamentale des deux locuteurs. Le point qui nous semble le plus intéressant dans ces hypothèses sur l'interrogation est indéniablement le fait de prévoir à l'intérieur d'une théorie un principe d'hétérogénéité, capable d'intégrer l'ambiguïté des cas signalés plus haut (*Qui veut la guerre ?*).

En ce qui concerne le traitement de notre corpus, sa spécificité (un locuteur unique pour la question et la réponse), qui s'était révélée incompatible avec le cadre pragmatique comme avec celui de Conrad, se trouve quelque peu déplacée. En effet, pour les questions d'information, le fait qu'il y ait un locuteur unique ou non pour la question et la réponse perd de sa pertinence dans la mesure où les deux locuteurs ont un statut d'égalité en droits. Quant aux questions qui ne sont pas d'information où la réponse est figurée soit par une suite textuelle tenue par le même locuteur, soit par un silence, elles convoquent impérieusement le deuxième locuteur, le grand absent du texte - le lecteur. C'est donc bien ce cadre théorique qui nous paraît le plus approprié à la fois aux problèmes particuliers que soulève notre corpus et aux phénomènes généraux de l'interrogation.

Toutefois, il faudra être vigilant. Car les données de notre corpus, si leur description paraît maintenant compatible avec un cadre théorique et si elles ressortissent toutes à une structure non dialoguée de question-réponse, sont loin d'être triviales. Et il faut souligner qu'il existe une différence fondamentale entre, d'une part, un niveau « concret », manifeste, où tout le fil textuel, y compris les couples question-réponse, proviennent d'une seule main, d'un seul locuteur, et d'autre part, un niveau plus abstrait, qui est celui de l'analyse linguistique. C'est précisément cette différence que la pragmatique a omis de faire et que J. Milner a introduite en parlant d'un *concept* de locuteur(s). Dans notre cas, cette différence peut être la suivante : on a d'une part un scripteur unique, dont les questions s'adressent à un co-locuteur toujours absent, le lecteur ; d'autre part, l'analyse linguistique peut obliger à *construire* un locuteur-X, différent du scripteur et différent du lecteur, spécifié ou non, un ou multiple [14]. En outre, s'il faut réellement introduire dans l'analyse ce locuteur-X, il faudra alors examiner également s'il s'agit, selon les termes de J. Milner, d'un locuteur égal en droits, symétrique par rapport au locuteur-1, ou s'il s'agit d'un locuteur radicalement différent du locuteur-1. Et un dernier point qui serait à préciser : dans l'hypothèse où il faudra construire ce locuteur-X, quel fait de langue , présent soit dans la question, soit dans la réponse, soit dans les deux, provoque cette construction ?

Nous avons choisi de présenter d'une façon succincte les travaux de J. Milner. Et pourtant, c'est bien cette approche du phénomène de l'interrogation qui nous semble la plus adéquate. Car elle est la seule à poser avec force ce que la pragmatique à continuellement occulté : 1) il y a une différence fondamentale entre un échange réel de questions-réponses (qui peut être tenu par un ou deux locuteurs réels), et l'analyse linguistique des questions-réponses (qui a besoin ou non de construire un concept de locuteur(s) ; 2) la théorie de l'interrogation est nécessairement hétérogène, en ce sens qu'elle doit intégrer des phénomènes qu'il est impossible d'analyser par un concept unique. Enfin, nous sommes restés d'autant plus brefs sur le détail de cette théorie que nous serons amenés, au cours de nos propres analyses, à y revenir régulièrement.

2. ANALYSE DU CORPUS

Nous présentons ici l'analyse de 76 occurrences écrites de questions-réponses dont nous avons déjà mentionné la caractéristique commune. Précisons que nous avons laissé de côté l'analyse des questions rhétoriques puisqu'elles ont fait l'objet d'un travail antérieur (cf. Grésillon, 1980) dont nous rappelerons brièvement les résultats : 1) La question rhétorique contient de multiples indices linguistiques qui permettent de la différencier de la question non-rhétorique ; 2) La question rhétorique oblige à construire un deuxième locuteur radicalement différent du locuteur-1, puisque le locuteur-1 (celui qui énonce la question) réduit le locuteur-2 (le lecteur) au silence.

Nous chercherons à cerner de plus près les régularités qu'un échange écrit de questions-réponses permet de formuler à la fois sur la question et sur la réponse. Dans un premier temps, nous analyserons quelques propriétés de la question qui montreront que même l'analyse de questions non-rhétoriques oblige à recourir à un deuxième locuteur, cette fois-ci différent du lecteur (cf. ci-dessous, 2. 1.). Nous examinerons ensuite la nature des réponses, qui fera apparaître que le propre du couple question-réponse écrit ne consiste pas en un jeu où l'on demande et fournit des informations (cf. ci-dessous, 2. 2.). Nous préciserons que cette présentation des problèmes, séparée en une partie consacrée aux questions et en une autre, consacrée aux réponses, n'a qu'une valeur heuristique. Elle doit faire apparaître plus clairement quels faits de langue - contenus soit dans la question, soit dans la réponse - sont à explorer en vue d'une analyse globale de l'interrogation. Cette raison heuristique mise à part, il est bien évident qu'aucune description linguistique de l'interrogation n'est concevable en dehors d'un modèle qui sache englober l'ensemble du couple question-réponse.

A la suite de ces analyses, nous changerons de perspective. Nous nous demanderons (cf. ci-dessous 2. 3.) quelle fonction peuvent jouer dans un texte écrit des questions qui ne sont ni questions rhétoriques ni demandes d'information (bien que *formellement* elles ressemblent à ces dernières).

2.1. Formulation d'une définition des questions et hypothèses de description *

En conformité avec les critiques que nous avons adressées à R. Conrad et avec les principes théoriques que nous empruntons à J. Milner, nous nous efforcerons de retenir une définition des questions qui ne fasse intervenir que des critères de forme, en limitant autant que possible l'intrusion de données « sémantiques » (au sens que prend ce terme chez Conrad) dans la définition. Certes, il est évident que nous serons amenés nous-mêmes à regrouper à l'intérieur d'un même type certaines questions dont la parenté n'est pas exprimable dans les termes d'un calcul « élémentaire » sur des formes. Mais nous pensons qu'on peut pousser plus loin les limites du traitement « linguistique », en affinant le calcul. Ceci vaut tout particulièrement dans le cas d'un texte écrit où les données pragmatiques ne sauraient de toute façon jouer le même rôle que dans l'énonciation orale, et où seuls peuvent être pris en compte les éléments contenus dans le texte lui-même.

Nous considérons comme question tout énoncé se terminant par un point d'interrogation [15] et présentant certaines caractéristiques de surface :

- ordre des mots
- énoncé commençant par un mot interrogatif
- etc.

traditionnellement attribués aux questions et permettant de les classer en questions totales, questions partielles et questions disjonctives.

Toutefois, nous éliminerons de notre étude certaines questions qui sortent explicitement du cadre que nous nous sommes fixé par leur insertion dans un dialogue (dialogue rapporté, réel ou fictif, entre deux personnages). Elles sont au demeurant peu nombreuses.

La question ainsi définie, le corpus utilisé dans cette première partie comporte 76 occurrences.

2. 1. 1. Critères de description

Dans la mesure où les éléments de description ne sont pas toujours liés d'une façon univoque à un seul type de question, nous donnons d'abord la liste des marques que nous avons utilisées dans notre analyse. On verra toutefois que ces marques ne peuvent être dissociées les unes des autres, car il y a corrélation entre types de questions et certains regroupements de marques.

Nous avons retenu :

- le *type syntaxique* de la question : totale, partielle ou alternative. C'est de loin la classification la moins pertinente pour notre corpus.

- le *temps* de la question ; ce critère est destiné à rendre compte de la présence d'un nombre relativement élevé de questions au futur (29 questions). Nous n'exploiterons pas les autres oppositions de temps.

- la *place* de la question dans l'enchaînement textuel :

a) d'un point de vue strictement « topographique » : la question est-elle située ou non au début d'un article ? Est-elle ou non à la fin d'un article ? Est-elle ou non au début d'un paragraphe ?

b) Comment la question s'enchaîne-t-elle au contexte gauche ? Etant donné les caractéristiques de notre corpus, nous n'avons retenu ici que les coordonnants *oder*, *aber*, *nun* et *doch*.

c) La question comporte-t-elle un élément de reprise la mettant en relation anaphorique avec une partie des énoncés antérieurs (reprise littérale, démonstratif, anaphorique, etc.) ?

d) La question est-elle isolée ou fait-elle partie d'une série de questions ?

- la présence de certains *modalisateurs* dans la question.
Le seul modalisateur attesté dans les questions de notre corpus est *wirklich*.

- le fait que la question fasse référence à du discours rapporté ou à des énoncés précédemment assertés.

2. 1. 2. Questions contenant wirklich

On en trouve dix occurrences dans notre corpus.

Rappelons ici que *wirklich* est, avec *sicher*, le seul modalisateur au sens strict susceptible d'apparaître dans une question (M. Pérennec, 1979, pp. 73, 143, 216 et suiv.). En outre, et notre corpus le vérifie, *vielleicht* est tout à fait possible dans une question totale, mais pas avec le sens de *peut-être*.

a) On constate en premier lieu que *wirklich* n'apparaît que dans des questions *totales*. Nous reviendrons plus loin sur ce point.

b) Les questions contenant *wirklich* contiennent aussi deux autres types de marques, qui sont en distribution complémentaire :

- ou bien la question porte explicitement sur du *discours rapporté*, et l'enchaînement textuel ne comporte aucune « marque de rupture » (cf. pour ce terme plus loin, 2. 1. 4.).

(1) Auch die Arglist weiss hier eine Ideenverwirrung anzuzetteln, die sie zu ihren Zwecken auszubeuten hofft, und die in jedem Fall sehr bedenkliche Folgen haben kann. GenieBt der Herzog von Nemours *wirklich* die allerhöchste Ungnade des souveränen Volks, *wie manche Blätter insinuieren und wie von manchen Leuten mit übertriebenem Eifer behauptet wird* ?
(Dans cette affaire, la ruse s'entend aussi à créer une confusion qu'elle espère exploiter à des fins partisanes et qui, quoi qu'il arrive, peut avoir des conséquences très fâcheuses. Le duc de Nemours jouit-il réellement de la disgrâce très haute du peuple souverain, comme l'insinuent plusieurs journaux et comme plusieurs personnes l'affirment avec un zèle excessif ?)

- ou bien la question est dissociée du contexte par des « marqueurs de rupture » : début de paragraphe, tiret (qui, chez Heine, sert d'indication de changement de paragraphe), *aber*. Et dans ce cas, elle ne comporte pas de référence à du discours rapporté :

(2) (*début de paragraphe*) - Ist *aber* Guizot *wirklich* der Mann, der im stande wäre, das hereinbrechende Verderben abzuwenden ?

(Mais Guizot est-il réellement l'homme qui serait capable de détourner le malheur qui s'approche ?)

Les questions du type de l'exemple (1) (5 occurrences dans notre corpus) peuvent s'analyser de la façon suivante :

(1') - manche Blätter insinuieren } dass p.
- manche Leute behaupten, }
- wirklich p ?

Notons toutefois que la référence à du discours rapporté apparaît en incise dans la question et que les propos rapportés eux-mêmes sont introduits simultanément avec la question, et non posés antérieurement, comme notre présentation pourrait le donner à penser.

Pour interpréter les questions du type de (2), il faut faire intervenir le contexte précédant la question et par rapport auquel elle est en rupture. Dans notre exemple, le paragraphe qui précède peut être abrégé de la façon suivante :

- Guizot est clairvoyant et avertit les Français des menaces qui pèsent sur l'avenir.
- Tout le monde lui en veut, même les « conservateurs », incapables en fait de rien conserver.
- Au lieu de chercher à renverser Guizot, les conservateurs devraient le choyer et lui rendre la vie aussi facile que possible.

Ici intervient une proposition qui n'est pas assertée, mais qui peut se déduire des précédentes par inférence logique : car il est le seul homme en France capable de « conserver » l'état de choses existant (cette proposition n'est d'ailleurs pas créée par nous de toutes pièces : elle fait l'objet de développements dans certains articles de *Lutezia*).

C'est précisément cette proposition qui apparaît dans la question contenant des marques de rupture associées à *wirklich*.

On notera en outre qu'on peut insérer entre le contexte gauche de la question et la question elle-même les paraphrases suivantes, qui impliquent un mouvement du locuteur :

- le lecteur peut conclure de ce que je viens de dire que ...
- ce que je viens de dire peut (vous) donner à penser que ... etc.

Ce type de questions oblige à construire un second locuteur, et nous proposons, afin d'en rendre compte, d'introduire la notion de « double locution ». Contrairement à la pragmatique, qui opère avec deux locuteurs *réels*, la notion de double locution est située sur un plan plus abstrait : un élément linguistique, par exemple *wirklich*, renvoie à de l'antérieurement-dit-par-un-autre et oblige donc à *construire* cet autre locuteur, dont nous soulignons qu'il est : 1) virtuel, et 2) différent du lecteur.

En effet, on a, avec exclusion réciproque :

- pour l'exemple (1), une mise en question des propos d'un autre locuteur, sans rupture :

X behauptet, dass *p*.
Loc-1 : wirklich *p* ?

où X est un N humain défini ou non, situé en dehors de la situation d'énonciation écrite (où Loc-1 est celui qui écrit et Loc-2 le lecteur) : il est différent à la fois du locuteur-1 et du locuteur-2 et joue le rôle d'un tiers ;

- pour l'exemple (2), une mise en question d'une conclusion qu'un locuteur quelconque est censé tirer des propos du locuteur. Dans ce cas, la mise en question est décrochée du contexte antérieur par un marqueur de rupture. On a trois mouvements successifs :

1) Loc-1 behauptet, dass (pl + p2 + . . .)
2) Pour tout Loc-2 (pour tout lecteur), (p1+ p2 + . . .) implique nécessairement p' .
3) Loc-1 : wirklich p' ?

C'est Loc-1 qui a tout fait pour que 2) soit possible. Or 3) apporte une contradiction à 2), et donc indirectement à 1). Il en résulte que Loc-1 en 3) contredit Loc-1 en 1). Ceci n'est possible que par une prise de distance du locuteur-1 par rapport à ses propres assertions, distance marquée justement par le marqueur de rupture *aber*. Le locuteur-1 se met en position de ***récepteur*** de son propre discours, le temps de construire à partir de celui-ci une inférence qui en découle nécessairement pour tout co-locuteur.

On voit donc apparaître une « image du co-locuteur » par la fiction de laquelle le locuteur-1 se renvoie à lui-même une question en miroir.

En résumé, on peut considérer qu'en (1) comme en (2), *wirklich Q ?* présuppose une assertion antérieure, réelle en (1), virtuelle en (2), émise par un autre locuteur et qui fait l'objet de la question : un locuteur-X a dit que p. Le locuteur-1 dit : est-il juste, adéquat, d'affirmer p ? Donc il interroge sur la validité de p.

Remarques complémentaires :

a) Les analyses que M. Pérennec consacre à *wirklich* dans les questions de dialogue confirment notre interprétation. Il écrit en effet à propos de l'énoncé *Ist Peter wirklich angekommen ?* : « Il faut (. . .) remarquer que (cet énoncé) n'est recevable que si l'énonciateur a déjà été informé de la venue de Pierre ». Plus généralement, « *wirklich/tatsächlich* peuvent figurer dans les interrogations modales / c'est-à-dire *totales* dans notre terminologie / (. . .) Employés seuls, « Tatsächlich ?/Wirklich ? » servent à mettre en doute une *assertion précédente* tout en exprimant l'étonnement de l'énonciateur » (M. Pérennec, 1979, pp. 216-217. C'est nous qui soulignons). Toutefois, nous pensons avoir montré en outre que cette assertion n'est pas forcément réelle, mais peut aussi être virtuelle (exemple (2)).

b) La présence de *wirklich* est en général associée à une réponse négative : celle-ci se manifeste rarement dans notre corpus par une réponse directe négative véritable (du type « Wahrlich keineswegs »), mais les refus de répondre exprimés (exemple (1)) ou indirects (*jedenfalls*) permettent généralement de construire une réponse indirecte négative. Cf. en outre la discussion de la *réponse* à ce qui constitue notre exemple (2) (cf. l'exemple (47)).

Ceci ne signifie pas que l'absence de *wirklich* implique d'une façon absolue le lien avec une réponse positive. La mise en question de propos rapportés s'accompagne de toute façon d'une « préférence » pour une réponse négative, préférence que *wirklich* vient renforcer [16].

c) Ce schéma apparaît aussi bien sous forme de « question indirecte ». Nous en donnerons un exemple tiré des manuscrits de *Lutezia* malgré la complexité des mouvements génétiques contradictoires associés au phénomène que nous tentons de décrire. (La succession des segments est indiquée par « »).

(3) Ob *wirklich* in seinen kolossalen Taschen wieder so viele Millionen g ‹⟶ Ob *wirklich* in ‹ ⟶ Ob *wirklich* ‹ ⟶ Ob diese Anleihe für die Regierung so ungünstig, wie die Oppositionsblätter behaupten, kann ich nicht entscheiden, weil mir alle finanziellen Kenntnisse felhen. Nur so viel kann ich einsehen, dass durch den glänzenden Erfolg dieser Operation der Staatskredit ausserordentlich emporgestiegen und dieses Resultat durch einige Millionen Franks nicht allzuteuer erkauft ward. Diese Millionen flossen aber nicht alle in die kosmopolitische Riesentasche des Baron von Rothschild, sondern über dreiviertel versanken in die Säcke der anderen Banquiers u der Receveurs-Generaux (. . .)

(Quant à savoir si tous ces millions se sont déversés réellement une fois de plus dans ses gigantesques poches Quant à savoir si réellement Quant à savoir si réellement Quant à savoir si réellement Quant à savoir si ce prêt est aussi peu à l'avantage du gouvernement que l'affirment les journaux d'opposition, je ne peux le dire, faute de connaissances financières. Je comprends seulement que grâce au brillant de cette opération, le crédit de l'état s'est considérablement amélioré, et ce n'était pas payer trop cher que d'obtenir ce résultat au prix de quelques millions de francs. Mais ces millions ne se sont pas tous déversés dans la gigantesque poche cosmopolite du baron de Rothschild : plus des trois-quarts furent engloutis dans les sacs des autres banquiers et des receveurs généraux (. . .))

On peut restituer avec certitude :

> Ob wirklich in seinen kolossalen Taschen wieder so viele Millionen geflossen sind, wie die Oppositionsblätter behaupten

qui a déjà le même schéma syntaxique que l'interrogative indirecte qui figure dans le texte définitif :

> Ob diese Anleihe für die Regierung so ungünstig, wie die Oppositionsblätter behaupten

Le passage associe donc, à propos du baron de Rothschild, deux propositions voisines, mais différentes, présentées comme émanant d'autres locuteurs ; l'une comporte *wirklich*, l'autre non :

> (a) beaucoup de millions se sont déversés dans les poches du baron de Rothschild
> (b) l'emprunt est défavorable au gouvernement

En outre, la proposition (a) est ensuite reprise dans le texte définitif sous forme d'assertion négative : *diese Millionen flossen aber nicht alle in die kosmopolitische Riesentasche des Baron von Rothschild*, ce qui atteste une hésitation au niveau de la genèse entre *wirklich p?* et *nicht-p*. Ceci confirme le lien entre la présence de *wirklich* et le caractère négatif de la réponse, et pourrait même suggérer qu'en lieu et place d'une séquence

> *les journaux d'opposition affirment que p. Il n'en est rien.*

Heine recourt volontiers à une stratégie discursive moins tranchée où l'attitude négative du locuteur par rapport aux propos rapportés est insinuée sans être explicitement formulée :

> *wirklich p, wie X behauptet ? Ich weiss es nicht*
> *Ich glaube es nicht*
> *Ich kann es nicht sagen*
> *Ich will es nicht sagen*

Concernant la proposition (b), on notera la parenté entre l'énoncé attesté ici et certains couples question-réponse de notre corpus. Transposé sous forme de question directe, l'exemple (3), deviendrait par exemple, en caricaturant la réponse :

> War diese Anleihe für die Regierung so ungünstig, wie die Oppositionsblätter behaupten ? Darüber kann ich nicht entscheiden. Jedenfalls will es mich bedünken, dass sie nicht ungünstig war.

d) La référence à du discours rapporté ou de l'antérieurement dit n'implique donc pas obligatoirement dans notre corpus la présence de *wirklich*. On peut trouver par exemple un marqueur du jugement de *vérité*, ou une modalisation zéro :

> (4) Der Name Meyerbeer wurde bei dieser Gelegenheit aufdringlicher in Anschlag gebracht, als es dem verehrten Meister wohl lieb sein möchte. *Ist es wahr*, wollte Meyerbeer seine neue Oper nicht zur Aufführung geben, im Falle man die Löwe nicht engagierte ?

(Le nom de Meyerbeer fut mis en avant à cette occasion d'une façon plus insistante que l'honorable maestro ne le désirait sans doute. Est-il vrai que Meyerbeer ne voulait pas produire son opéra au cas où on n'aurait pas engagé la Löwe ?)

(5) Sind die Geschichten, die Louis Blanc von ihm erzählt, *falsch oder wahr* ? Ist letzteres der Fall, (. . .)

(Les histoires que Louis Blanc raconte à son sujet sont-elles vraies ou fausses ? Dans ce dernier cas, (. . .))

Ce type de questions nous paraît être une variante du cas général, dans la mesure où l'on peut gloser les questions en *wirklich* par une question en *Ist es wahr, dass (. . .) ?* Dans l'exemple (4), la question est immédiatement suivie de deux questions en *wirklich* portant sur le même discours rapporté.

On trouve dans des textes journalistiques contemporains des couples question-réponse tout à fait comparables à ceux de notre corpus, où la question est suscitée par l'introduction d'un *discours rapporté* non pris en charge. Nous nous contenterons d'un seul exemple :

Pétain (. . .) war, als er an die politische Macht kam, 84 Jahre alt. (. . .) Pétain, ein Greis - doch verkörpert er deswegen, *wie Alfred Sauvy sagt*, « la France fatiguée », das (zivilisations)müde Frankreich, das sich für die neue Jugend aus dem barbarischen Osten begeistert ? (*Die Zeit*, mars 1981)

(Lorsqu'il parvint au pouvoir politique, Pétain avait 84 ans. Pétain, un vieillard - mais incarne-t-il pour autant, comme l'écrit Alfred Sauvy, la « France fatiguée » qui s'enthousiasme pour la nouvelle jeunesse venue de l'est barbare ?)

On retrouve ici, mais sans *wirklich*, le schéma que nous avons postulé précédemment :

Loc-1 : pl (Pétain était un vieillard)
A. Sauvy : p2 (C'est pourquoi il incarne la « France fatiguée »)
Loc-1 : Mais p2, comme l'affirme A. Sauvy ?

Ceci permettrait même de rendre compte d'un type de questions journalistiques non attestées dans notre corpus, mais fréquent dans la presse contemporaine : les questions placées en sous-titre d'un article et dans lesquelles l'auteur résume d'une façon généralement provocante les propos des personnages interviewés ou cités dans l'article, propos toujours explicitement rapportés sans être pris en charge par le locuteur. Ceci est particulièrement net dans les sous-titres du magazine *Der Spiegel*, où on trouve par exemple :

EISKALTE PROFIS

Wurde der Sohn des verhafteten Abschreibungsspezialisten Erlemann von Waffenhändlern gekidnappt ?

(. . .) Die Entführung seines Kindes, *so behauptete* der vor drei Monaten wegen Betrugsverdachts verhaftete Kölner Millionen-Makler am Montag vorletzter Woche, *gehe* höchstwahrscheinlich auf das Konto seiner früheren Geschäftspartner Helmut Klein und Nabih Sidani. Die beiden *seien* ohnehin seit langem in kriminelle Geschäfte verwickelt.

Zum Erstaunen der Staatsanwälte *gab* Erlemann plötzlich *zu Protokoll*, daB seine Kompagnons (. . .) internationale Waffengeschäfte betrieben hätten (. . .) Er selbst, *so behauptete* der Untersuchungshäftling, wisse zuviel über die Praktiken seiner früheren Kompagnons. Nun wollten sie ihn mit der Entführung seines Sohnes einfach mundtot machen. (*Der Spiegel*, numéro 13, 23 mars 1981)

DES PROFESSIONNELS SANS PITIE

Le fils d'Erlemann, l'expert en fausses écritures présentement sous les verrous, a-t-il été kidnappé par des traficants d'armes ?

L'agent de change de Cologne incarcéré il y a trois mois pour escroquerie a affirmé que l'enlèvement de son fils était selon toute vraisemblance imputable à ses anciens partenaires Helmut Klein et Nabih Sidani. Selon lui, ceux-ci sont impliqués de toute façon depuis longtemps dans des affaires criminelles.

A la surprise du parquet, Erlemann a soudain déclaré que ses compagnons avaient pratiqué le trafic d'armes international (. . .) Il a déclaré qu'il en savait trop lui-même sur les pratiques de ses compagnons, et qu'ils voulaient l'empêcher de parler en enlevant son fils).

La proposition présentée sous forme de question en sous-titre de l'article résume les propos tenus par le père de l'enfant kidnappé ; ceux-ci font l'objet de l'article lui-même, où les marques de discours rapporté sont particulièrement visibles (nous les avons soulignées).

En revanche, ces questions nous paraissent devoir être distinguées de questions qui apparaissent à l'intérieur d'un reportage, mais où il s'agit d'une quasi-citation du dialogue qui a eu lieu entre l'interviewer et l'interviewé :

« Jusqu'à présent, explique Robert Epin (. . .), le maïs demeure la mine d'or des semenciers du monde entier (. . .) ». L'explication de cette prédominance ? (. . .) L'hybride de maïs est l'un des seuls que l'on sache exploiter commercialement. (*Le Figaro*, 4-5 avril 1981)

e) enfin, nous voudrions revenir un instant sur l'absence dans notre corpus de questions partielles contenant *wirklich*.

Nous n'avons pas trouvé dans M. Pérennec, op. cit. , d'allusions à la présence de *wirklich* dans des questions partielles, mais il est facile d'en trouver des exemples :

(i) Wo wohnen deine Eltern wirklich ?
(i i) Wo wohnen seine Eltern wirklich ?
(i i i) Wie wurde der Betrug wirklich entdeckt ?

avec *wirklich* accentué et portant une intonation différente de celle d'une interrogative « standard ».

Pour ces exemples, on peut construire les contextes suivants :

(i ') A : - Wo wohnen deine Eltern ?
B : - In Hawaï.
A : - Das stimmt aber gar hicht. Dein Vater arbeitet doch hier bei der Post. Wo wohnen deine Eltern wirklich ?

(i i ') Er behauptet, dass seine Eltern in Hawaï wohnen. Das kann aber gar nicht stimmen, denn (. . .). Wo wohnen seine Eltern wirklich ?

(i i i ') Sie behaupten, dass der Betrug auf diese Weise entdeckt wurde. Das ist aber unmöglich. Wie wurde der Betrug wirklich entdeckt ?

(i i i ' ') X behauptet, dass (. . .). Das ist aber unmöglich. Wie wurde der Betrug wirklich entdeckt ?

On voit qu'à la différence de ce qui se produit dans les questions totales, où il y a seulement mise en doute d'une assertion antérieure, *wirklich* suppose ici le rejet pur et simple d'une assertion antérieure contenant un syntagme qui correspond syntaxiquement au mot interrogatif en *w-* de la question. Ceci explique que l'incidence de *wirklich* ne semble pas être la même dans les questions partielles et dans les questions totales. Dans les exemples (i) à (i i i), il s'agit plutôt de *der wirkliche Wohnort* et de *der wirkliche Entdeckungsprozess* [17].

En outre, il est *nécessaire* que le syntagme contre lequel *wirklich* s'inscrit en faux ait été présenté antérieurement dans la suite textuelle sous forme explicite. Il est exclu qu'il s'agisse d'un énoncé implicite du type de l'exemple (2), et, dans le cas de discours rapporté, il est exclu que, comme dans le cas de (1'), la référence au discours rapporté soit introduite en incise dans la question elle-même : les propos rapportés doivent avoir été précédemment introduits puis rejetés explicitement avant que n'apparaisse la question.

2. 1. 3. Questions non alternatives commençant par « oder » (4 occurrences)

(6) Dadurch, dass Herr Thiers ihrem angeborenen Bonapartismus schmeichelte, hat er unter den Franzosen die auBerordentlichste Popularität gewonnen. Oder ward er populär, weil er selber ein kleiner Napoléon ist, wie ihn jüngst ein deutscher Korrespondent nannte ?

(Parce que Monsieur Thiers a flatté le bonapartisme inné des Français, il a conquis une popularité tout à fait extraordinaire. Ou serait-ce qu'il est devenu populaire parce qu'il est lui-même un petit Napoléon, comme l'a dit récemment un correspondant de presse allemand ?)

Il ne s'agit pas d'une question alternative, qui dans l'exemple (6) serait de la forme *Q-1 oder Q-2 ?* :

(6 bis) Hat Thiers eine ausserordentliche Popularität gewonnen, weil er dem Bonapartismus der Franzosen schmeichelte, *oder* weil er selbst ein kleiner Napoleon ist ?

Il s'agit au contraire d'une assertion à laquelle la question propose une alternative : *p. Oder q?* Là aussi, il y a mise en question d'un dire antérieur, ce qui se manifeste par la présence d'une reprise textuelle : *die ausserordentlichste Popularität* est repris par *ward er popular* [18].

On peut considérer que ce type de questions est équivalent des questions contenant *wirklich* et portant sur de l'antérieurement dit. Au lieu d'avoir

p. Wirklich p ?

on a :

p. Oder q ?

2. 1. 4. Questions de rupture

Nous avons déjà abordé ce phénomène à propos des questions contenant *wirklich*. Toutefois, il s'agit d'un phénomène beaucoup plus général, puisque notre corpus contient 31 questions de ce type, séparées de leur contexte gauche par un *tiret*, un *changement de paragraphe* ou *aber* (ou plusieurs de ces marques simultanément). Et si nous avons traité une partie de ces questions sous une autre rubrique, c'est que la rupture était subordonnée à d'autres éléments (présence de *wirklich*) plus importants *pour leur interprétation* que le seul effet de rupture. Nous tenterons toutefois une interprétation globale de la rupture.

a) Sur ces 31 questions, 11 sont des questions totales. Nous avons rendu compte d'un certain nombre d'entre elles aux paragraphes précédents. Rappelons brièvement notre hypothèse d'explication : un enchaînement textuel constitué d'une série d'assertions ($p1 + p2 +$ . . .) est interrompu. De cet enchaînement on ne peut que déduire une nouvelle proposition *q* par inférence logique (cf. 2. 1. 2.) ; c'est cette proposition qui fait l'objet de la question.

Cette interprétation vaut aussi pour les trois questions totales plus pauvres en marques dont nous n'avons pas rendu compte précédemment :

> (7) (Engländer haben weder Kunstgeschmack, noch Farben- noch Geruchsinn). (Début de paragraphe) - *Aber* haben sie Mut ?
>
> (Les Anglais n'ont ni goût artistique, ni sens des couleurs ni sens des odeurs. - Mais ont-ils du courage ?)

Les assertions de départ sont : Loc-1 : les Anglais n'ont ni goût, ni sens des couleurs ni odorat. De ces assertions, un locuteur-X peut inférer : ils n'ont aucune qualité, en particulier pas de courage. C'est cette proposition qui est énoncée par le locuteur-1 sous forme de question.

Ces questions ne sont pas spécifiques de notre corpus et sont fréquentes aussi dans la presse contemporaine :

> (les) qualités (du premier ministre) le désignaient (. . .) pour tenter de résoudre la crise communautaire avec plus de succès que d'autres. (début de paragraphe) - Y est-il parvenu ? De prime abord, on serait tenté de répondre par l'affirmative (. . .) (*Le Monde*, 3 avril 1981)

b) Les autres questions de rupture (questions partielles)

> (8) (Guizot) tut nichts, und das ist das Geheimnis seiner Erhaltung. Warum *aber* tut er nichts ?
>
> (Guizot ne fait rien, et tel est le secret de sa longévité. Mais pourquoi ne fait-il rien ?)

Toutes ces questions comportent un *élément de reprise*, soit littérale comme dans l'exemple (8), soit par un démonstratif (*solch*, *jen-*, *dies-*) :

(9) Jener Hochmut trieb einst die englische Ritterschaft in den verderblichen Kampf mit den demokratischen Richtungen und Ansprüchen Frankreichs, und es ist leicht möglich, dass ihre jüngsten Uebermüte aus ähnlichen Gründen entsprungen (. . .). - (Début de paragraphe) - Woher aber kommt es, dass *solche Emeute* aller aristokratischen Interessen immer im englischen Volke so vielen Anklang fand ?

(Cette morgue poussa autrefois la noblesse anglaise à entreprendre son ruineux combat contre les tendances et les prétentions démocratiques de la France, et il est bien possible que ses récentes velléités de présomption aient la même origine (. . .) - Mais d'où vient que ces émeutes de tous les intérêts aristocratiques aient toujours trouvé tant d'écho dans le peuple anglais ?)

soit sous forme indirecte :

(10) Und dennoch war (Daunou) (. . .) einer jener hohen Organisatoren der Freiheit, die gut sprachen, aber noch besser handelten (. . .). Warum aber ist er trotz aller seiner Verdienste, trotz seiner rastlosen politischen und literarischen Tätigkeit dennoch nicht berühmt geworden ?
(Et pourtant il fut l'un de ces grands organisateurs de la liberté qui parlaient bien et agissaient encore mieux. Mais pourquoi, malgré tous ses mérites, malgré sa fiévreuse activité politique et littéraire, pourquoi n'est-il pas devenu néanmoins célèbre ?)

Il ne saurait y avoir cette fois construction d'une proposition dont la validité est soumise à interrogation, puisqu'il s'agit de questions partielles. En revanche, comme dans tous les autres types de questions décrits jusq'à présent, l'enchaînement textuel précédent permet de construire une proposition implicite (les mérites de Daunou doivent le rendre célèbre) qui fait l'objet de la question posée par le locuteur-1.

Notons au passage (cf. l'analyse des réponses en 2. 2.) qu'à toutes ces questions, le locuteur fournit une réponse, et que dans 7 cas sur 15, il s'agit d'une réponse directe, ce qui constitue une proportion assez exceptionnelle par rapport à l'ensemble du corpus.

2. 1. 5. Les questions au futur

Elles représentent un pourcentage important du corpus : 29 sur 76 questions.

a) Il est d'abord frappant de constater que la plupart des questions au futur sont des questions *totales* : 21 sur 29.

(11) (sur Louis-Philippe, défenseur de la paix extérieure) Wird's ihm gelingen ? Wir wünschen es (. . .)
(Réussira-t-il ? Nous le souhaitons (. . .))

Nous ne prétendons pas en tirer une conclusion à valeur linguistique générale, mais seulement une conclusion valable pour le corpus spécifique que représente *Lutezia* : contrairement à ce qu'on aurait pu attendre, les questions au futur ne sont pas ici des questions ouvertes (par exemple, *Comment vous représentez-vous la situation dans un an ?*) mais des questions fermées, portant uniquement sur la validité d'un énoncé.

b) Les questions au futur se caractérisent d'autre part par la présence presque générale d'un élément de *reprise*. Celui-ci peut être :

- une reprise littérale de groupe nominal (3 cas)

(12) Sie sind Konservative durch äuBere Notwendigkeit, nicht durch inneren Trieb, und ***die Furcht*** ist hier die Stütze aller Dinge. (Début de paragraphe) - Wird ***diese Furcht*** noch auf lange Zeit vorhalten ?

(Ils sont conservateurs par une nécessité extérieure, non par une impulsion intérieure, et la crainte est ici le soutien de toutes choses. - Cette crainte durera-t-elle encore longtemps ?)

- une reprise pronominale (23 cas) :

(13) Auch waren die Kirchen nie voller als letzte Ostern. Besonders nach Saint-Roch und Notre-Dame-de-Lorette drängte sich die geputzte Andacht ; hier reichte der fromme Dandy das Weihwasser mit weiBen Handschuhen ; hier beteten die Grazien. Wird ***dies*** lange währen ?

(Et les églises n'ont jamais été aussi remplies qu'à Pâques. C'est surtout à Saint-Roch et Notre-Dame-de-Lorette que se pressait la dévotion élégante ; là, le pieux dandy présentait l'eau bénite en gants blancs ; là, priaient les Grâces. Ceci va-t-il durer longtemps ?

(14) (Climat de révolte, baisse à la Bourse) Herr von Rothschild, wird behauptet, hatte gestern Zahnschmerzen ; andere sagen Kolik. Was wird ***daraus*** werden ?

(M. de Rothschild, dit-on, avait hier une rage de dents ; d'autres parlent de colique. Que va-t-il sortir de tout ceci ?)

- une reprise indirecte :

- soit que la question contienne un groupe nominal dont une déduction logique permet de trouver le lien avec le contexte antérieur :

(15) (Thiers) ist der klügste Kopf Frankreichts (. . .) Herr Thiers wandelt zu dieser Stunde durch die Gemächer der Tuileries mit dem Selbstbewusstein seiner Grösse, als ein Maire du Palais der Orléanischen Dynastie. - (Début de paragraphe) Wird er lange diese ***Allmacht*** behaupten ?

((Thiers) est le cerveau le plus intelligent de France (. . .) Monsieur Thiers marche à cette heure à travers les appartements des Tuileries avec le sentiment de sa grandeur, comme un maire du palais de la dynastie d'Orléans. - Maintiendra-t-il longtemps cette toute-puissance ?)

- soit que la question comporte un groupe nominal défini qui reprend un élément des énoncés antérieurs et renvoie à l'univers de discours construit par le texte :

(16) Ich spreche vielmehr von der überlebeden Sabbathkompanie, (. . .) die jetzt dem Ausgang der Prozesse (. . .) mit zitternder Besorgnis entgegensieht. Werden ***die Stifter der Kompanie*** den verwaisten oder verstümmelten Opfern ihrer Gewinnsucht einigen Schadenersatz gewähren müssen ?

(Je parle bien plutôt de la compagnie de diables qui survit à la catastrophe (. . .) et qui attend maintenant l'issue des procès avec une inquiétude tremblante. Les fondateurs de la compagnie vont-ils devoir un dédommagement aux orphelins et éclopés victimes de leur cupidité ?)

(17) Der Tod des Herzogs von Orléans (. . .) hat seinem Vater die störrigsten Herzen wiedergewonnen, und die Ehe zwischen König und Volk ist durch das gemeinschaftliche Unglück gleichsam aufs neue eingesegnet worden. Aber wie lange werden *die schwarzen Flitterwochen* dauern ?
(La mort du duc d'Orléans (. . .) a ramené à son père les coeurs les plus récalcitrants, et le mariage entre le roi et le peuple a été en quelque sorte béni une seconde fois par le malheur qui les a tous frappés. Mais combien de temps durera cette lune de miel noire ?)

mais aussi :

(18) (début de paragraphe) Wird sich das Ministerium Thiers lange halten ?
(Le ministère Thiers va-t-il tenir longtemps ?)

car l'interrogation sur la stabilité des ministères revient comme un leit-motiv dans notre corpus.

En outre, comme on l'aura remarqué, un tiers de ces questions comportent un élément de reprise portant sur la *durée* de validité d'un énoncé précédemment asserté (cf. les exemples 12, 13, 15, 17 et 18).

Ces questions ne sont pas particulières à notre corpus ; on les trouve aussi bien dans des reportages modernes, où elles comportent les mêmes marques de surface caractéristiques (rupture, reprise) :

(Début de paragraphe) - Combien de temps encore tant d' Australiens éprouveront-ils cette difficulté d'être (*Le Monde*, 4 avril 1981)

L'interprétation de ces questions est moins aisée que dans les cas précédents (et c'est la raison pour laquelle nous les avons traitées après les autres types de questions). On peut toutefois dégager les points suivants :

1) A lui seul, le futur marque un décrochement par rapport au temps de l'énonciation et une projection hors de la situation d'énonciation. A ce titre, il implique une rupture dans l'enchaînement textuel.

2) On peut distinguer deux groupes de questions dans notre corpus :

a) des questions où la rupture est explicitée par un marqueur (*aber, doch*). Notre corpus comporte 5 occurrences de ce type. Dans ces cas, on peut aussi reconstituer un mécanisme de double locution tel que nous l'avons postulé précédemment :

(19) (Dans l'article précédent (article 18), Heinr voyageant en Normandie, évoque la préparation de la marine de guerre française à un affrontement avec l'Angleterre. Il annonce qu'il ira ensuite en Bretagne et annonce un article sur les préparatifs de guerre dans le port de Brest. L' article 19 ne remplit pas d'abord ce programme et parle d'autre chose, puis) :
(Début de paragraphe) - Wird es *aber* zum Krieg kommen ? Jetzt nicht, doch der böse Dämon ist wieder entfesselt und spukt in den Gemütern.
(Mais y aura-t-il la guerre ? Pas maintenant. Toutefois, le démon maléfique est à nouveau libre et hante les esprits).

Tout se passe comme si un locuteur-X interrompait le locuteur-1 pour lui rappeler son propos : « Et la guerre avec l'Angleterre ? » Le locuteur-1 reprend ensuite la parole pour répondre à la question.

b) On trouve par ailleurs des cas où la question ne comporte pas de marqueur de rupture, ou comporte seulement une marque « faible » (changement de paragraphe). Là aussi, on peut reconstituer un raisonnement implicite, mais il est beaucoup plus complexe que précédemment :

(20) (Thiers est un grand homme politique. En particulier, il est comparable à Napoléon. Napoléon a commis l'erreur d'être incapable de faire fusionner les idées, il n'a su fusionner que les choses et les hommes). Wird Thiers denselben Missgriff begehen ? Wir fürchten es fast.

(Thiers commettra-t-il la même erreur ? Nous le craignons presque).

Le mécanisme nous paraît être ici le suivant :

Loc-1 : (i) Thiers est identifiable à Napoléon
(ii) Napoléon a commis une erreur.

(Implicite : pour tout locuteur-X : Thiers commettra la même erreur que Napoléon).

Loc-1 : Thiers commettra-t-il la même erreur ?

La même analyse vaudrait pour l'exemple (13).

Toutefois, dans un certain nombre de cas, ce schéma est inversé dans le déroulement textuel. C'est particulièrement net lorsque la question au futur est placée en tête de l'article comme dans l'exemple suivant :

(21) Wird sich Guizot halten ? Heiliger Gott, hierzulande hält sich niemand auf die Länge, alles wackelt, sogar der Obelisk von Luxor.

(Guizot tiendra-t-il ? Juste ciel, dans ce pays, rien ne tient à la longue, tout vacille, même l'obélisque de Louxor).

Ce sont ici les énoncés qui *suivent* la question qui explicitent le mécanisme qui produisait la question dans le cas précédent. C'est donc cette fois l'ensemble question-réponse qui s'explique par un mécanisme de double locution.

2. 1. 6. Questions d'interlocution simulée :

Le corpus comporte deux questions du type suivant :

(22) Eine kreischende, schrillende, übertriebene Musik begleitet hier einen Tanz, der mehr oder weniger an den Cancan streift. Hier höre ich die Frage : Was ist der Cancan ? Heiliger Himmel, ich soll für die Allgemeine Zeitung eine Definition des Cancan geben ! Wohlan : der Cancan ist ein Tanz (. . .)

(là, une musique exagérée, stridente et aigüe accompagne une danse qui rappelle plus ou moins le cancan. J'entends ici qu'on m'adresse la question : Qu'est-ce que le cancan ? Juste ciel, on veut que je donne pour la Gazette d'Augsbourg une définition du cancan ! Eh bien, soit : le cancan est une danse (. . .))

Le caractère d'oralité simulée se manifeste dans l'énoncé qui introduit la question (*hören*, *hier* textuel qui renvoie à l'énoncé précédent) et dans l'exclamative qui suit immédiatement la question.

Ces questions ne posent en elles-mêmes aucun problème d'interprétation. Toutefois, on notera que les questions étudiées en 2. 1. 4. ne se distinguent de la question (22) que par l'absence des éléments simulant l'interruption de l'orateur par un auditeur, et qu'inversement, la question (22), si on la prive de ces éléments, devient une question du type des questions de rupture :

(22 bis) Eine kreischende (. . .) Musik begleitet hier einen Tanz, der mehr oder weniger an den Cancan streift. - Was ist *aber* der Cancan ?

(8 bis) Guizot tut nichts, und das ist das Geheimnis seiner Erhaltung. Nun werden Sie mich fragen : Warum tut er nichts ?

Pour essayer de pousser plus loin cette analyse, nous donnerons pour terminer un exemple pour lequel précisément le brouillon manuscrit nous donne des traces d'une telle transformation. Le texte définitif se présente de la façon suivante : dans un article de critique théâtrale consacré à la première d'un drame de George Sand, Heine revient au thème principal après une assez longue digression sur le théâtre en France, les actrices et la situation « politique » de George Sand :

(23) (Début de paragraphe) - Welche Aufnahme fand *nun* das Drama von George Sand, des gröBten Schriftstellers, den das neue Frankreich hervorgebracht, des unheimlich einsamen Genius, der auch bei uns in Deutschland gewürdigt worden ?

(Eh bien, quel accueil a trouvé le drame de George Sand, le plus grand écrivain que la France nouvelle ait produit, ce génie audacieux et solitaire qui a été apprécié aussi chez nous en Allemagne ?)

La genèse de ce fragment textuel est la suivante [19] :

(23 bis)

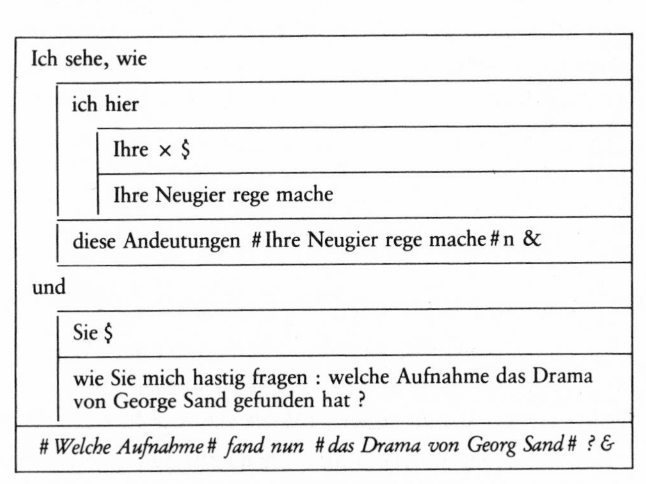
Ich sehe, wie
ich hier
Ihre × $
Ihre Neugier rege mache
diese Andeutungen # Ihre Neugier rege mache # n &
und
Sie $
wie Sie mich hastig fragen : welche Aufnahme das Drama von George Sand gefunden hat ?
 # Welche Aufnahme # fand nun # das Drama von Georg Sand # ? &

Ce passage comporte deux mouvements génétiques différents :

- d'une part, une série de corrections d'écritures effectuées au fil de la plume, au terme de laquelle le texte se présentait de la façon suivante :

> ***ich sehe, wie diese Andeutungen Ihre Neugier rege machen und wie Sie mich hastig fragen : welche Aufnahme das Drama von George Sand gefunden hat ?***

- d'autre part, dans une étape de rédaction plus tardive, correspondant à une relecture du passage, le remplacement de cette phrase par le texte définitif :

> ***Welche Aufnahme fand nun das Drama von George Sand ?***

On voit qu'initialement, Heine s'adresse directement à ses lecteurs allemands (il l'a d'ailleurs déjà fait précédemment dans l'article – « wie ich Ihnen dieser Tage schrieb » – et cet appel au lecteur est conservé dans le texte définitif) pour leur attribuer un mouvement de curiosité et créer fictivement une situation de dialogue où l'interlocuteur interrompt le locuteur pour lui poser une question.

A ce stade de la rédaction, l'énoncé comporte un élément de reprise (*diese Andeutung*). Ensuite, les marques explicites du dialogue sont effacées et l'ensemble des marques d'interruption est remplacé par des marqueurs linguistiques de rupture (début de paragraphe, *nun*). Notons en outre que ce *nun* constitue un repérage énonciatif intérieur au texte lui-même : il reprend l'ensemble du texte déjà écrit pour l'opposer au présent de la lecture.

Nous ne pouvons discuter ici de la nature exacte de la relation qui lie entre eux les différents énoncés substitués les uns aux autres en un point donné du texte au cours du processus génétique. Et il serait hasardeux de prétendre au vu d'un seul exemple que l'un des deux énoncés dérive – au sens linguistique du terme – de l'autre : rien ne prouve qu'on puisse assimiler les « transformations » textuelles à ce que la linguistique a coutume d'appeler transformation, et le problème est beaucoup plus complexe que cet exemple simple ne pourrait le laisser penser. Nous posons simplement que le remplacement d'un énoncé A par un énoncé A' crée entre ces deux énoncés une relation et constitue un cas, très particulier, de paraphrase. Et nous nous contentons de constater l'existence d'une convergence entre cet exemple et les exemples analysés précédemment.

1) Sur le plan génétique :

a) On peut admettre que la question «Welche Aufnahme fand nun das Drama von George Sand ? » *dérive génétiquement* des formulations qui l'ont précédée par un effacement des marques de « double locution ».

b) On notera la présence de *hier* dans la première formulation, explicitement liée à l'introduction, par le locuteur, du co-locuteur en un point donné de son discours, et, symétriquement, l'introduction de *nun* dans la formulation finale.

2) D'autre part, on peut mettre ces observations en relation avec la description proposée précédemment. Si on met en parallèle l'effet méta-linguistique de rupture qui caractérise l'énoncé final et l'interruption simulée qui caractérise la première rédaction, on constate que les deux procédés produisent le même effet *textuel*, qui est de faire progresser le texte en avant en prenant appui sur ce qui précède, effet qui est bien aussi celui des autres questions étudiées en 2. 1. 2., 2. 1. 3., 2. 1. 4. et 2. 1. 5.

3) Toutefois, alors que dans les cas 3, 4, et 5 c'est le locuteur-1 qui revient, avec la question, sur les propos d'un locuteur-X, c'est ici un locuteur-2 effacé qui pose la question.

Bien sûr, il est tentant de rapprocher ce phénomène génétique de l'interprétation que nous avons proposée en 2. 1. 2. pour les questions contenant *wirklich*. Toutefois, les exemples du type de (22) ou (23) sont beaucoup trop rares (ce qui peut, dans le cas de (23), n'être que le fruit du hasard de la conservation des manuscrits), et ceci nous paraît interdire d'aller plus loin et de construire un système interprétatif plus général englobant une stratégie détaillée des changements fictifs de locuteur dans la mise en place génétique des questions écrites.

2. 1. 7. Les questions-citation

1) On trouve dans notre corpus les exemples suivants :

(24) In Paris können Auftritte stattfinden, wogegen alle Szenen *der vorigen Revolution* wie heitere Sommernachtsträume erscheinen möchten ! *Der vorigen Revolution ?* Nein, die Revolution ist noch ein und dieselbe, wir haben erst den Anfang gesehen, und viele von uns werden die Mitte nicht überleben.

(A Paris, il peut se produire des événements auprès desquels toutes les scènes de la précédente révolution ressembleraient à des rêves sereins d'une nuit d'été ! De la précédente révolution ? Non, la révolution est toujours la même, nous n'en avons vu que le commencement, et beaucoup d'entre nous ne survivront pas à son milieu).

(25) (la Colonne Vendôme) : steht sie sicher ? Ich weiss nicht, aber sie steht auf ihrem rechten Platze, in Harmonie mit ihrer Umgebung. Sie wurzelt treu im nationalen Boden, und wer sich daran hält, hat *eine feste Stütze. Eine ganz feste ?* Nein, hier in Frankreich steht nichts ganz fest.

(la Colonne Vendôme) : est-elle solide ? Je ne sais, mais elle se trouve à sa véritable place, en harmonie avec son entourage. Elle s'enracine fidèlement dans le sol national, et qui s'y tient possède *un ferme appui. Un appui totalement ferme ?* Non, ici en France rien n'est totalement ferme).

Dans ces deux cas, la question isole, dans l'énoncé qui précède, un syntagme qu'elle reprend mot pour mot. Il est clair que cette reprise impliquerait, dans une lecture du texte à haute voix, qu'on détache la question de son contexte et qu'on la munisse d'une intonation marquée différente de celle d'une interrogation standard, et qu'on peut gloser par « Vous avez dit ' la précédente révolution ' ? », « Vous avez dit ' ferme appui '. Est-ce un appui totalement ferme ?».

On le voit, ces questions reposent elles aussi sur un mécanisme de double locution, où l'enchaînement textuel est coupé par la pseudo-intervention d'un locuteur-X qui conteste une formulation antérieure.

On notera que sur le plan textuel, ce retour en arrière du locuteur qui prend tout ou partie de l'énoncé qu'il vient de produire comme *objet* de son énonciation (donc en dédoublant les instances énonciatives) se manifeste sous une multitude d'aspects dont les deux questions que nous avons citées ne sont qu'une illustration parmi d'autres. Voici quelques exemples qui montrent bien qu'il s'agit d'une tendance générale dans notre texte :

- (Début d'article) Thiers steht heute im vollen Lichte seines Tages. Ich sage heute, ich verbürge mich nicht für morgen.

  (Thiers est aujourd'hui dans tout l'éclat de sa lumière. Je dis aujourd'hui, je ne me porte pas garant de demain).
- Heute hat man meinen armen Sakoski begraben, den berühmten Lederkünstler - denn die Bennennung Schuster ist zu gering für einen Sakoski.

  (Aujourd'hui, on a enterré mon pauvre Sakoski, le célèbre artiste du cuir - car le terme de cordonnier est trop peu pour un Sakoski).

A la différence des exemples (24) et (25), c'est ici le locuteur-1 lui-même qui prend en charge le dédoublement et la rupture, mais on retrouve un énoncé antérieur et un énoncé nouveau séparés par un implicite (pour tout locuteur-X, *heute* peut être interprété comme un simple repérage énonciatif banal ; le locuteur-1 précise qu'il le dit dans un sens précis, à savoir par opposition à demain).

2) Outre ces cas explicites de reprise-citation, on rencontre d'autres exemples qui nous paraissent relever de la même interprétation mais qui ne comportent pas de marques suffisantes pour que leur caractère de citation soit indiscutable :

(26) Was wäre das Ende dieser Bewegung (. . .) ? Es wäre der Krieg. (Quel serait le terme de ce mouvement (. . .) ? Ce serait la guerre).

(27) Das, was das Höchste in der Kunst, das läßt sich weder lehren noch lernen. (Début de paragraphe) - Was ist in der Kunst das Höchste ? Das, was (. . .)

(Ce qui est au sommet en art ne s'enseigne ni ne s'apprend. (Début de paragraphe) - Qu'est-ce qui est au sommet en art ? Ce qui (. . .))

(28) Soll ich einen Tadel aussprechen, so möchte ich zunächst den Mangel an Dialektik und Ordnung bedauern (. . .). Ist er ein großer Historiker ? Verdient er neben Thiers, Mignet, Guizot und Thierry (. . .) genannt zu werden ? Ja, er verdient es (. . .)

(Si je dois exprimer une critique, je regretterais en premier lieu le manque de dialectique et d'ordre (. . .). Est-il un grand historien ?

Mérite-t-il d'être nommé à côté de Thiers, de Mignet, de Guizot et de Thierry ? Oui, il le mérite).

On notera toutefois la parenté entre ces questions et les questions-écho où le caractère de reprise par le locuteur-1 d'une question formulée par l'interlocuteur est explicite :

(26')Was das Ende dieser Bewegung wäre ?

(27')Was das Höchste in der Kunst ist ?

(28')Ob er ein grosser Historiker ist ?

La courbe intonatoire de ces questions-écho construites est la même que celles des questions (26), (27) et (28) si on les lit comme des questions-citation (mais sans qu'on puisse, à l'écrit, éliminer une lecture standard).

2. 1. 8. Les questions en série

Jusqu'à présent, nous n'avons pas tenu compte d'un phénomène relativement massif dans notre corpus : le fait que fréquemment, une question n'apparaît pas seule, mais est suivie d'une ou plusieurs questions, séparées ou non les unes des autres par des énoncés assertés. Ceci pose évidemment un problème de délimitation : jusqu'à quel espacement peut-on admettre qu'il s'agit de la suite d'une même série de questions et non du début d'une nouvelle série ? Dans ce travail, nous considérons comme formant un bloc de questions en série :

– les questions répétées sous forme littérale dans un même passage, même si elles son séparées par plusieurs énoncés (deux blocs) ;

– quelques blocs où les deux questions sont séparées par *un seul* énoncé comme dans :

(29) Aber haben sie Mut ? *Dies ist jetzt das Wichtigste.* Sind die Engländer so mutig, wie man sie auf dem Kontinent beständig schilderte ?

(Mais ont-ils du courage ? C'est actuellement la question la plus importante. Les Anglais ont-ils le courage qu'on leur a toujours attribué sur le continent ?)

– les questions qui se succèdent en séquence et sans interruption (26 blocs).

On aboutit ainsi à un corpus de 29 blocs de questions.

Il s'agit d'un phénomène peu étudié dans la littérature pourtant abondante sur les questions-réponses. On notera néanmoins l'analyse que Friedmann (1967) a consacrée aux séries de questions qui apparaissent dans des textes écrits mettant en jeu des dialogues. De par la nature du corpus étudié par Friedmann, ses exemples comportent beaucoup de 'tag-questions' et les problèmes qu'il soulève (ellipse, intonation) n'ont pas d'intérêt direct pour notre corpus (l'ellipse est liée directement au dialogue, et l'intonation à l'oralité). Toutefois, un des types d'enchaînement décrits par Friedmann est celui où, à l'intérieur d'un « complexe de questions », la progression se fait dans le sens d'une plus grande précision de la question (« Präzisierungskomplexe »). Friedmann donne l'exemple suivant :

- Wie benahm sich die Angeklagte ? War sie aufgeregt ?
(Comment l'accusée s'est-elle comportée ? Etait-elle émue ?)

Une question partielle « générale » est suivie d'une question totale dont le contenu propositionnel constitue une des réponses possibles à la question partielle initiale (cf. plus bas, c)).

Ce type de « complexes de questions » n'est pas spécifique de l'oral, et apparaît aussi dans des textes écrits. Citons un exemple en français tout à fait similaire :

> Mais à qui profitera ce *boom* ? Les profits iront-ils à l'étranger ou bénéficieront-ils à l'Australie ? Si oui, seront-ils équitablement distribués, dans ce pays où l'égalitarisme demeure très fort ? (*Le Monde*, 1er avril 1981).

On verra en b) et en c) d'autres types de blocs de questions pouvant relever des « Präzisierungskomplexe ». Maix examinons d'abord les types de relations existant entre la 1ère et la seconde question.

a) La seconde question reprend la première. Il peut s'agir :

– d'une répétition littérale (2 blocs)

(30) Wird sich Guizot halten ? Heiliger Gott, hierzulande hält sich niemand auf die Länge, alles wackelt, sogar der Obelisk von Luxor.
(passage sur la fragilité de l'obélisque). Wird er sich halten ? Jedenfalls glaube ich, dass er sich die nächste Sitzung hindurch halten wird (. . .)
(Guizot va-t-il tenir ? Juste ciel, dans ce pays rien ne tient longtemps, tout chancelle, même l'obélisque de Louxor (. . .) Va-t-il tenir ? En tout cas, je crois qu'il va tenir le temps de la prochaine session, l'obélisque comme Guizot (. . .))

Ces blocs constituent un cas assez rare, et de toute façon très particulier : la question est posée une première fois, et ne trouve pas de réponse, même après un développement textuel assez long, et est à nouveau posée.

– d'une reprise non littérale. La reprise peut être

– paraphrastique

(31) Warum aber ist er trotz aller seiner Verdienste (. . .) dennoch nicht berühmt geworden ? Warum glüht in unserer Erinnerung sein Name nicht so farbig wie die Namen so mancher seiner Kollegen, die eine minder bedeutende Rolle gespielt ? Was fehlte ihm, um zur Berühmtheit zu gelangen ? Ich will es mit einem Worte sagen : die Leidenschaft.
(Mais pourquoi n'est-il pourtant pas devenu célèbre malgré tous ses mérites ? Pourquoi son nom ne brille-t-il pas dans notre souvenir avec des couleurs aussi claires que le nom de maint collègue dont le rôle fut moins important ? Qu'est-ce qui lui a manqué pour parvenir à la célébrité ? Je veux le dire en un mot : la passion.

A la différence des précédentes, ces questions s'enchaînent directement et l'effet paraît être purement « stylistique » : la variation sur les trois questions se termine par une réponse qui, elle, est au contraire laconique.

– métaphorique

(32) (Dans une société fondée sur la propriété) Kann der Gedanke Eigentum werden ? Ist das Licht das Eigentum der Flamme wo nicht gar des Kerzendochts ? Ich enthalte mich jedes Urteils über solche Frage.
(L' idée peut-elle devenir propriété ? La lumière est-elle la propriété de la flamme, voire de la mèche ? Je m'abstiens de tout jugement sur cette question).

En réalité, cette série est d'interprétation difficile, car, au lieu de considérer que la seconde question reprend la première, on peut admettre aussi qu'elle suppose une réponse positive implicite à la première question. Contrairement à ce qui se produit dans d'autres cas, le refus explicite de répondre ne permet pas de se faire une opinion sur la réponse que Heine aurait pu donner à ces deux questions [20].

b) La seconde question peut se déduire de la première par une inférence logique (5 cas). Il s'agit uniquement de séries de *questions totales*.

(33) Ist es wahr, wollte Meyerbeer seine neue Ōpēr nicht zur Aufführung geben im Falle man die Löwe nicht engagierte ? Hat Meyerbeer wirklich die Erfüllung der höchsten Wünsche des Publikums an eine so kleinliche Bedingung geknüpft ? Ist er wirklich so überbescheiden, daB er sich einbildet, der Erfolg seines neuen Werkes sei abhängig von der mehr oder minder geschmeidigen Kehle einer Prima Donna ?
(Est-il vrai que Meyerbeer ne voulait pas produire son opéra au cas où on n'aurait pas engagé la Löwe ? Meyerbeer a-t-il réellement fait dépendre la satisfaction des voeux suprêmes du public d'une condition aussi mesquine ? Est-il d'une modestie si excessive qu'il s'imagine que le succès de sa nouvelle oeuvre dépend de la plus ou moins grande habileté de gosier d'une Prima Donna?).

Pour analyser cet exemple, il nous faut reprendre l'analyse que nous avions donnée de la première partie de ce bloc de questions (exemple (4)). La question en *Ist es wahr, dass* porte explicitement sur du discours rapporté. On peut ramener ces propos rapportés à l'énoncé suivant :

p Meyerbeer ne voulait pas produire son opéra au cas où on n'aurait pas engagé la Löwe.

En revanche, les deux questions suivantes (qui comportent toutes les deux *wirklich*) ne portent pas directement sur la véracité des propos qu'on tient sur Meyerbeer, mais sur des propositions qui sont déductibles de l'énoncé rapporté initial ; on peut schématiser ce processus de la façon suivante :

q1 si Meyerbeer a refusé de produire son opéra au cas où etc., il a fait dépendre la satisfaction des désirs suprêmes du public d'une condition très mesquine.

q2 si Meyerbeer a refusé etc., il est d'une excessive modestie.

D' où un schéma qui résume les trois questions successives :

Loc-1 : p ?
/ p implique q1 et q2 /
wirklich q1 ?
wirklich q2 ?

c) Une question partielle est suivie d'une question totale dont le contenu propositionnel constitue une réponse possible à la question partielle (5 cas).

(34) (début de paragraphe) Welche Aufnahme fand nun das Drama von George Sand (. . .) ? War die Aufnahme ***eine entschieden schlechte*** oder ***eine zweifelhaft gute*** ?

(Comment le drame de George Sand fut-il reçu (. . .) ? Le succès fut-il nettement mauvais ou médiocrement bon ?)

(cet exemple a déjà été abordé avec l'exemple (23).)

eine entschieden schlechte Aufnahme et *eine zweifelhaft gute Aufnahme* font partie de l'ensemble des réponses possibles à la question initiale. On rapprochera évidemment cet exemple des « Präzisierungskomplexe » de Friedmann.

d) La seconde question est une alternative à la première.

(35) War dieser Freund Beethovens wirklich dessen Pylades ? Oder gehörte er zu jenen gleichgültigen Bekannten, mit denen ein genialer Mensch zuweilen (. . .) Umgang pflegt ? (. . .)

(Cet ami de Beethoven était-il réellement son Pylade ? Ou bien faisait-il partie de ces fréquentations indifférentes avec lesquelles les hommes de génie se plaisent quelquefois ?)

Du point de vue de l'analyse, il est en fait indifférent qu'on ait *Q1, oder Q2?* ou *Q1 ? Oder Q2 ?* En revanche, on distinguera ces questions alternatives des questions introduites par *oder* étudiées en 2. 1. 3., où la première proposition apparaît sous forme d'assertion mise en question indirectement seulement par *Oder Q ?*, alors qu'ici les deux propositions sont soumises simultanément à interrogation. Toutefois, la fonction textuelle globale de ces deux types de questions est évidemment voisine.

e) La première question est suivie d'une question rhétorique (interro-négative) qui fournit une réponse (5 cas).

(36) Wird dies lange währen ? Wird diese Religiosität, wenn sie die Vogue der Mode gewinnt, nicht auch dem schnellen Wechsel der Mode unterworfen sein ?

(Ceci va-t-il durer longtemps ? Si cette religiosité est soumise aux caprices de la mode, ne sera-t-elle pas soumise aussi au changement rapide de la mode ?)

f) La seconde question suppose qu'il ait été répondu implicitement à la première (4 cas).

(37) Nur die junge Schwesterkunst, die Musik, hatte sich mit ursprüng-

licher, eigentümlicher Kraft erhoben. Hat sie schon ihren Lichtgipfel erreicht ? Wird sie sich lange darauf behaupten ? Oder wird sie schnell wieder herabsinken ? Das sind Fragen, die erst ein späteres Geschlecht beantworten kann.

(Seule la jeune muse de la musique s'était élevée avec une force propre pleine de vigueur. A-t-elle déjà atteint le sommet de sa brillance ? S' y maintiendra-t-elle longtemps ? Ou va-t-elle retomber rapidement ? Ce sont des questions auxquelles seule une génération future pourra répondre).

Reprise, relation d'inférence entre la première et la seconde question, énoncé sous forme de question d'une ou plusieurs réponses possibles à une première question, questions alternatives, enchaînements équivalant à une réponse : on voit que tous ces blocs aboutissent en définitive au même effet, qui est d'ordre textuel : par le jeu des questions-réponses, le texte progresse en prenant appui sur le déjà écrit qui est littéralement « mis en question ». En même temps, on voit bien qu'il s'agit pour le locuteur de donner à réfléchir, en forçant le lecteur à prendre en charge une part importante du travail de constitution textuelle.

2. 1. 9. Bilan

Deux notions nous paraissent particulièrement importantes dans les analyses que nous venons d'effectuer : il s'agit d'une part de la notion de *rupture*, et d'autre part du mécanisme de la *double locution.*

1) En ce qui concerne la *rupture*, elle est à comprendre au premier chef *littéralement*, comme une interruption dans la succession des énoncés signalée par une marque ; celle-ci peut être faible (changement de paragraphe) ou forte (*aber*, *nun*, *doch*).

Mais la rupture peut être d'un autre ordre : il peut s'agir, comme dans le cas des questions avec *wirklich* portant sur du discours rapporté, d'une interruption du fil du discours tenu par le locuteur, qui fait brusquement référence au discours d'autrui. Mais il peut aussi s'agir, sous une forme moins transparente à l'analyse, d'une rupture dans le temps (passage du présent à un prospectif).

Au fil de nos analyses, on a vu que les marques de rupture peuvent s'additionner (on a *à la fois* changement de paragraphe, *aber*, futur, ou : changement de paragraphe, *aber*, référence à de l'antérieurement dit), et dans ce cas la question est interprétable sans ambiguïté. Mais elles peuvent aussi faire défaut en partie (on a seulement le futur, ou le changement de paragraphe, ou la référence au discours d'autrui), et dans ce cas l'interprétation ne peut être garantie avec autant d'assurance.

Par rapport aux analyses dont nous avons fait la critique dans la première partie, on notera deux points :

– la rupture n'existe qu'en tant qu'elle comporte « en surface » une marque explicite ; nous sommes donc restés fidèles à notre exigence de recherche de *régularités de langue.*

– la notion de rupture implique qu'on intègre à l'étude de la question la relation qu'elle entretient avec son *contexte gauche*. Il faut donc étudier la question, non seulement en ne la dissociant pas de la réponse qui suit, mais en tant qu'elle est précédée d'énoncés bien précis. On peut d'ailleurs s'étonner que la pragmatique, qui par définition est l'étude des faits de langue en fonction de leur contexte d'utilisation, n'ait pas pris en considération cette forme de contexte, pourtant bien tangible, que représentent les énoncés qui précèdent la question. Et c'est peut-être un des bénéfices du choix d'un corpus écrit que d'avoir valorisé ce contexte linguistique, le seul à être présent dans ce cas, en révélant aussi son importance (qui vaut bien sûr aussi pour les questions «de dialogue»).

Enfin, la rupture est associée à un mécanisme de *reprise* : le ou les éléments repris sont aussi ce par rapport à quoi se produit la rupture. Ceci amène à considérer que les questions de notre corpus correspondent à un « feuilletage » du texte en deux ou plusieurs plans : du fait de l'apparition de la question, les éléments textuels déjà produits forment un premier plan, extérieur à la locution en train de se faire, qui constitue dès lors un plan nouveau.

2) Il n'est pas étonnant dès lors que nos analyses nous aient conduits simultanément à poser l'existence d'un mécanisme de *double locution* lié au jeu des questions-réponses. Pour résumer ce que ce mécanisme implique et pour rappeler qu'il fonctionne dans des textes écrits bien différents de *Lutezia*, nous prendrons deux derniers exemples, empruntés à des textes scientifiques :

- (es wird ein für allemal festgelegt), wann eine Aussage von der Form « wenn p, so q » mit der Prämisse p und der conclusio q als wahr und wann sie als falsch gelten soll.
  Aber wie kann *dies* durch eine *Festsetzung* entschieden werden ? Es scheint zunächst, daB dies sinnlos ist. (. . .) Es scheint so ; aber es ist nicht so. *Niemand* braucht zu befürchten, dass ein solches fatales Spiel mit Wahr und Falsch beabsichtigt ist.
  Sondern ?
  Es handelt sich um einen Abrundungsprozess. Und um einen Abrundungsprozess, in dem es so sinnvoll wie möglich zugehen soll. (H. Scholz, Logik, Grammatik, Metaphysik, in *Logik und Sprache*, hg. von A. Menne und G. Frey, p. 209)
  (Sont stipulés une fois pour toutes les cas où un énoncé de la forme « si p, alors q », ayant la prémisse p et la conclusion q, doit avoir la valeur vrai et quand il doit avoir la valeur faux. Mais comment ceci peut-il être décidé par stipulation ? Il semble d'abord que ce soit absurde (. . .) Il semble, mais il n'en est rien. Personne n'a à redouter que soit envisagé un jeu aussi fatal avec le vrai et le faux.
  Mais au contraire ?

Il s'agit d'un processus de dégrossissage. Et d'un processus de dégrossissage qui doit être aussi plein de sens que possible).

- (début de chapitre) Hypothese III
Welche Schlüsse dürfen wir *nun* aus den letzten Beobachtungen hinsichtlich der Semantik der drei Tempusgruppen ziehen ? Wir formulieren diese Schlüsse als Hypothese III : (. . .) (H. Gelhaus, *Das Futur in ausgewählten Texten der geschriebenen deutschen Sprache der Gegenwart*, p. 75)
(Hypothèse III
Quelles conclusions pouvons-nous tirer maintenant des observations précédentes en ce qui concerne la sémantique des trois groupes de temps ? Nous formulerons ces conclusions sous forme d' hypothèse numéro 3 : (. . .))

Le premier exemple présente des caractéristiques contradictoires : d'une part, au vu de l'usage exclusif et presque caricatural des formes passives et impersonnelles, on pourrait penser que « personne ne parle » et qu'il s'agit du fameux discours théorique de la science « sans sujet » : *sont stipulés*, *un énoncé doit avoir la valeur vrai*, *ceci est décidé*, etc. Mais d'autre part, on retrouve, et sous forme tout aussi caricaturale, les questions de rupture dont nous avons dégagé les caractéristiques dans notre corpus : changement de paragraphe, reprise, *aber*.

A ce titre, l'enchaînement des deux questions est exemplaire : on y trouve, sous la forme « pour aucun locuteur-2 il n'est à craindre que », l'actualisation du « pour tout locuteur-2 » que nous avons été amenés à poser, ce qui attribue rétroactivement la première question à un *représentant de tous les locuteurs-2 possibles*, représentant qui « reprend la parole » pour demander « Mais au contraire ? ». Tout se passe comme si le locuteur-1 s'effaçait derrière le savoir qu'il transmet, en mettant en avant le locuteur-2 dont le seul rôle est de recevoir le savoir. Ce mouvement pourrait être comparé à celui par lequel, dans l'exemple (23), notre locuteur efface les manifestations de sa présence pour ne garder que la question de rupture. Il est bien clair que la mise en avant du locuteur-2 et l'effacement du locuteur-1 sont tous deux à mettre à l'actif du locuteur réel. Ces questions semblent reprendre à l'écrit un procédé utilisé sous forme orale dans l'enseignement : l'enseignant interrompt son discours pour adresser à la classe la question que celle-ci aurait dû lui poser à ce point de son développement. Il y a bien double locution, mais fictive, puisque le locuteur garde la maîtrise du développement. Aussi pourrait-on être tenté d'appeler ces questions questions « pédagogiques » ou didactiques.

L' analyse du second exemple irait dans le même sens.

Si nous regroupons la totalité de nos analyses, on voit qu'elles font apparaître différentes instances d'interlocution : image virtuelle du locuteur-2, simulation d'une interruption par un locuteur-2, citation d'énoncés produits par un autre locuteur. La fonction textuelle de ces instances semble bien être dans tous les cas de produire un décrochement de l'énonciation en train de se faire par rapport à une énonciation antérieure, le locuteur se définissant contrastivement par opposition ou rupture vis-à-vis d'un locuteur antérieur. Le discours rapporté ou l'antérieurement dit joueraient donc, dans les textes écrits, le rôle que jouent les propos d'un interlocuteur dans les dialogues réels. Et la question surgirait par dissociation de deux instances de discours.

C'est sans doute là le point essentiel de l'analyse de ce corpus de questions. Car il pourrait en découler que le couple question-réponse *écrit*, même s'il est proféré par un seul locuteur, est ramenable, par le biais du second locuteur virtuel, aux questions-réponses orales, c'est-à-dire à une structure à deux locuteurs. Si cette hypothèse était juste, elle en entraînerait une autre : comme pour les questions-réponses orales, il faudra distinguer les deux cas que J. Milner a posés :

– des questions-réponses écrites pour lesquelles on peut poser la symétrie des deux locuteurs ;

– des questions-réponses écrites pour lesquelles le deuxième locuteur, en l'occurrence le lecteur, est absolument contraint par rapport au premier : la symétrie est à remplacer par l'altérité.

De quel cas avons-nous traité jusqu'à présent ? Il nous semble globalement que le locuteur virtuel que nous avons introduit a joué le plus souvent le rôle d'un contradicteur (cf. le fait que la double locution s'accompagne de *aber*, *ist es wahr*, etc). Autrement dit, le locuteur implicite est à concevoir comme ayant le même pouvoir que le premier. Et s'ils sont ainsi égaux en droits, il y a bien lieu de parler d'un rapport symétrique. On sait que pour J. Milner, la description linguistique de ce rapport symétrique pouvait s'effectuer sans aucun recours à un quelconque concept de locuteur(s). Dans notre cas au contraire, certains effets contenus dans les questions ne sont explicables qu'en posant un locuteur-1 réel et un second locuteur virtuel qui lui est symétrique.

Le problème est évidemment tout différent encore lorsqu'il s'agit d'analyser les questions rhétoriques. A l'écrit comme à l'oral, il est indispensable de postuler un second locuteur, marqué par l'absolue altérité par rapport au premier : le second locuteur est alors contraint « d'entériner » ce que le premier a affirmé indirectement sous la forme d'une question rhétorique. Et le signe le plus patent de cet accord tacite est bien la question rhétorique qui clôt définitivement un chapitre. Il ne reste ni lieu ni place pour une quelconque remarque du second locuteur :

- Wird ihn die Verzweiflung über das Unabwendbare nicht mal plötz-

lich zu einer allzuheftigen Handlung hinreiBen ? (fin de chapitre) (Son désespoir devant l'inéluctable ne l'entraînera-t-il pas soudain à commettre un acte trop violent ?)

Nous voudrions pour terminer suggérer un rapprochement entre les raisonnements que nous avons exposés jusqu'à maintenant et certaines caractéristiques qui se dégagent de l'étude des processus génétiques à l'intérieur des manuscrits. Nous avons en effet postulé dans l'analyse linguistique un « moment de l'alternance » à travers lequel la question se met en place dans le déroulement textuel. Or, les manuscrits montrent que l'auteur joue au moins deux rôles différents, et produit deux types fondamentaux de variantes.

D'une part, il produit son texte, au fil de la plume, et ce mouvement engendre des variantes dont la succession se confond avec le processus d'écriture lui-même. D'autre part, l'auteur est à lui-même son *premier lecteur*, dans deux étapes génétiques différentes : il est probable qu'il y a un certain nombre de relectures partielles de fragments textuels courts dès leur achèvement et avant que ne s'amorce la suite de la production textuelle. Et il est sûr qu'une fois la totalité du texte achevée, l'auteur procède à une relecture d'ensemble. Il effectue des corrections au cours de ces deux étapes. D'un point de vue génétique, l'auteur est donc successivement scripteur, lecteur-scripteur, et lecteur, ce qui, du point de vue de l'interlocution, correspondrait à Locuteur-1, Locuteur-2/Locuteur-1, et Locuteur-2. En tant qu'activité de production-reconnaissance, la relecture immédiate peut occuper la même place que les énoncés inférés, implicites ou rapportés que nous avons été amenés à introduire dans la description des questions, et correspondre à la prise de distance que nous avons postulée pour certaines des questions de notre corpus. Le mouvement génétique de distanciation trouverait son correspondant linguistique dans les marqueurs de rupture. Et on pourrait envisager que, dans l'exemple (23), le changement de paragraphe (noté par un tiret dans les brouillons de Heine) marque le moment de la distance (passage de Loc-1 à Loc-2/Loc-1), celle-ci aboutissant à la mise en place, par l'auteur comme Loc-2/Loc-1, de la question. Inversement, à la relecture finale, l'auteur comme Loc-2 ressent, en reconnaissance, cette intervention du co-locuteur comme superflue ou trop visible, et ne conserve que les marques de rupture et la question. L'alternance n'aurait-elle plus lieu d'être visible à ce stade ultime du processus génétique, et l'auteur aurait-il cherché à rétablir le lecteur dans sa position fondamentalement passive ?

Il est en effet bien clair que, si on se place du point de vue du lecteur, aucune des questions posées par Heine n'est une « demande d'information » véritable, et que le lecteur est bien de fait inscrit dans un champ extrêmement limité, comme nous l'avons rappelé au début de ce travail en citant

J. Milner, d'autant plus qu'absent qu'il est, il n'a aucun pouvoir d'intervention. Et si nous avons affirmé à propos des questions en série que le locuteur forçait le lecteur à prendre en charge une part importante du travail de constitution textuelle, il s'agit d'un travail *sous contrôle*, où les initiatives du lecteur sont normalement inexistantes. En ce sens, on pourrait par extension verser toutes les questions de tous les textes écrits au compte des questions rhétoriques, dans la mesure où elles visent à produire sur le colocuteur un effet qu'il n'a pas le pouvoir de contrôler et qui lui est imposé par le locuteur.

2. 2. Analyse des réponses et hypothèses d'interprétation

Nous avons discuté en 1. 2. les propositions faites par R. Conrad pour définir la réponse. Nous pourrions en discuter d'autres encore, par exemple celles de D. Wunderlich (1969), qui sont peut-être même plus convaincantes sur certains points, en particulier sur la variété de réponses inappropriées. Le point de notre critique restera cependant le même : tant que l'on centrera la définition de la question sur la demande d'information, la nature de la réponse sera appréciée selon qu'elle satisfait complètement ou non à cette demande ; et on continuera de parler de réponse « complète », « authentique », « exacte », « exhaustive », etc. – étant entendu que toutes les autres réponses sont d'une certaine façon « mauvaises ». Il est effectivement important que la linguistique sache expliquer en quoi est inexacte la suite question-réponse

Q : Pourquoi es-tu fatigué ?
R : Goethe est mort en 1832

et en quoi une suite

Q : Pourquoi es-tu fatigué ?
R : J'ai dansé toute la nuit

est bonne, même si elle comporte une ellipse. Mais il nous semble indispensable de poser que le terme de « réponse » recouvre *tout* énoncé possible comme suite verbale à la question, y compris les cas caractérisés de non-réponse explicite (*Je ne veux pas répondre à cette question*). C'est seulement dans cette optique que l'on pourra cerner de plus près le comment et le pourquoi des suites question-réponse dans les échanges réels.

Loin de nous l'intention de décrire et classer toutes les formes verbales qui peuvent faire suite à une question. Nous cherchons simplement à analyser l'une des configurations où la question et la réponse sont tenues par le même locuteur, à savoir le JE d'un texte écrit.

Ce JE s'affirme d'ailleurs en tant que tel au début de certaines réponses (au sens large !) en caractérisant sa situation d'énonciation :

(39) Was ist der Cancan ? Heiliger Himmel, ***ich soll*** für die ***Allgemeine Zeitung eine Definition*** des Cancan ***geben*** ! Wohlan, der Cancan ist ein Tanz, der (. . .)

(Qu' est-ce que le cancan ? Juste Ciel, on veut que je donne pour la *Gazette d' Augsbourg* une définition du cancan ! Eh bien soit, le cancan est une danse qui (. . .)

(40) ? *Ich will die ganze Wahrheit kurz aussprechen*
(? Je dirai brièvement toute la vérité)

(41) ? *Ich will es mit einem Wort sagen*
(? Je le dirai d'un mot)

(42)? Ich glaube die beste, jedenfalls, *wir wollen es aussprechen*, eine weit bessere als (. . .)

(? Je crois que c'est la meilleure, en tout cas, pour le dire explicitement, elle est bien meilleure que (. . .))

(43) ? Ehrlich gestanden, ich kann diese Frage nicht beantworten
(? Honnêtement, je ne puis répondre à cette question)

En vue d'analyser les réponses, nous avons d'abord isolé de notre corpus les questions rhétoriques. Nous avons montré ailleurs [21] que ces questions n'entraînent pas nécessairement une réponse et qu'en cas de réponse, celle-ci ne peut constituer qu'un renforcement de l'assertion indirecte contenue dans la question. Il nous a donc semblé juste de nous concentrer sur les cas où la « réponse » n'est pas d'emblée arrêtée par le type de question.

Nous avons ainsi retenu 76 occurrences (dont la longueur va du mot unique à l'étendue d'un paragraphe), que nous essayons de décrire selon les critères établis au fur et à mesure de nos analyses.

2. 2. 1. Les réponses directes

Nous appelons « réponse directe » toute suite à une question correspondant au schéma syntaxique de cette question. Par rapport à une question totale, on aura une réponse en OUI ou NON, suivie facultativement du schéma affirmatif contenu dans la question :

Q : Tu vas à l' école ?
R : Oui, (je vais à l'école)
Non, (je ne vais pas à l'école)

Par rapport à une question partielle, la réponse consistera à reprendre le schéma syntaxique de la question et à substituer à la variable un NP spécifique :

Q : En quelle année Heine est-il mort ?
R : (Heine est mort) en 1856

Par rapport à la question disjonctive (Q1 ou Q2), la réponse reprendra sous forme affirmative le schéma syntaxique contenu en Q1 ou Q2 :

Q : Votera-t-il pour la droite ou pour la gauche ?

R : (Il votera) pour la droite
(Il votera) pour la gauche

Nous complétons cette définition à base syntaxique par des considérations sémantiques, liées à la possibilité d'établir un lien de paraphrase entre la question et la réponse :

Q : Wozu hättest du heute abend Lust ?
R : Ich ginge ganz gern ins Kino
(Q : Qu'aurais-tu envie de faire ce soir ?
R : J' irais bien au cinéma)

On peut en effet construire une relation de paraphrase entre *zu etwas Lust haben* et *etwas gern tun (wollen).*

De la même façon, on considérera dans notre corpus comme réponse directe les cas suivants :

(44) Woher aber kommt es, dass (. . .) ? Der Grund liegt darin, dass (. . .)
(Mais d' où vient que (. . .) ? La raison en est que (. . .))

(45) (à propos d'une cantatrice) Welcher Art war der Erfolg des Debüts der Mademoiselle Löwe ? (. . .) Sie sang vortrefflich, gefiel allen Deutschen und machte Fiasko bei den Franzosen.
(De quelle sorte fut le succès du début de Mademoiselle Löwe ? (. . .) Elle chanta remarquablement, plut à tous les Allemands et fit un fiasco auprès des Français).

Sur les 76 occurrences relevées comme suites à une question, seules 12 ont le statut ainsi défini de « réponse directe ». Sept d'entre elles répondent, comme les exemples (44) et (45) ci-dessus à des questions partielles, et cinq, à des questions totales. Dans ce dernier cas il est remarquable que dans 4 cas sur 5, la réponse est négative : le locuteur qui assure à la fois la question et la réponse, poserait-il des questions dans l'intention d'éliminer chez son lecteur des hypothèses fausses sur tel ou tel sujet ?

(46) (à propos de Victor Hugo) Hat dieser grösste Adler der Dichtkunst diesmal wirklich die Zeitgenossenschaft so allmächtig überflügelt ? Wahrlich keineswegs. Sein Werk zeugt weder von poetischer Fülle noch von Harmonie.
(Cet aigle gigantesque de la poésie a-t-il cette fois-ci réellement surpassé ses contemporains d'une façon aussi éclatante ? Vraiment pas le moins du monde. Son oeuvre ne témoigne ni de richesse poétique ni d'harmonie).

Ce qui est frappant en tout cas, c'est la relation numérique : selon les définitions courantes pour la réponse, seul un sixième des occurrences relevées seraient de vraies réponses. Ce qui nous semble plus intéressant à retenir est de dire : seul un sixième des réponses attestées sont des réponses directes (et non indirectes, textuelles), où le locuteur asserte lui-même (sans passer par un discours rapporté) un énoncé non modalisé qui constitue une réponse sans condition et sans restriction par rapport à la question.

2. 2. 2. Réponses indirectes (ou implicatives)

A la suite de Conrad (1978, p. 73) et de Wunderlich (1980, p. 9), nous entendons par « réponse indirecte » (ou « implicative ») tout énoncé ou suite d'énoncés qui permet de construire déductivement une réponse directe à la question. C'est le cas par exemple du couple question-réponse suivant :

Q : Tu viens au cinéma avec moi ?
R : Je passe un examen demain et j'ai encore un tas de choses à réviser.

Le locuteur-1 conclura sans problème que le locuteur-2 répond par NON à sa question. Notons que bien souvent ce n'est qu'à travers tout un long passage qu'il est possible de reconstruire la réponse directe, et c'est pratiquement le cas-type dans notre corpus. Ce phénomène recouvre sans nul doute l'une des fonctions spécifiques du couple question-réponse dans un texte écrit sur laquelle nous reviendrons plus loin : par le biais des réponses indirectes, le locuteur a la possibilité de développer un raisonnement, de fournir des arguments complémentaires, d'étoffer le sujet « en question ». Voici un exemple tiré de notre corpus :

(47) Ist aber Guizot wirklich der Mann, der im stande wäre, das hereinbrechende Verderben abzuwenden ? Es vereinigen sich in der Tat bei ihm die sonst getrennten Eigenschaften der tiefsten Einsicht und des festen Willens : er würde mit einer antiken Unerschütterlichkeit allen Stürmen Trotz bieten und mit modernster Klugheit die schlimmen Klippen vermeiden – aber der stille Zahn der Mäuse hat den Boden des französischen Staatsschiffes allzusehr durchlöchert, und gegen diese innere Not, die weit bedenklicher als die äuBere, wie Guizot sehr gut begriffen, ist er unmächtig. Hier ist die Gefahr.

(Mais Guizot est-il réellement l'homme qu'il faut pour détourner le désastre qui s'annonce ? Il réunit en effet les qualités ordinairement séparées de profonde intelligence et de ferme volonté : il affronterait toutes les tempêtes avec un stoicisme antique et il éviterait les écueils funestes avec une sagacité toute moderne – mais la dent secrète des rats a trop rongé le fond du vaisseau de l' Etat français, et face à ce mal interne, bien pire que le péril extérieur, Guizot a bien compris son impuissance. Là est le danger).

On voit que face à une question totale, le locuteur développe d'abord les arguments qu'il y aurait pour répondre par OUI et qu'il les annule ensuite par un autre type de considérations qui aboutissent à la réponse indirecte NON. Et on voit également que ce détour lui a permis d'insérer des informations complémentaires sur le sujet interrogé.

Sur les 76 réponses analysées, 14 correspondent à une réponse indirecte non modalisée. Quatorze fois, le locuteur tisse donc des micro-textes dont le résultat équivaut à une réponse directe.

Dans 4 cas, ces micro-textes constituent des réponses à des questions partielles (en *wer, was, inwieweit, wie* – qui, quoi, dans quelle mesure, comment). Celles-ci ont d'ailleurs toutes le statut de « question ouverte », c'est-à-dire de questions qui par la nature du prédicat ou par celle du mot interrogatif ne conduisent pas directement au remplacement de la variable. Ainsi les prédicats « vagues » comme *machen, sich verhalten, sein,* etc. et certains emplois des interrogatifs *wer, was, wie, warum* conduisent souvent à des réponses indirectes :

- Was machst du ? - Ich sitze über einem Artikel, den ich indlich hinter mir haben möchte.
  (Qu'est-ce que tu fais ? Je suis sur un article dont j'aimerais bien être enfin débarrassé).
- Wer war Heine ? - Ein deutscher Dichter des 19. Jahrhunderts, der 25 Jahre in Paris gelebt hat, die und die Werke schrieb, etc.
  (Qui était Heine ? - Un poète allemand du XIXe siècle qui vécut 25 ans à Paris, écrivit telles et telles oeuvres, etc).
- Was wissen Sie über Tansania ? - Tansania ist ein junger afrikanischer Nationalstaat, der das Territorium der ehemaligen Kolonien Tanganjika und Sansibar umfaBt, etc.
  (Que savez-vous de la Tanzanie ? - La Tanzanie est un jeune état africain qui réunit les territoires des anciennes colonies du Tanganika et de Zanzibar, etc).
- Wie steh's mit Peter ? - Er ist übel dran, hat zu nichts Lust und wird immer verschlossener.
  (Et Pierre ? - Ca ne va pas, il n' a de goût à rien et se ferme de plus en plus).

On remarquera que dans ces cas la réponse se constitue non par déduction successive comme précédemment, mais plutôt par addition d'énoncés dont le nombre est en principe illimité.

Voici un exemple de notre corpus :

(48) Aber wer ist der alte Dessauer ? Es kann doch nicht der alte Dessauer sein, der im Siebenjährigen Krieg so viele Lorbeern gewonnen, und dessen Marsch so berühmt geworden und dessen Statue im Berliner SchloBgarten stand und seitdem umgefallen ist ? Nein, teurer Leser ! Der Dessauer, von welchem wir reden, hat nie Lorbeern gewonnen, er schrieb auch keine berühmten Märsche, und es ist ihm auch keine Statue gesetzt worden, welche umgefallen. Er ist nicht der preuBische alte Dessauer (. . .) Er ist ein alter Jüngling, der sich schlecht konserviert. Er ist nicht aus Dessau, im Gegenteil, er ist aus Prag (. . .).

(Mais qui est le vieux Dessauer ? Ce n'est tout de même pas le vieux Dessauer qui s'est couronné de tant de lauriers pendant la Guerre de Sept Ans et qui est devenu célèbre par la marche qui porte son nom et dont la statue dressée au jardin royal de Berlin a eu le temps de s'écrouler ? Non, cher lecteur ! Le Dessauer dont nous parlons n'a jamais eu de lauriers, n'a jamais écrit de marches célèbres, et il n'en existe aucune statue qui se serait écroulée. Ce n'est pas le vieux Dessauer de Prusse. C'est un vieil adolescent qui s'est mal conservé. Il n'est pas originaire de Dessau, mais de Prague (. . .)).

Cette « réponse » s' étale ainsi sur plus d'une page imprimée. On voit aisément à quel point la question ouverte suivie d'une réponse indirecte est un moyen excellent pour transformer un contenu-noyau (ici, le nom propre de Dessauer) en unité textuelle.

Dans 9 autres cas, la réponse indirecte suit une question totale. Comme dans le cas des réponses directes, la grande majorité implique la réponse NON, par exemple l'exemple (47) ci-dessus, de même que :

(49) (à propos des soldats du gouvernement de Thiers) Werden sie den Vorwurf der Feigheit ruhig anhören können ? Werden sie nicht ganz den Kopf verlieren, wenn plötzlich der tote Feldherr von St. Helena anlangt ? Ich wollte, der Mann läge schon ruhig unter der Kuppel des Invalidendoms, und wir hätten die Leichenfeier glücklich überstanden).

(Pourront-ils entendre sans broncher le reproche de lâcheté ? Ne perdront-ils pas complètement la tête quand reviendra subitement la dépouille mortelle de Napoléon ? J'aimerais que cet homme repose déjà en paix sous la coupole des Invalides et que la cérémonie funèbre soit déjà derrière nous).

Dans cet exemple, il faut résoudre deux implications. La première est contenue dans la question rhétorique, qui est à analyser comme une quasi-assertion :

sie werden sicher ganz den Kopf verlieren, wenn (. . .)

(ils perdront certainement complètement la tête si (. . .))

et qui implique

Wer den Kopf verliert, hört keinen Vorwurf ruhig an.

(Celui qui perd la tête ne peut entendre calmement un reproche).

La deuxième implication se trouve dans l'énoncé suivant : celui qui préfère que le retour des cendres de Napoléon soit déjà chose faite craint que l'événement en question trouble le calme de l'armée. Les deux implications constituent indirectement la réponse négative à la question.

Voici un exemple avec une réponse indirecte OUI :

(50) (à propos d'une révolte en Syrie) Haben wirklich, wie man behauptet, einige Lenker der katholischen Partei ohne Vorwissen der französischen Regierung eine Schilderhebung angezettelt (. . .) ? Dieser ebenso unzeitige wie unfromme Versuch wird dort viel Unglück stiften.

(Est-ce que réellement, comme on l'affirme, quelques chefs du parti catholique ont suscité, à l'insu du gouvernement français, une levée de boucliers (. . .) ? Cette tentative, aussi intempestive qu'impie, causera bien des malheurs là-bas).

Dans ce cas, la suite de la question oblige à présupposer une réponse positive. En effet, pour affirmer qu'une tentative de révolte aura des conséquences malheureuses, il faut présupposer qu'elle a eu lieu, ce qui est en même temps une réponse indirecte à la question. Par conséquent, le lecteur est obligé de reconstruire un énoncé absent pour comprendre l'enchaînement. C'est là sans doute aussi l'un des aspects intéressants de la réponse indirecte dans le texte écrit : sous peine de passer à côté du sens de la question-réponse, le lecteur est obligé de construire la réponse absente – qui est en même temps la seule permise par l'enchaînement textuel. Le lecteur est en liberté surveillée.

2. 2. 3. Réponses modalisées

Nous appelons « réponse modalisée » toute réponse (directe ou indirecte) qui n'est pas faite sur le mode zéro de l'assertion. Autrement dit, le locuteur module sa réponse en relativisant la vérité ou la validité de son affirmation ou en l'accompagnant d'une évaluation. Ces modalisations apparaissent dans notre corpus sous les formes suivantes :

- vielleicht (peut-être)
- können (pouvoir)
- es ist möglich (il est possible, c'est possible)
- es ist wahrscheinlich (c'est/il est probable)
- ich glaube (je crois)
- es will mich bedünken (j'ai tendance à penser)
- die Vermutung erregen (susciter l' hypothèse)
- wir fürchten (nous craignons)
- wir hoffen (nous espérons)

Nous avons relevé 13 réponses modalisées. C'est d'ailleurs délibérément que nous avons confondu ici les réponses directes et les réponses indirectes. Car la différence entre les réponses non modalisées et les réponses modalisées nous semble plus importante qu'une subdivision à l'intérieur des réponses modalisées : *toutes* les réponses modalisées (qu'elles soient directes ou indirectes) signifient en effet que le locuteur hésite à asséner des vérités ; il suggère des hypothèses, soumet des solutions possibles ou évalue la vraisemblance d'une idée.

En voici quelques exemples :

(51) Würde er trotz seiner Sympathie für England jenes neue Ministerium unterstützen, das eine Allianz mit RuBland träumt ? *Es ist möglich*, denn im Falle man Frankreich zum Kriege zwänge (. . .)

(Ce nouveau ministère qui rêve d'une alliance avec la Russie, le soutiendrait-il malgré sa sympathie pour l' Angleterre ? C'est possible, car dans le cas où on obligerait la France à faire la guerre (. . .))

(52) Sind aber die Engländer in der Politik wirklich so ausgezeichnete Köpfe ? Worin besteht ihre Superiorität ? *Ich glaube*, sie besteht darin, dass sie erzprosaische Geschöpfe sind, dass keine poetischen Illusionen sie irreleiten (. . .).

(Mais les Anglais sont-ils réellement de si fortes têtes en politique ? En quoi consiste leur supériorité ? Je crois qu'elle consiste en ce qu'ils sont des créatures archi-prosaïques et qu'aucune illusion poétique ne peut les induire en erreur (. . .)).

Dans certains cas, on rencontre même le cumul de plusieurs modalisations, ainsi par exemple :

(53) Wird diese Furcht noch auf lange Zeit vorhalten ? (. . .) *Ich weiss es nicht, aber es ist möglich*, und die Wahlresultate zu Paris sind sogar ein Merkmal, dass *es wahtscheinlich ist*.

(Cette crainte sera-t-elle durable ? Je ne le sais pas, mais c'est possible, et les résultats électoraux de Paris indiquent même que c'est probable).

(54) (à propos du succès musical de Liszt) Was ist aber der Grund dieser

Erscheinung ? Die Lösung der Frage gehört ***vielleicht*** eher in die Pathologie als in die Asthetik. Ein Arzt, dessen Spezialität weibliche Krankheiten sind, und den ich über den Zauber befragte, den unser Liszt auf sein Publikum ausübt, lächelte äuBerst sonderbar (. . .) *Vielleicht* aber liegt die Lösung der Frage nicht so abenteuerlich tief, sondern, auf einer sehr prosaischen Oberfläche. ***Es will mich manchmal bedünken***, die ganze Hexerei liesse sich dadurch erklären, dass niemand auf dieser Welt seine Successe oder vielmehr die Mise en Scène derselben so gut zu organisieren weiss wie unser Franz Liszt.

(Mais quelle est la cause de ce phénomène ? La solution de ce problème appartient peut-être plutôt à la pathologie qu'à l'esthétique. Un médecin, qui a pour spécialité les maladies féminines et que j'interrogeai sur le charme que notre cher Liszt exerce sur son public, me répondit par un très étrange sourire. (. . .) Mais peut-être la réponse à cette question n'est-elle pas à chercher dans des profondeurs aussi aventureuses, mais à un niveau de surface très prosaïque. J'ai parfois l'impression que tout cet ensorcellement pourrait s' expliquer par le fait que personne au monde ne sait aussi bien que notre Franz Liszt organiser ses succès ou plutôt la mise en scène de ceux-ci).

2. 2. 4. Réponses restrictives ou conditionnelles

Nous entendons par ce type de réponse des énoncés qui soit instaurent une restriction à l'intérieur de laquelle seulement la réponse est valide, soit présentent les conséquences de l'une des réponses possibles. En tout cas, ces réponses fonctionnent plutôt comme correctifs de la question et comme indication partielle par rapport à celle-ci. D'une certaine façon, on peut répéter ce qu'on a dit à propos de la réponse modalisée : le locuteur cherche moins à apporter une et une seule solution qu'à affiner les critères au nom desquels une réponse est possible.

Voici quelques exemples, d'abord ceux qui restreignent le *temps* pour lequel vaut la réponse :

(55) Fürchten sich die Franzosen vor den neuen Alliierten ? ***Wenigstens in den drei Juliustagen*** spürten sie nie eine Anwandlung von Furcht (. . .)

(Les Français craignent-ils les nouveaux alliés ? Du moins pendant les trois journées de juillet, ils ne ressentirent jamais le moindre mouvement de crainte (. . .)).

(56) Wird es aber zum Krieg kommen ? *Jetzt nicht*; doch der böse Dämon ist wieder entfesselt.

(Mais aurons-nous la guerre ? Pas maintenant ; mais le démon malfaisant est de nouveau déchaîné).

(57) (La modalisation une restriction temporelle)
Wird sich Guizot halten ? Jedenfalls *glaub'ich*, dass er sich *die nächste Sitzung hindurch* halten wird.

(Guizot se maintiendra-t-il ? En tout cas, je crois qu'il se maintiendra pendant la prochaine session).

D' autres réponses fonctionnent sur le schéma *si p, alors q,* mais ne tranchent pas l'hypothétique de *p* :

(58) Sind die Geschichten, die Louis Blanc von ihm erzählt, falsch oder wahr ? Ist letzteres der Fall, so hätte die grósse Nation der Franzosen (. . .)
(Les histoires que Louis Blanc raconte sur lui sont-elles fausses ou vraies ? Dans ce dernier cas, la grande nation française (. . .))

(59) Werden die Stifter der Kompanie den verwaisten oder verstümmelten Opfern ihrer Gewinnsucht einigen Schadenersatz gewähren müssen ? Es wäre entsetzlich !
(Les fondateurs de la société devront-ils accorder un dédommagement aux orphelins ou aux infirmes victimes de leur cupidité ? Ce serait effroyable !)

(60) (à propos du retour des cendres de Napoléon) Werden alsdann die emporsprühenden Funken grossen Schaden anstiften ? Es *hängt* alles von der Witterung *ab. Vielleicht, wenn* die Winterkälte früh eintritt und viel Schnee fällt, wird der Tote sehr kühl begraben.
(Les étincelles qui jailliront alors provoqueront-elles un grand incendie ? Tout dépend des conditions météorologiques. Peut-être que si l' hiver commence tôt et qu'il neige beaucoup, le grand mort sera enterré assez froidement).

On aura remarqué que 5 de ces réponses restrictives sont précédées par des questions dont le temps verbal est un futur : nous avons déjà souligné plus haut à quel point ce type de question, inscrit dans le non-certain, rend la réponse difficile.

2. 2. 5. Les refus de répondre.

Nous regroupons sous ce terme divers procédés aboutissant à ne pas donner de réponse au sens strict. Qu'il s'agisse de l'aveu explicite d'ignorance (*Je ne sais pas*) ou du blanc signalant graphiquement l'absence de réponse, tous ces procédés montrent que le but de la question n'était visiblement pas de fournir des solutions toutes faites, mais plutôt de pouvoir la formuler en tant que question. Nous reviendrons en 2. 3. sur l'interprétation possible de cette séquence question – non-réponse.

a) *Aveu d' ignorance* : « *ich weiss nicht* ».

Ce qui frappe quand on regarde les 8 occurrences de réponse commençant par *ich weiB nicht*, c'est que 6 d'entre elles sont suivies par un *aber* (mais) enchaînant généralement quand même sur un certain savoir. S'agit-il de prendre *d'abord* une totale position de retrait en déclarant forfait, pour ensuite mieux glisser au lecteur les petites idées qu'on a tout de même sur la question ? Est-ce toujours ce même jeu qui consiste à ne jamais rien affirmer complètement ?

(61) (à propos des fortifications de Paris) Werden sie Paris vor Ueberfall retten oder dem Zerstörungsrechte des Krieges unbarmherzig blossstellen ? *Ich weiss es nicht*, denn ich habe weder Sitz noch Stimme im Rate der Götter. *Aber so viel weiss ich,* dass sich die Franzosen sehr gut schlagen würden, wenn sie einst Paris verteidigen müssten gegen eine dritte Invasion.

(Sauveront-elles Paris d'une invasion ou l'exposeront-elles impitoyablement au droit dévastateur de la guerre ? Je l'ignore, car je n'ai ni siège ni voix au conseil des dieux. Mais ce que je sais c'est que les Français se battraient très bien s'ils devaient un jour défendre Paris contre une troisième invasion).

(62) Wie würde dieses Schauspiel schliessen ? *Ich weiss es nicht, aber* ich denke, dass man (. . .)

(Comment ce spectacle prendrait-il fin ? Je ne sais pas, mais je pense qu'on (. . .))

b) *La réponse constitue un commentaire sur la question*

Un second groupe de non-réponses consiste, en lieu et place de la réponse, à revenir sur la question,

– soit pour souligner l'importance de la question posée :

(63) Wird sich das Ministerium lange halten ? Das ist jetzt die Frage.

(Le ministère Thiers tiendra-t-il longtemps ? Voici la question du moment).

(64) Aber haben sie Mut ? Dies ist jetzt das Wichtigste.

(Mais ont-ils du courage ? C'est ce qui importe le plus pour l'instant).

– soit pour conclure, d'une manière ici indirecte, que la question n'a pas lieu d'être posée :

(65) Was war der Grund, weshalb er sich eigenhändig den Tod gab, eine Tat, die im Widerspruch war mit den Gesetzen der Religion, der Moral und der Natur, heiligen Gesetzen, denen Robert sein ganzes Leben hindurch so kindlich Gehorsam leistete ? Ja, er war erzogen im schweizerisch strengen Protestantismus, er hielt fest an diesem väterlichen Glauben mit unerschütterlicher Treue (. . .) Auch ist er immer gewissenhaft gewesen in der Erfüllung seiner bürgerlichen Pflichten (. . .) An der Natur hing er mit ganzer Seele, wie ein Kind an der Brust der Mutter (. . .) Auch waren seine Finanzen wohl bestellt, er war geehrt, bewundert und sogar gesund.

(Pour quelle raison se donna-t-il la mort, violant ainsi les lois de la religion, de la morale et de la nature, lois sacrées auxquelles Robert, sa vie durant, avait voué l'obéissance d'un enfant ? Oui, élevé dans la rigueur du protestantisme suisse, il resta inébranlablement fidèle à la croyance de ses pères (. . .). Il a de même toujours été consciencieux dans l'accomplissement de ses devoirs civiques (. . .). Il était attaché de toute son âme à la nature, comme l'enfant au sein de sa mère (. . .). Ses finances étaient également bien en règle, il était honoré, admiré et même bien portant).

(Il s'agit bien d'une suite dont il découle qu'il n'y avait en principe aucune raison pour que Robert se suicide).

– soit pour conclure que la question ne peut trouver de réponse dans l'état de connaissances où elle a été posée (c'est ce que Conrad appelle « question gnoséologique ») :

(66) (à propos de la musique) Hat sie schon ihren Lichtgipfel erreicht ? Wird sie sich lange darauf behaupten ? Oder wird sie schnell wieder herabsinken ? Das sind Fragen, die nur ein späteres Geschlecht beantworten kann.

(A-t-elle déjà atteint le zénith de sa carrière lumineuse ? S'y maintiendra-t-elle longtemps ? Ou redescendra-t-elle rapidement ? Voilà des questions auxquelles une génération future pourra seule répondre).

c) « *Je ne veux / peux pas répondre* »

Dans 4 cas, le locuteur refuse explicitement de fournir une réponse en ayant recours à la formule «*Je ne veux (peux) pas répondre* ». Réponse en effet assez répandue dans les couples question-réponse dialogués, mais qui prend un aspect bizarre dans notre corpus puisque c'est le même locuteur qui assure la question et la réponse. Pourquoi soulève-t-il des questions, alors qu'il sait qu'il n'y répondra pas ? La seule chose qui soit évidente c'est qu'il ne s'agit en aucun cas de fournir des informations à son lecteur.

(67) ? Ich will nicht darüber urteilen.
(? Je ne veux pas en juger).

(68) ? Ich enthalte mich jedes Urteils über solche Frage.
(? Je m'abstiens de tout jugement sur pareille question).

(69) ? Ehrlich gestanden, ich kann diese Frage nicht beantworten.
(? Honnêtement, je ne peux répondre à cette question).

(70) ? Zur Beantwortung dieser Zeitfrage hätte ich wenigstens sechs Spalten nötig. Doch sobald wichtigere Themata mir Musse gönnen, werde ich darauf zurückkommen.
(? Pour répondre à cette question d'actualité, j'aurais besoin d'au moins six colonnes. Mais dès que des thèmes plus importants m'en laisseront le loisir, j'y reviendrai).

d) « *on ne peut répondre* »

C'est le cas-type de réponse donnée à une question gnoséologique, telle que nous l'avons signalée en (66) : la question posée est de nature à rendre toute réponse impossible. Et ce n'est pas un hasard si dans les 4 cas relevés, il s'agit de questions formulées au futur, temps verbal incertain par excellence.

(71) Werden die Wahlen zu Gunsten oder zum Nachteil des Ministeriums ausfallen ? Man kann hierüber noch nichts Bestimmtes melden.
(Les élections tourneront-elles à l'avantage ou au préjudice du ministère ? La-dessus, on ne peut encore rien annoncer de sûr).

(72) Wird sich Guizot halten ? Es hat mit einem französischen Ministerium ganz dieselbe Bewandtnis wie mit der Liebe - man kann nie ein sicheres Urteil fällen über seine Stärke und Dauer.
(Guizot se maintiendra-t-il ? Il en va d'un ministère français tout comme de l'amour - on ne peut jamais porter un jugement certain sur sa force et sa durée).

(73) Das wird ein furchtbarer Zweikampf sein. Wie möchte er enden ? Das wissen die Götter und Göttinnen, denen die Zukunft bekannt ist. Nur so viel wissen wir : der Kommunismus (. . .) ist (. . .) doch der düstere, Held, dem eine grosse (. . .) Rolle bescheden ist in der modernen Tragödie.
(Ce sera un duel terrible. Comment se terminera-t-il ? C'est ce que savent les dieux et les déesses qui connaissent le futur. Ce que nous

savons toutefois : le communisme (. . .) est pourtant le sombre héros à qui est réservé un rôle considérable (. . .) dans la tragédie des temps modernes).

e) *Réponse éludée par « quoi qu'il en soit »*

Dans 5 cas, nous avons identifié la particule modale *jedenfalls* (en tout cas) ou la locution *wie dem auch sei* (quoi qu'il en soit) comme marque d'un refus de répondre réellement à une question totale. En fait, le locuteur refuse de porter un jugement *global* concernant la question. Par contre, il fait une assertion qui, si elle ne satisfait pas au but de la question, prend position sur un aspect du thème interrogé. C'est d'ailleurs ce que H. Weydt affirme du sens de *jedenfalls* :

> « Il existe, outre l'affirmation de la phrase contenant *jedenfalls*, une deuxième affirmation qui va ' au-delà ' de celle de la phrase introduite par *jedenfalls*. Le locuteur refuse de prendre en charge cette deuxième affirmation. Il ne la met pas en doute ni ne l'appuie, il ne peut répondre d'elle. C'est d'autant plus fortement qu'il défend l'affirmation qui va moins loin. Il réduit pour ainsi dire l' extension de la proposition latente à un noyau dur, qu'il pourra alors affirmer d'autant plus fortement ». (1979, p. 401)

En voici un exemple :

(74) Ist dieses wirklich seine eigene fixe Idee ? *Jedenfalls* ist es nicht die unsrige.

(Est-ce vraiment sa propre idée fixe ? En tout cas, ce n'est pas la nôtre).

f) *Question en fin de paragraphe ou d'article.*

Dans 4 cas, c'est le point d'interrogation qui termine une unité textuelle. Ce vide à la place d'une réponse est sans nul doute la preuve la plus éclatante – un blanc plein de sens ! – de l' hypothèse formulée plus haut : les questions de notre corpus tirent une partie de leur sens non pas du fait d'amener une réponse, mais du fait même d'apparaître comme question, donc comme matière à réflexion proposée au lecteur.

(75) Der Tod des Herzogs von Orléans (. . .) hat seinem Vater die störrigsten Herzen wiedergewonnen, und die Ehe zwischen König und Volk ist durch das gemeinschaftliche Unglück gleichsam aufs neue eingesegnet worden. Aber wie lange werden die schwarzen Flitterwochen dauern ? (fin d' article)

(La mort du duc d' Orléans (. . .) a regagné à son père les coeurs les plus revêches, et l' union conjugale entre le roi et le peuple a été de nouveau bénie par un malheur commun. Mais combien de temps durera cette noire lune de miel ?)

g) *Enchaînement textuel sans réponse*

Le dernier type de ce que nous avons identifié comme non-réponse est celui où la question est suivie d'énoncés qui, certes, prolongent le thème interrogé, mais sans jamais aboutir à une quelconque réponse. Tout se passe comme si, là encore, la réponse n'avait en fait aucune importance – pourvu qu'on puisse continuer à parler du thème lancé par la question.

(76) (à propos d'une symphonie de Mendelssohn) Wie aber kommt es, dass dem so verdienten und hochbegabten Künstler (. . .) dennoch kein Lorbeerkranz auf französischem Boden hervorblühen will ? Wie kommt es, dass alle Bemühungen scheitern, und dass das letzte Verzweiflungsmittel des Odeontheaters (. . .) ebenfalls nur ein klägliches Resultat hervorbrachte ? Mendelssohn bietet uns immer Gelegenheit, über die höchsten Probleme der Asthetik nachzudenken. Namentlich werden wir bei ihm immer an die grosse Frage erinnert : was ist der Unterschied zwischen Kunst und Lüge ? (. . .) (suit une digression sur L. Tieck : ni l'un ni l'autre n'ont réussi dans le genre dramatique. Mais pourquoi ?)

(Mais comment se fait-il que cet artiste si méritant et si doué n'ait pu (. . .) cueillir aucun laurier sur le sol français ? Comment se fait-il qu'ici tous les efforts échouent et que le dernier moyen désespéré du théâtre de l' Odéon (. . .) n'a produit également qu'un résultat déplorable ? Mendelssohn nous offre toujours l'occasion de réfléchir aux plus hauts problèmes de l' esthétique. Il nous fait surtout penser constamment à cette grande question : quelle est la différence entre l' art et le mensonge ? (. . .))

2. 2. 6. Les réponses d' autrui

Ce locuteur, visiblement envieux de poser des questions et bien moins désireux de fournir des réponses, trouve enfin une dernière ruse pour ne pas prendre en charge l'énoncé-réponse : le biais du discours rapporté. En ne faisant que relater les paroles d'autrui, le locuteur ne prend pas le risque d'être pris à parti pour avoir affirmé telle ou telle chose, il décline toute responsabilité, c'est comme si *lui* n'avait rien dit.

(77) Die nächste Frage ist nun : Wie ward dieser Betrug entdeckt ? Hierauf hat Louis Blanc einem Bekannten von mir mündlich die Antwort erteilt (. . .)

(La question suivante est alors : comment cette tricherie fut-elle découverte ? Louis Blanc en a donné la réponse à l'un de mes amis (. . .)

(78) Was war der Grund, weshalb er sich eigenhändig den Tod gab (. . .) ? (. . .) Was war es aber ? Hier in Paris ging einige Zeit die Sage (. . .)

(Pour quelle raison s'est-il suicidé (. . .) ? (. . .) Quelle fut donc la raison ? Ici à Paris, le bruit courut pendant quelque temps que (. . .))

C'est donc parfois à une personne identifiée (par exemple Louis Blanc), parfois à la rumeur publique qu'est attribuée la réponse. Dans d'autres cas encore, la réponse est transposée dans un dialogue dont le locuteur-1 *peut* être l'un des protagonistes. On trouve une illustration exemplaire de ce jeu de cache-cache du locuteur-1 lorsqu'on compare la version manuscrite et les deux versions imprimées de l' exemple suivant :

(79) (à propos de la nouvelle religiosité) Wird dies lange währen ? Wird diese Religiosität, wenn sie die Vogue der Mode gewinnt, nicht auch dem schnellen Wechsel der Mode unterworfen sein ? Ist diese Röte ein Zeichen der Gesundheit ?

(Cela durera-t-il longtemps ? Cette piété gagnée par la vogue de la mode, ne sera-t-elle pas soumise aussi au changement rapide de la mode ? Ce rouge sur les joues de la religion, est-ce un signe de santé ?)

Cette question est suivie dans le manuscrit du dialogue suivant (dans lequel le locuteur-1 n'est pas impliqué) :

- In St Roch hörte ich, wie ein Fashionable zu einem Andern sagte : Der liebe Gott hat heute viele Besuche. Jener aber antwortete : ich fürchte, es sind Abschiedsvisiten. (Version manuscrite simplifiée).

  (A Saint-Roch j'ai entendu un fashionable dire à un autre : Le Bon Dieu reçoit beaucoup de visites aujourd' hui. Celui-ci répondit : je crains que ce ne soient des visites d'adieu).

Dans la version imprimée de 1840 ne figure aucune réponse ; le paragraphe se termine par les questions. En revanche, la version imprimée de 1854 rétablit la réponse dialoguée du manuscrit, mais avec une variante importante : le dialogue n'est pas tenu par deux inconnus, mais par le locuteur-1 et l'un de ses amis ; c'est cependant ce dernier qui apporte vraiment la réponse :

- « Der liebe Gott hat heute viele Besurche », sagte ich vorigen Sonntag zu einem Freunde, als ich den Zugang nach den Kirchen bemerkte. « Es sind Abschiedsvisiten » - erwiderte der Ungläubige.

  (Le Bon Dieu reçoit beaucoup de visites aujourd' hui », dis-je dimanche dernier à un de mes amis en voyant l' affluence dans les églises. « Ce sont des visites d' adieu », répondit l'incrédule).

Cet exemple souligne deux aspects de la réponse : 1) elle est plus ou moins aléatoire ; si elle fait défaut, c'est au lecteur de la trouver ; 2) si réponse il y a, elle est attribuée à un quelconque locuteur-X, même dans le cas où la réponse fait partie d'un dialogue dans lequel le locuteur-1 est impliqué.

Nous ajouterons enfin que la forme du discours rapporté est loin d' être seulement un certain type de réponse. En effet, tout le contexte de *Lutezia* est traversé de bout en bout par des formes de discours rapporté, dont la plus fréquente est celle d'un discours indirect sans sujet marqué. Le locuteur se retranche derrière le ON de l' opinion générale qui se manifeste sous les formes suivantes :

– les incises : *wie es hiesst* (comme on dit), *wie behauptet wird* (comme on prétend), *wie man glaubt* (comme on croit) ;

– le verbe de modalité épistémique *sollen*, par exemple *er soll nicht zufrieden sein* (on dit qu'il n'est pas content)

– le discours indirect introduit par *die Journalisten sagen* (les journalistes disent), *die Leute glauben* (les gens croient), *es heisst* (on dit que), etc.

2. 2. 7. Les réponses hyperinformatives

Nous avons rappelé que le modèle pragmatique postule pour la réponse qu'elle fournisse exactement l'information demandée par la question, ni plus ni moins, et nous avons vu que ce postulat est le reflet direct d'un des principes conversationnels de Grice : « be relevant ! ». Or, Conrad (1978, p. 72) aussi bien que Wunderlich (1980, p. 9) expliquent à juste titre que certaines réponses contiennent bien plus d'informations que celle demandée par la question. Même cet exemple simple :

- Sprechen alle Studenten Deutsch ? - Nein, einige sind Anfänger. Conrad 1978, p. 72).

  (Tous les étudiants parlent-ils allemand ? - Non, certains sont débutants).

apporte un complément d'information (*einige sind Anfänger*). On imagine aisément que cette tendance de la réponse à dépasser le domaine de la question est encore bien plus forte dans le cas des réponses indirectes, où seul le parcours de toute une suite textuelle permet de conclure déductivement à une réponse directe : cette suite textuelle comporte nécessairement des indications qui complètent, explicitent et justifient la réponse au sens strict. Nous suivrons Wunderlich pour poser que ces réponses dites «hyperinformatives» témoignent de la part du locuteur d'un comportement en fait bien plus coopératif que les réponses qui satisfont directement au principe de brièveté. Car dans le dialogue réel, le locuteur-2 (celui à qui on pose une question) peut ne pas être intéressé par la question, par l'invite à parler, etc., et dans ce cas, il rompt le début d'échange par des remarques du type : « Laisse-moi tranquille », « De quoi tu te mêles ? », etc. Mais dans le cas où il est intéressé par l'échange proposé, il ne répondra certainement pas sèchement comme dans l'exemple construit (emprunté à Wunderlich) :

Loc-1 : Sind Sie verheiratet ?
Loc-2 : Ja.
Loc-1 : Und haben Sie Kinder ?
Loc-2 : Ja.
Loc-1 : Wieviel Kinder haben Sie denn ?
Loc-2 : Zwei.
Loc-1 : Ist Ihre Frau berufstätig ?
Loc-2 : Ja.

(Etes-vous marié ? - Oui. - Et avez-vous des enfants ? - Oui. - Combien d'enfants avez-vous donc ? - Deux. - Est-ce que votre femme travaille ? - Oui).

En effet, le locuteur-2 montrera son « intérêt » en introduisant lui-même des éléments nouveaux, dépassant le cadre de la question initiale et orientant le sens dans lequel il souhaite voir se poursuivre le dialogue.

D'une façon analogue, le locuteur qui assure à la fois la question et la réponse, a tout intérêt à ce que la réponse soit plus qu'une réponse au sens strict. Dès lors que la réponse explicite, complète, argumente le pour et le contre, etc., elle devient un outil précieux de la constitution textuelle. Et même dans le cas de non-réponse (où logiquement on ne devrait pas parler de réponses « hyperinformatives » puisque l'information fait défaut), l'ajout d'éléments qui relèvent du sujet en question fait progresser le texte - et fait mieux comprendre au lecteur le problème posé par la question. C'est particulièrement net dans des cas comme l'exemple (61) où le schéma de réponse est le suivant :

- Ich weiss es nicht (. . .) Aber so viel weiss ich, dass (. . .)
(Je ne le sais pas (. . .) Mais ce que je sais, c'est que (. . .))

Si on étend ainsi la notion de réponse « hyperinformative » à toute suite de question qui dépasse le domaine de la question - en faisant abstraction du fait qu'il y ait réponse au sens strict ou non - on voit que la réponse a une fonction éminemment textuelle. En effet, 62 réponses sur les 76 que nous avons analysées correspondent à ce type. Plus globalement, cela veut dire aussi que l'échange question-réponse dans un texte écrit, loin d'être simplement une variation stylistique par rapport aux énoncés assertifs, est un outil argumentatif indispensable pour assurer la production textuelle.

2. 2. 8. Bilan

Essayons de résumer brièvement nos analyses de réponses.

a) Il est clair que dans la plupart des cas, la réponse ne sert pas dans notre corpus à fournir une information (cf. le fait qu'il n'y ait que 12 réponses directes sur 76).

b) L'analyse des réponses implicatives et hyperinformatives attribue à la réponse une fonction « textualisante ».

c) L'analyse des réponses modalisées et des réponses d'autrui montre que le locuteur hésite à asserter complètement ses énoncés. Par le biais de ce type de réponse, on comprend que contrairement au cas « normal » de question-réponse, notre corpus situe la question *et* la réponse dans la modalité du non-certain.

d) L'analyse des divers types de non-réponses montre que dans notre corpus, l'essentiel du couple question-réponse consiste à soulever des questions et non à trouver des réponses (cf. a)).

2. 3. Interrogation et texte

« Und warum fragt der Mensch bei jedem Quark : Warum ? »
(Erich Kästner)

Nous avons cerné en 2. 1. l'analyse linguistique des questions écrites apparaissant dans un couple question-réponse tenu par le même locuteur réel (= le scripteur Heine). On a vu que bien des indices contenus dans la question même conduisent, pour la description de ces questions, à introduire le concept de *rupture énonciative* et à construire pour la majorité de ces cas un *deuxième locuteur virtuel* (différent du lecteur).

L'analyse des réponses de ces mêmes couples question-réponse (cf. 2.2.) paraît plus simple du point de vue des locuteurs : mis à part le cas des « réponses d'autrui », les réponses peuvent toutes êtres analysées par le seul recours au locuteur-1 (= le scripteur Heine), qui manifeste d'ailleurs sa présence par diverses formes d'expressions performatives (par exemple : *Ich will es mit einem Worte sagen* - je veux le dire d'un seul mot). En revanche, le *contenu* des réponses est tel qu'on a pu conclure à une volonté délibérée du scripteur de ne pas asserter pleinement ces énoncés-réponses.

Nous passons maintenant à un autre plan d'analyse. Quittant le domaine abstrait de l'analyse linguistique, nous poserons une autre question, lancinante dès le début de cette recherche : pourquoi et pour quoi Heine recourt-il si souvent au modèle interrogatif dans un texte qu'il a lui-même qualifié de reportage, de « *tableaux* sur la vie politique, sociale et artistique en France » ? Quel est le *rôle discursif* de ces couples question-réponse ? Ou encore, si l'on voulait revenir à une terminologie pragmatique : à quel acte de langage correspond la forme syntaxique de l'interrogation, lorsqu'elle apparaît dans un contexte où la question n'est ni question rhétorique ni demande d'information ? Autrement dit, il s'agit maintenant de s'interroger non sur la description formelle du couple question-réponse, mais sur l'*interprétation* à proposer pour l'emploi de cette forme question-réponse dans un texte écrit.

2. 3. 1. Hypothèse topicalisante

Face à un couple question-réponse écrit, tenu par le même locuteur (par exemple *Qui a volé le voile ? - Victor*, ou *Qu'est-ce que Victor a volé ? - Le voile*), on peut se demander pourquoi le scripteur a préféré la forme syntaxique de l'interrogation à celle de l'assertion (par exemple *Victor a volé le voile*).

Nous avons dit plus haut que ce choix syntaxique est un procédé extrêmement courant dans toutes sortes de textes écrits (journalistiques, didactiques, théoriques). Chaque fois, le co-locuteur réel, à savoir le lecteur, est absent par définition du lieu de l'énonciation et c'est, grosso modo, le locuteur-1 qui fournit la réponse. C'est le cas par exemple dans les couples question-réponse suivants, tirés d'un article de L. Althusser (1970) :

- Comment la reproduction de la force de travail est-elle assurée ? Elle est assurée en donnant à la force de travail le moyen matériel de se reproduire : par le salaire. (p. 5)
- Or, comment cette reproduction de la qualification (diversifiée) de la force de travail est-elle assurée en régime capitaliste ? (. . .) par le système scolaire capitaliste, et par d'autres instances et institutions. (p. 6)
- Nous pouvons alors répondre à notre question centrale, restée pendant de longues pages en suspens : comment est assurée la reproduc-

tion des rapports de production ? (. . .) elle est assurée, pour une très grande part, par la superstructure. (p. 16)

- Si nous supposons que la scène théorique imaginée se passe dans la rue, l'individu interpellé se retourne. Par cette simple conversion de 180 degrés, il devient sujet. Pourquoi ? Parce qu'il a reconnu que l'interpellation s'adressait bien à lui. (p. 31)

Face à ces couples question-réponse, on peut effectivement se demander pourquoi l'auteur a préféré la forme interrogative à la forme assertive, qui serait par exemple

- La reproduction de la force de travail est assurée en donnant à celle-ci le moyen matériel de se reproduire : par le salaire.

Nous pouvons ajouter maintenant que l'oral présente également des situations où le couple question-réponse est proféré par un seul locuteur, même si le co-locuteur est présent sur la scène : ce dernier est alors « écarté », mis dans l'absolue obligation de se taire. Ainsi par exemple dans une situation de récit oral, où le locuteur-1 ne pose une question que pour attirer l'attention du locuteur-2 et pouvoir d'autant mieux enchaîner lui-même sur la réponse. Ainsi par exemple :

- Tu sais ce que j'ai décidé de faire ? Eh bien, tu verras, c'est pas rien . . . Je plaque tout et je fais le tour du monde.

C'est *mutatis mutandis* le même cas dans la situation de l'enseignant face aux élèves [22], dans celle du conférencier face à son auditoire : le locuteur-1 énonce une question pour cristalliser l'attention du public sur un thème précis. Certes, à l'oral cette configuration reste un cas d'exception à côté du couple question-réponse dialogué. Mais quant au fond, le problème est le même que pour les questions-réponses écrites, où cette configuration est systématique : comment peut-on justifier linguistiquement le recours à la forme syntaxique de l'interrogation ?

Le problème posé est donc un problème de choix que le locuteur opère entre, d'une part une forme assertive et, d'autre part, un couple question-réponse avec un seul locuteur. De plus, le choix se fait entre deux formes syntaxiques dont on peut affirmer que le contenu propositionnel est le même. Précisons encore que l' hypothèse que nous allons présenter vaut pour les exemples de notre corpus où la question est effectivement suivie d'une réponse, et plus exactement encore, d'une réponse directe [23]. Ainsi par exemple :

(80) Was wäre das Ende dieser Bewegung (. . .) ? Es wäre der Krieg.
(Quelle serait l'issue de ce mouvement (. . .) ? Ce serait la guerre).

(81) Woher aber kommt es, dass (. . .) ? Der Grund liegt darin, dass (. . .)
(Mais d'où vient que (. . .) ? La raison en est que (. . .))

(82) Welcher Art war der Erfolg des Debüts der Mademoiselle Löwe (. . .)
Sie sang vortrefflich (. . .)

(De quelle sorte fut le succès du début de Mademoiselle Löwe (. . .) Elle chanta excellemment (. . .))

(83) Was ist in der Kunst das Höchste ? (. . .) die selbstbewusste Freiheit des Geistes.

(Qu'est-ce que le nec plus ultra en matière d' art ? (. . .) la conscience de la liberté de l' esprit).

(84) Was fehlte ihm, um zur Berühmtheit zu gelangen ? (. . .) die Leidenschaft.

(Que lui a-t-il manqué pour parvenir à la célébrité ? (. . .) la passion).

(85) Verdient er, neben Thiers, Guizot und Thierry genannt zu werden ? Ja, er verdient es.

(Mérite-t-il d'être nommé à côté de Thiers, Guizot et Thierry ? Oui, il le mérite).

(86) Soll ich hier die Theorie vom physischen Zwang als eine besondere erwähnen ? Nein.

(Dois-je mentionner ici la théorie de la violence physique comme une théorie particulière ? Non).

(87) Wird aber (. . .) der Frieden von Europa gestört werden ? Keineswegs.

(Mais la paix européenne sera-t-elle troublée ? Nullement).

Il est clair qu'à tous ces couples question-réponse on pourrait opposer une forme assertive simple. L'explication linguistique que nous proposerons pour cerner la différence entre ces deux formes fait appel à un certain type de transformation connu en grammaire générative sous le nom de « topicalisation ». On sait en effet que Chomsky a mentionné dès *Aspects* des transformations auxquelles il attribuait une « valeur stylistique » sans pour autant définir leur statut par rapport aux transormations « classiques ». Dans le cadre de l' « extended Standard Theory », l'ensemble de ces transformations de déplacement sera précisé comme des transformations secondaires qui, contrairement aux transformations « classiques », opèrent sur l'interprétation sémantique.

Parallèlement, Jacobs/Rosenbaum (1973) discutent un type de transformations servant à scinder une phrase (= « Satzaufspaltungstransformation ») et ayant pour fonction de topicaliser l'une des deux parties de S.

a - The loud sneeze destroyed the lecture hall
a' - What destroyed the lecture hall was the loud sneeze
a'' - What the loud sneeze destroyed was the lecture hall (p. 52 sq)

Enfin, on trouve une remarque intéressante à ce sujet dans des travaux consacrés à la topicalisation [24] : le « comment » (ou « rhème ») d'une phrase serait identifiable par le NP sur lequel interroge la question partielle correspondante :

b - Er bekam das Buch *von einem Kollegen*
b' - Von wem bekam er das Buch ? - Von einem Kollegen.

(Il a reçu le livre d'un collègue./ De qui a-t-il reçu le livre ? D'un collègue).

Autrement dit, la scission de S en un couple question-réponse aurait l'avantage de faire apparaître plus clairement le rapport topic/comment. On peut ajouter que dans le cadre de l'allemand écrit, ce procédé de marquage est d'autant plus important que l'écrit ne traduit pas l'intonation, qui, on le sait, est un moyen privilégié de l'allemand oral pour discriminer topic et comment.

Essayons de cerner de plus près l'intérêt explicatif de cette hypothèse pour l'analyse de notre corpus de questions-réponses. Quelle est la différence entre les deux versions de l'exemple (80) déjà cité, dont voici le contexte-avant :

> Ich fürchte mich immer im ersten Anfang, wenn ich die Dämonen der Umwälzung entzügelt sehe ; späterhin bin ich sehr gefasst, und die tollsten Erscheinungen können mich weder beunruhigen noch überraschen, eben weil ich sie vorausgesehen.
>
> (Je suis toujours saisi de frayeur au premier moment, quand je vois se déchaîner les démons de la révolution ; plus tard, je suis fort calme, et les apparitions les plus monstrueuses ne peuvent ni m'inquiéter ni me surprendre, justement parce que je les ai pressenties).

Suit alors la question-réponse :

(80) Was wäre das Ende dieser Bewegung (. . .) ? Es wäre der Krieg.

Cette suite est à comparer avec

(80') Der Krieg wäre das Ende dieser Bewegung
(C'est la guerre qui serait le terme de ce mouvement).

(80") Das Ende dieser Bewegung wäre der Krieg
(La fin de ce mouvement, ce serait la guerre).

Il est clair que (80), mieux que (80') ou même (80"), souligne l'élément « nouveau » du récit. Ce sur quoi les mouvements de révolte pourraient déboucher (la guerre) n'est pas immédiatement présenté sous forme affirmative, mais d'abord interrogé. C'est seulement après la pause de l'interrogative - ou, pour l'écrit, après le blanc - que le terme *der Krieg* est avancé. Du même coup, il gagne en profil, en relief. Cet effet de relief, qui pourrait d'ailleurs s'obtenir également par l'ordre des mots (cf. la version (80")) est évidemment souligné par l'effet de rupture syntaxique : d'un modèle de phrases assertives, on passe au modèle interrogatif [25].

Si cette hypothèse sur les questions-réponses comme moyen de topicalisation est juste, il reste à examiner si elle est applicable, non seulement aux questions partielles, mais aussi aux questions totales. Reprenons l' exemple (87) :

(87) Wird aber (. . .) der Frieden von Europa gestört werden ? Keineswegs.

Sous forme d'assertion, on aurait :

(87') Aber der Frieden von Europa (. . .) wird keineswegs gestört werden.

Il s'agit donc cette fois-ci de comparer :

- Est-ce que p ou non-p ? - Non-p.

et - Non-p.

Ce qui semble être mis en relief par la question totale, ce n'est pas, comme dans le cas des questions partielles, un et un seul groupe syntaxique, mais la proposition dans son ensemble. Ce qui est interrogé, c'est la valeur, positive ou négative, de cette proposition.

Il reste cependant un problème. On sait que la topicalisation a été traitée dans le cadre d'une grammaire de phrase. Par conséquent, on ne peut, stricto sensu, topicaliser qu'un membre de S, et non la proposition entière. Or, pour une description adéquate de l'interrogation, il faut selon nous un cadre théorique qui puisse intégrer *l'ensemble* question-réponse. Et dans cette perspective, il serait possible d'appliquer l'hypothèse topicalisante même aux couples question-réponse avec question totale, puisque l'unité de base ne serait plus *p ?*, mais *p ? (p ou non-p).*

Ajoutons enfin que l'hypothèse par laquelle nous interprétons les couples question-réponse avec un seul locuteur comme moyen de topicalisation peut être appuyée par un argument historique. Selon toute vraisemblance, la construction « pseudo-cleft » du type *Wer zuletzt ankam, war Peter* (où la partie clivée constitue le topic) est historiquement dérivée de l'interrogation *Wer kam zuletzt an ? Peter.* On constate en effet l'usage identique du pronom en *w-*. De plus, il suffirait de transposer cette question en une question-écho pour obtenir le même ordre des mots que dans la partie clivée de la phrase « pseudo-cleft » :

locuteur-1 : Wer kam zuletzt an ?
locuteur-2 : *Wer zuletzt ankam ?* - Peter

Par conséquent, une fonction des questions-réponses dans un texte écrit pourrait bien être de contribuer à organiser la masse textuelle inorganisée en unités structurées selon le principe topic/comment. Mais il faut sans doute analyser d'autres textes pour vérifier cette hypothèse. Il conviendra alors d'inscrire l'analyse dans un cadre argumentatif, qui pourrait faire apparaître les questions-réponses comme un moyen parmi d'autres qui, inscrits dans la langue, structurent le fil du discours.

Cette hypothèse, pour séduisante qu'elle soit, n'explique cependant qu'une partie mineure des occurrences de notre corpus, à savoir celles où la question est effectivement suivie d'une réponse directe. Quel pourrait alors être le rôle discursif des autres questions-réponses de notre corpus ?

2. 3. 2. Hypothèse sur les questions-réponses comme assertions indirectes

Et tu crois qu'elle finira par partir ? C'était à peine une question, une affirmation plutôt. Et pourtant il attendait la réponse avec le coeur battant du chas-

> seur à l'affût. Qu'Elsa finît par partir, Alberte n'en doutait pas.
> (F. Mallet-Jorris, *Les Mensonges*)

Rappelons d'abord trois observations faites plus haut :

1) la fréquence considérable de questions non suivies de réponses ou suivies d'un refus explicite de répondre ;

2) les réponses qui apparaissent sous forme de discours rapporté ;

3) les questions rhétoriques que nous avons qualifiées ailleurs de quasi-affirmations (cf. Grésillon, (1980)).

Ces trois considérations peuvent être ramenées à un seul phénomène : le locuteur ne donne pas lui-même une réponse explicite. Soit qu'il convoque le lecteur à la trouver (pour (1)), soit qu'il la fasse donner par un autre (pour (2)), soit qu'elle soit contenue dans la question (pour (3)). Autrement dit, un horizon est fixé par un domaine interrogeable qui oriente vers des possibilités de réponse, mais le locuteur ne s'engage pas à convertir ce possible en un certain, tel que le ferait une réponse « normale ». C'est ce mode du possible qui nous paraît pertinent pour la description du rôle des questions-réponses dans notre corpus. Et on pourrait même proposer d'analyser ces questions-réponses comme des actes de langage indirects (au sens de Searle), puisque la forme syntaxique de l'interrogation recouvre en fait un acte d'assertion modalisée. Comparons par exemple l'occurrence attestée

(88) Wird sich das Ministerium Thiers lange halten ? Das ist jetzt die Frage. (Le ministère Thiers se maintiendra-t-il longtemps ? Telle est la question qui se pose maintenant).

avec les assertions suivantes :

(88') Man fragt sich jetzt, ob sich das Ministerium Thiers lange halten wird. (On se demande maintenant si le ministère Thiers se maintiendra longtemps).

(88'') Ob sich das Ministerium Thiers lange halten wird, ist jetzt nicht sicher. (Quant à savoir si le ministère Thiers se maintiendra longtemps, ce n'est pas sûr à l'heure actuelle).

(88''') Vielleicht wird sich das Ministerium Thiers nicht lange halten (Peut-être que le ministère Thiers ne se maintiendra pas longtemps).

(88iv) Es kann sein, dass sich das Ministerium Thiers nicht lange hält. (Il peut se faire que le ministère Thiers ne se maintienne pas longtemps).

(88v) Möglicherweise wird sich das Ministerium Thiers nicht lange halten (Il est possible que - m. à m. : possiblement - le ministère Thiers ne se maintienne pas longtemps).

(88vi) Das Ministerium Thiers, heisst es, wird sich wohl nicht lange halten. (Le ministère Thiers, dit-on, ne se maintiendra pas longtemps).

Si l'on considère que

(das Ministerium Thiers wird sich lange halten) = p

on peut effectivement assimiler

(est-ce que p ou non-p?)

à

(il est possible que p ou non-p).

Cette dernière forme penche, pour des raisons discursives précises [26], vers la forme

(il est possible que non-p).

Ainsi, la forme interrogative peut constituer l'un des moyens pour « affirmer sous cape », pour avancer une hypothèse sans la prendre entièrement en charge, puisque le locuteur peut toujours se retrancher derrière le fait, formellement exact, d'avoir simplement posé une question.

Si ce rapprochement entre (p?) et (il est possible que p) ou (il est possible que non-p) nous paraît plausible, c'est aussi en fonction de critères de nature textuelle. Nous avons en effet montré ailleurs [27] que notre corpus se caractérisait par un mouvement pendulaire entre un discours fortement repéré par rapport à l'énonciation et un autre type de discours dont les repérages énonciatifs sont plus lâches. Au sein de ce topos discursif, la modalité du possible de même que le discours rapporté occupent une place stratégiquement importante : ils marquent le moment intermédiaire où l'énonciation glisse du discours-JE au discours constatif, et vice-versa. Si l'on a d'une part l'énoncé constatif

(88°) Thiers ist noch Minister

et d'autre part l'énoncé fortement modalisé

(88^{n}) Ich bin ziemlich sicher, dass sich das Ministerium Thiers nicht lange halten wird

on peut en effet considérer qu'il existe toute une gamme intermédiaire (de 88^{1}) à (88^{n-1})) où le locuteur, par le biais de la modalité du possible et du discours rapporté, campe sur une position qui est au-delà de l'assertion pure et simple (type 88°) et en-deçà des modalités du type (88^{n}). Or, cette situation intermédiaire où le locuteur ne prend position que sous forme allusive, indirecte et masquée, nous l'avons observée dans notre texte sous d'autres formes :

- la dominance de l'adverbe *vielleicht* (peut-être)
- la fréquence du discours rapporté sous toutes ses formes.

En proposant d'interpréter les occurrences de couples question-réponse dans notre corpus également comme un type d'assertion camouflée, on se trouve confronté à un ensemble de phénomènes linguistiquement hétérogènes, mais remarquablement apparentés par leur capacité à donner forme à une « parole tenue à distance » [28]. Cette mise à distance systématique est du reste l'un des moteurs de l'écriture heinéenne, notamment de ses écrits politiques. Elle reflète en particulier le processus d'autocensure que Heine s'était imposé pour contourner la censure politique dont ses écrits furent frappés. Dans cette perspective, on comprend que poser une question puisse s'interpréter effectivement comme une assertion indirecte. « Ich frag' ja nur/Was soll ich denn sonst tun ? » (Je ne fais que poser des questions/Que pourrais-je donc faire d'autre ?), dit un écrivain d'aujourd'hui[29].

3. CONCLUSION

Au terme de ces analyses, il s'agit d'évaluer l'apport spécifique de notre travail. Du point de vue méthodologique, il s'avère rétrospectivement que ce qui a pu apparaître comme un détour théorique (cf. 1.) se trouve amplement justifié. Les critiques sévères que nous avons formulées d'une part à l'égard du courant pragmatique et d'autre part à l'égard de certains aspects de l'ouvrage de Conrad se sont révélées fructueuses pour l'analyse de notre corpus. Nous avons montré qu'au lieu de recourir à des arguments psycho-socio-pragmatiques, l'analyse de l'interrogation peut parfaitement s'opérer sur la base d'indices linguistiques et de régularités formelles, à condition cependant de ne rien laisser échapper à l'observation et d'analyser le plus finement possible les traces repérées (cf. l'analyse de *wirklich*, celle de *aber*, etc.). D'autre part, on a vu qu'il était effectivement insuffisant de postuler, pour la description de nos couples de questions-réponses, un couple de deux locuteurs *réels*, mais qu'il fallait inévitablement passer à un plan plus abstrait et poser un *concept* de double locution. Ces deux résultats confirment les principes que J. Milner a posés pour une théorie globale de l'interrogation.

Sur le plan linguistique, c'est sans nul doute la formulation de ce concept de double locution qui constitue le résultat le plus important de notre travail. Certes, il semble - mais il semble seulement - s'apparenter aux deux locuteurs que la pragmatique a postulés pour la description du couple question-réponse. Mais il instaure en fait un tout autre modèle. Ce n'est pas en effet de locuteurs *réels* qu'il s'agit. Bien au contraire. C'est à partir de l'observation de décrochements et de ruptures (d'ordre lexical, syntaxique et énonciatif) ayant des marques « en surface » que nous avons été amenés à poser l'existence d'un second locuteur *virtuel*, différent à la fois du scripteur Heine et de ses lecteurs, qui constitue une instance abstraite construite à partir des données de langue. Que dans des cas de dialogue *réel*, ce deuxième locuteur puisse être identifié effectivement au co-locuteur est une toute autre affaire et ne relève pas du même niveau d'analyse. L' essentiel est qu'une théorie linguistique de l'interrogation a absolument besoin du *concept d'alternance* entre deux locuteurs (cf. J. Milner (1973), p. 27).

Une fois posé ce concept de double locution, il fallait examiner s'il s'agissait de deux locuteurs dont les rôles sont en principe interchangeables, chacun ayant les mêmes droits, ou au contraire de deux locuteurs au statut fondamentalement différent (cf. le terme d' *altérité* employé par J. Milner). Ce deuxième cas s'illustre par exemple par les questions rhétoriques, mais aussi par les questions clôturantes (cf. J. et J. Cl. Milner (1975)), par l'analyse de *wieso* (J. Milner (1976)), etc. Les exemples que nous avons analysés semblent ressortir du premier cas. Bien que notre locuteur-X soit la plupart du temps non-identifiable (on ne peut lui assigner une valeur référentielle précise), le rôle qui lui est dévolu le fait apparaître comme un protagoniste symétrique du locuteur-1 et ayant les mêmes droits que lui. Le plus souvent, le jeu implicite entre locuteur-X et locuteur-1 consiste en ce que l'un met en doute (*wirklich*) ou contredit (*aber*) les propos implicites de l'autre.

Nous venons de dire « l'un » et « l'autre », sans spécifier lequel se rapporte au locuteur-1. C'est là un autre aspect de nos résultats. S'il est vrai que le couple question-réponse d'un texte non dialogué est de fait assuré par un seul locuteur réel (le scripteur Heine, en l'occurrence), le jeu de la double locution fait qu'on ne saura jamais définitivement à qui attribuer vraiment la question. Il est formellement impossible de décider si c'est le scripteur lui-même qui est à l'origine de la question, s'il se fait le porte-parole de la « vox populi » ou s'il rapporte la question soulevée par un locuteur-X[30]. D'où un effet de brouillage, qui s'observe d'ailleurs également dans des textes scientifiques. Tout se passe comme si, dans des contextes où il s'agit de promouvoir la connaissance (historique, théorique, scientifique), il importait peu de savoir *qui* énonce de nouvelles hypothèses ou des mises en cause de l'état de choses existant [31].

Quant aux réponses, on a vu qu'elles sont en général attribuables au locuteur-1, qui se « montre » plus ouvertement dans nos réponses que dans des textes par ailleurs comparables : même l'aveu d'ignorance apparaît sous la forme JE (*ich weiss es nicht*) alors que dans la presse contemporaine, on observe de préférence la forme *on* (*on ne peut le dire*, *personne ne sait*, etc.). Cependant, si l'on regarde le contenu des réponses que donne le locuteur-1, force est bien de dire que d'une façon différente, le brouillage continue : les réponses indirectes, les aveux d'ignorance, voire les silences, désignent un locuteur sans cesse en train de fuir la prise en charge de ses énoncés.

Enfin, le véritable co-locuteur, celui à qui est adressée la question, en l'occurrence la masse anonyme des lecteurs potentiels, est l'éternel absent.

S'il est vrai qu'il constitue le véritable enjeu de ces jeux interrogatifs - c'est lui qu'il faut amener à s'interroger sur les questions de son temps -, il s'avère aussi qu'il est marqué par une totale altérité en regard du scripteur. Réduit au silence, le lecteur n'a qu'un seul choix : ou bien accepter les questions (et les hypothèses qu'elles contiennent), ou bien fermer le livre.

Qui interroge qui ? . . . Autant cette question est transparente dans les dialogues oraux, autant le texte écrit interdit d'identifier à la fois le questionnant et le questionné. C'est là sans doute la différence de fond que l'étude de notre corpus implique, par rapport aux études existantes sur l'interrogation. Double locution avec deux locuteurs réels et identifiables d'une part, double locution avec des locuteurs toujours insaisissables de l'autre. L' essentiel dans notre cas semble être qu'une question soit posée, peu importe de savoir par qui et à qui.

Au plan de la constitution textuelle, de sa progression et de son architecture, nous avons souligné deux aspects propres aux couples question-réponse écrits.

1) L' analyse des réponses a montré que dans leur grande majorité, ces réponses, plutôt que de trancher sur un problème posé, servent à fournir des éléments d'information supplémentaires au débat. Le cas le plus flagrant de ce procédé est l'aveu d'ignorance (*Je ne sais pas*), suivi de *mais ce que je sais, c'est que* . . . Par conséquent, l'enchaînement qui suit la question ne constitue pas une clôture, mais, au contraire, une ouverture, une progression. Alors que, par rapport au contexte-avant, la question produit un décrochement et une rupture, la suite de la question - si suite il y a - continue sur le même plan que la question elle-même. Elle explicite, amplifie, justifie le bien-fondé de la question et conduit ainsi à assurer la progression du texte vers l'avant. C'est pourquoi nous avons proposé de parler de la « fonction textualisante » des réponses.

2) Nous avons également avancé une hypothèse sur la « fonction topicalisante » des couples question-réponse écrits. En comparant une assertion simple avec la forme interrogative suivie d'une réponse directe, on constate que la scission syntaxique ainsi opérée permet de faire apparaître clairement le partage de l'énoncé en « topic » et « comment ». Autrement dit, le recours, dans un texte écrit, à la forme question-réponse, sert à organiser la masse textuelle en unités de valeur argumentative différente qui assurent une certaine dynamique textuelle : un premier couple topic/comment est instauré ; successivement, le « comment » devient « topic » d'un nouveau couple et ainsi de suite. Certes, le partage en topic/comment peut être assuré par d'autres moyens linguistiques (pour l'allemand, notamment par l'into-

nation et l'ordre des mots). Mais il nous semble important, parce qu'inédit, d'envisager l'étude de l'interrogation sous cet aspect.

Un dernier résultat, lui aussi inédit, concerne le *plan discursif*. Le titre de notre travail, « Qui interroge qui et *pourquoi* ? » y fait d'ailleurs allusion. Si, d'une part, il est impossible d'identifier réellement le questionnant et si, d'autre part, la réponse est plus un enchaînement textuel qu'une réponse au sens strict, on peut effectivement se demander à quoi sert de rompre le fil du récit par une forme interrogative. Nous avons essayé de montrer (en 2. 3. 2.) que l'interrogation écrite peut être assimilée à une assertion masquée. « Assertion » parce qu'elle ressemble plus à un énoncé d'hypothèse qu'à une demande d'information. Assertion « masquée » parce qu'elle se camoufle derrière une forme syntaxique non-assertive et parce que l'assertion correspondante serait un type d'assertion fortement modalisé quant à sa prise en charge par le locuteur. Ce qui est intéressant est que cette modalité du non-certain qu'est l'interrogation peut, comme nous l'avons montré, glisser imperceptiblement vers un quasi-certain, sans cependant jamais y parvenir totalement. En tout cas, il nous paraît important de déceler ce potentiel assertif que peut véhiculer l'interrogation. Si ce potentiel assertif a pu être posé jusqu'à présent dans le cas des questions rhétoriques, nous le suggérons pour *toutes* les formes de l'interrogation écrite. La preuve en est qu'aucune des quelque 25 formes interrogatives qui émaillent notre propre texte tel que nous vous l'avons présenté ici n'est une demande d'information, mais un moyen masqué de vous convaincre...

* Nous n'avons pu prendre connaissance à temps d'un numéro de la revue *Langue Française* (décembre 1981) consacré à l'interrogation, notamment de l'article de Jean-Claude Anscombre et Oswald Ducrot. Nous sommes certes d'accord avec ces auteurs pour dénoncer le caractère symétrique de l'interrogation. Mais, sans pouvoir le développer ici, nous ne pensons pas que *toute* interrogation possède une orientation argumentative négative. En particulier, il nous semble que le raisonnement mis en oeuvre dans cet article s'appuie exclusivement (et par là-même abusivement) sur des exemples d'interrogations qui comportent elles-mêmes une marque d'orientation argumentative : d'*ailleurs, mais*, etc. Pour nous, il y a trois types de questions :

- les questions non orientées

  - Bonjour. Excusez-moi de vous déranger. Est-ce que vous envisagez de quitter votre appartement ?

- les questions orientées (le questionneur a une préférence pour une des deux réponses, mais sans enlever à l'interlocuteur la possibilité d'opter pour l'autre forme de l'alternative) :

  - Je le trouve très bien cet appartement, mais au fond, est-ce qu'il correspond à vos besoins ? - Ben, pas vraiment, c'est vrai qu'il est sombre et mal distribué, mais je n'y suis pas si mal que ça.

- les questions rhétoriques :

  - Ne vous ai-je pas répété cent fois que je quittais mon appartement ?

Notes

1. Nous avons utilisé comme texte de référence celui de l'édition Elster : H. Heine, *Sämtliche Werke*, hg. von E. Elster, Leipzig, s. d., vol. 6, pp. 131-464 et 568-632.

2. Bien entendu, ce paradoxe n'est pas particulier à *Lutezia*, et on trouve des phénomènes analogues dans pratiquement tous les textes écrits.

3. Grésillon, 1980.

4. Nous avons choisi de ne pas tenir compte des quelques couples question-réponse qui apparaissent à l'intérieur d'un dialogue et qui sont donc construits sur la base de deux locuteurs réels.

5. C'est en effet le schéma sous-jacent à la plupart des travaux d'inspiration pragmatique sur l'interrogation. Les prémisses de la question y sont formulées comme suit :
a) le locuteur-1 n'est pas en possession de l'information demandée ;
b) le locuteur-1 pense que le locuteur-2 dispose de cette information ;
c) le locuteur-1 pense que le locuteur-2 ne fournirait pas de lui-même cette information ;
d) le locuteur-1 pense que le locuteur-2 est prêt et apte à fournir cette information (cf. Klinke, 1976, p. 129).
Sans entrer dans le détail de ces travaux, nous donnerons simplement quelques indications qui renvoient à la bibliographie en fin d'article : Searle, 1969 ; Grice, 1975 ; Häfele, 1974 ; Hundsnurscher, 1975 ; Klinke, 1976 ; Heringer et al., 1977, Friedrich, 1976 ; Vandeweghe, 1977 ; Parret, 1979 ; Wunderlich, 1969, 1972, 1976, 1980. Une remarque à propos de Wunderlich : bien qu'il se situe dans le cadre de la pragmatique, il est plus attentif aux types de question-réponse que ce cadre ne peut décrire. Il signale par exemple un type de question qui, au lieu de solliciter une information, sert plutôt à énoncer un problème, à thématiser un champ « en question ». Quant aux réponses, il en isole deux types sur lesquels nous aurons à revenir : la réponse dite implicative, et la réponse dite hyperinformative.

6. Ce que nous dénonçons ici n'est un manque qu'aux yeux de ceux qui, comme nous, considèrent la *forme* de la phrase interrogative comme l'une des caractéristiques de l'interrogation. Les travaux pragmatiques, quant à eux, ne posent pas ce principe de départ et pourraient traiter les questions qui ne sont pas demande d'information dans le cadre d'autres actes illocutionnaires. Toutefois, ce travail n'est pas fait.

7. Pour l'ensemble des interrogatives non assimilablles à des demandes d'information, cf. en particulier : Borillo, 1978, surtout le volume 3.

8. Notons que cette configuration n'est pas totalement réservée à l'écrit. L'oral présente aussi diverses situations où le couple question-réponse est assuré par un seul locuteur :

- *Est-ce que tu sais de quoi j'ai rêvé ? - Eh bien, j'étais en Italie . . .*
- *Où est-ce que j'ai bien pu poser ma montre ? - Ah oui, je me souviens, sur l'étagère.*

9. Pour une critique du principe de coopération, cf. Grunig, 1979.

10. Cette imprécision apparaît aussi dans l'ensemble des travaux pragmatiques. Cf. 1. 1.

11. Le cas des questions anonymes (évoqué ici en 1. 1.) est un des points où l'ouvrage de Conrad, à la différence des travaux pragmatiques, perçoit un problème, mais l'abandonne aussitôt parce qu'il ne cadre pas avec les méthodes d'analyse utilisées.

12. Nous citons tous ces exemples dans la numérotation de Conrad.

13. Cf. bibliographie, J. Milner, 1973, 1976, 1977.

14. « Multiple » sera à poser par exemple pour les questions qui émanent d'un *on* collectif qui reflète la rumeur publique et les questions qui s'y posent.

* Nous adopterons, pour l'analyse des exemples de Heine, une numérotation con-

tinue. Cette convention peut impliquer qu'un même exemple réapparaisse sous un numéro différent, notamment lorsqu'il sera analysé selon divers critères en des endroits différents du texte.

15. Ceci peut poser certains problèmes de délimitation lorsque l'usage du point d'interrogation a évolué depuis l'époque de Heine (cf. sur ce point Altmann, 1980). Certaines questions indirectes sont suivies dans notre texte par un point d'interrogation :

Ich habe mir die Frage gestellt, wie die Jury von Argos über die That der Clytemnästra geurtheilt hätte ?

(Je me suis demandé par quel verdict le jury d'Argos aurait sanctionné le crime de Clytemnestre ?)

Nous n'avons pas pris ces énoncés en compte en tant que questions directes et avons rétabli l'usage moderne de la ponctuation.

16. Au sujet de cette « préférence » du locuteur pour une réponse, cf. l'analyse de la notion de « réponse attendue » (Antwortpräferenz) chez Conrad : « L'attente de la réponse constitue une hypothèse ou une supposition du questionnant sur la ou les assertions qu'il attend avec un certain degré de vraisemblance comme réponse à sa question » (Conrad, 1978, p. 43). En particulier, l'attente d'une réponse peut être marquée dans la question par des particules (*denn, etwa, vielleicht, wohl*).

17. Pour reprendre l'analyse de M. Pérennec, lorsqu'il est compatible avec une nominalisation du groupe verbal, « *wirklich* est un membre du groupe verbal, un constituant propositionnel » (M. Pérennec, 1979, p. 225), alors que comme modalisateur *wirklich* permet au locuteur « d'asserter son énoncé en affirmant que le *contenu propositionnel* est un fait » (ibid., p. 218).

18. Une interprétation analogue a été proposée dans une perspective différente par B. de Cornulier (1982) à propos de l'exemple : *je suis sûr qu'il fait plus de 20 degrés. Ou est-ce que je me trompe ?*

19. L'apparition d'un paradigme de variantes à l'intérieur du déroulement textuel est signalée par un décalage vers la droite et par l'ouverture d'un tableau dont les variantes successives de même niveau constituent les lignes. Lorsqu'un paradigme de variantes est terminé (poursuite du texte vers la droite), on ferme le tableau et on revient au niveau immédiatement antérieur. Le texte définitif est souligné. '⧺. . . ⧺' note les éléments répétés dans la transcription mais non répétés dans le manuscrit. '$' note les corrections immédiates, ' & ' les corrections de relecture.
tions de relecture.

20. Sur un plan non linguistique, ceci est dû à l'ambigüité de la position de Heine quant au problème, nouveau à l'époque, des droits de propriété littéraire : il est hostile à l'idée que les idées soient une propriété, mais il est prêt néanmoins à défendre cette idée lorsqu'il va s'agir de toucher des droits d'auteur.

21. Cf. A. Grésillon (1980).

22. Nous faisons allusion aux questions dites « thématisantes », et non aux questions d'examen.

23. Rappelons que seule une minorité des exemples de notre corpus présente des réponses directes.

24. Cf. P. Sgall, Hajičová, Benešová (1973). Cette analyse est commentée par D. Boost et M. Candelier (1980), en particulier p. 216 sq.

25. Deux remarques complémentaires :

a) Une démarche argumentative ferait apparaître que le couple question-réponse marque souvent le sommet d'une chaîne argumentative ;

b) Nous avons montré ailleurs que l'émergence du couple question-réponse marque le moment où un type de discours très descriptif bascule vers un type fortement repéré par rapport à l'énonciation (cf. Grésillon/Lebrave (1979)).

26. Lorsqu'on s'interroge sur la longévité de X, il y a toujours un sous-entendu du type : X risque de ne pas durer.

27. Cf. Grésillon/Lebrave (1979).

28. Le terme est emprunté à J. Authier (1980).

29. Cf. E. Ruckdäschel (1977).

30. F. Atlani (1980), p. 156, fait le même constat à propos de couples question-réponse dans un corpus de presse contemporaine.

31. J. Milner en arrive à la même conclusion dans un travail en cours sur l'analyse d'un corpus d'interrogatives apparaissant dans des textes théoriques.

BIBLIOGRAPHIE

ALTHUSSER, L. , 1970 : « Idéologies et appareils idéologiques d'Etat ». *In La Pensée,* juin 1970.

ALTMANN, H. , 1980 : *Gibt es im Deutschen Fragesätze ?* non publié.

ATLANI, F. , 1981 : *Approche linguistique du fonctionnement discursif : un exemple, la presse écrite*. Thèse de troisième cycle, Université de Paris VII, 1981.

AUTHIER, J. , 1981 : « Paroles tenues à distance ». Actes du Colloque « *Matérialités discursives* ». Nanterre 1980. Presses universitaires de Lille, 1981.

BORILLO, A. , 1978 : *Structure et valeur énonciative de l'interrogation totale en français*. Thèse d'Etat. Université de Provence, 3 volumes. 1978.

BOOST, D. et CANDELIER, M. , 1980 : « Functional Sentence Perspective dans des travaux tchèques », *DRLAV* 22/23, 1980.

CONRAD, R. , 1978 : *Studien zur Syntax und Semantik von Frage und Antwort*. Studia Grammatica XIX. Berlin. 1978.

CONRAD, R. , 1980 : « Zur Verwendung einiger Fragesatztypen als indirekte Sprechakte », *Linguistische Arbeitsberichte* 28, Leipzig. 1980.

CORNULIER, B. de, 1982 : « Sur le sens des questions totales et alternatives », *Langages* 67, Septembre 1982.

EGLI, U. et SCHLEICHERT, H. , 1976 : « A Bibliography on the Theory of Questions and Answers », *Linguistische Berichte* 41, 1976. Complété par H. FICHT, « Supplement to a Bibliography on the Theory of Questions and Answers », Linguistische Berichte 55. 1978.

FRIEDMANN, L. , 1967 : « Zum Gebrauch mehrerer nacheinander folgender Fragen in der deutschen Sprache », *Beiträge zur Geschichte der deutschen Sprache und Literatur* 88. 1967.

FRIEDRICH, H. , 1976 : *Analyse von Fragen in Kommunikationssituationen*. Staatsexamsarbeit. Düsseldorf, 1976. Non publié.

GRESILLON, A. , 1980 : « Zum linguistischen Status rhetorischer Fragen », *Zeitschrift für Germanistische Linguistik* 8, 3. 1980.

GRESILLON, A. et LEBRAVE, J.L. , 1979 : « Les manuscrits comme lieu de conflits discursifs », *Linguistique et manuscrits*. Editions du C.N.R.S., sous presse.

GRICE, H.P. , 1975 : « Logic and Conversation », in . COLE/MORGAN (Eds), *Speech Acts*. Syntax and Semantics 3. New-York. 1975.

GRUNIG, B.N. , 1979 : « Pièges et illusions de la pragmatique linguistique », in *Modèles linguistiques*, 1, 2. 1979.

HAEFELE, J. , 1976 : « Fragekompetenz », *Zeitschrift für Germanistische Linguistik* 2, 1976.

HERINGER, H.J. et al. , 1977 : *Einführung in die praktische Semantik*. Heidelberg. 1977.

HUNDSNURSCHER, F., 1975 : « Semantik der Fragen », *Zeitschrift für Germanistische Linguistik* 3. 1975.

KLINKE, W. , 1976 : « Wie heisst die Antwort auf diese Frage ? Zum Status von Fragen und Antworten in einer Sprechakttheorie », in : WEBER, H./ WEYDT, H. (Eds) : *Sprachtheorie und Pragmatik*. Tübingen. 197.

JACOBS, R.A. et ROSENBAUM, P.S. , 1973 : *Tranformationen, Stil und Bedeutung*. Frankfurt/Main. 1973.

MILNER, J. , 1973 : « Eléments pour une théorie de l' interrogation » *Communications*, 20. 1973.

MILNER, J., 1977 : « Des hypothèses sur l'activité du locuteur. L'ambigüité et la fonction de certaines questions en « Pourquoi . . . ne pas », *Journal de Psychologie* 2, 1977.

MILNER, J. , 1978 : « Négation métalinguistique et négation métalinguistique », *Semantikos*, 1978.

MILNER, J. et MILNER, J. Cl., : « Interrogations, reprise, dialogue », *Langue, discours, société. Pour Emile Benveniste.* Paris. 1975.

PARRET, H., 1979 : « Ce qu'il faut croire et désirer pour poser une question », *Langue Française* 42. 1979.

PERENNEC, M., 1979 : *Illocution et assertion en allemand*. Thèse de doctorat d'Etat. Université de Paris IV. 1979.

RUCKDAESCHEL, E., 1977 : *Ich frage ja nur.* Oberhausen. 1977.

SEARLE, J.R. , 1969 : Les actes de langage. Traduction française 1972. Paris.

SEARLE, J.R. , 1975 : « Indirect Speech Acts », in COLE/MORGAN (Eds), *Speech Acts*. Syntax and Semantics, 3. New-York. 1975.

SGALL, P ; et HAJICOVA, B., 1973 : *Topic, Focus and Generative Semantics.* Kronberg/Taunus. 1973.

VANDEWEGHE, W. , 1977 : « Fragen und ihre Funktionen. Versuch einer Typologie auf pragmatischer Basis », *Semantik und Pragmatik*. Akten des 11. Linguistischen Kolloquiums. Aachen. 1976. Bd. 2.

WEYST, H. , 1979 : « Partikelanalyse und Wortfeldmethode : doch, immerhin, jedenfalls, schliesslich, wenigstens », in : WEYDT, H. (Ed), *Die Partikeln der deutschen Sprache.* Berlin/New-York, 1979.

WUNDERLICH, D. , 1969 : « Unterrichten als Dialog », *Sprache im technischen Zeitalter* 32. 1969.

WUNDERLICH, D. , 1972 : « Zur Konventionalität von Sprechhandlungen » in : WUNDERLICH, D. (Ed), *Linguistische Pragmatik*. Wiesbaden. 1972.

WUNDERLICH, D. , 1976 : *Studien zur Sprechakttheorie* (en particulier le chapitre 5). Frankfurt.Main. 1976.

WUNDERLICH, D. , 1980 : « Fragen und Antworten ». A paraître dans *Energeia*.

Les repérages énonciatifs dans les textes de presse

Jenny Simonin

O. INTRODUCTION

Reprenant la distinction établie par E. Benveniste entre « discours » et « histoire » [1], j'avais tenté [2] de définir différents types de discours en fonction des traces d'opérations de repérage par rapport à la situation d'énonciation qu'ils comportent. « Types de discours » était à entendre comme différents types d'usage de la langue, ou différents types de construction textuelle, et non pas comme des types de texte définis par des caractéristiques externes au texte, telles que le contenu, le support, ou la personnalité sociale des énonciateurs, même si ces caractéristiques peuvent avoir une incidence sur la façon dont les textes sont construits. Ainsi, si je parle ici des textes de presse, ils ne sont nullement définis a priori comme un type de discours.

Sont définis comme « discours » par Benveniste les textes comportant des traces d'opérations de repérage, aussi bien de repérage des termes que de repérage des relations établies entre ces termes, par rapport à la situation d'énonciation. Sont définis comme « histoire » les textes ne comportant pas de traces d'opérations de repérage par rapport à la situation d'énonciation, mais uniquement de repérage par rapport au contexte.

Il a été reproché [3] à ces notions de discours et d'histoire de n'être que l'hypostase des opérations déictiques d'un côté et anaphoriques de l'autre. Et la distinction entre types de discours est rejetée avec l'argument que tous les textes utilisent les deux types d'opération. Il est vrai qu'un texte caractérisé comme « discours » comporte *aussi* des opérations anaphoriques. Par contre, il existe des textes d'« histoire » qui ne comportent pas de traces d'opérations déictiques, même si les textes d'histoire « purs » sont un peu un cas-limite. Pour T. Todorov [4], « cette opposition (entre discours et histoire) ne compare pas des qualités pures mais des prédominances quantitatives ». Todorov pense toutefois que « les différentes formes de cette présence (de l'énonciateur à l'intérieur de l'énoncé), ainsi que les degrés de son intensité permettent de fonder une typologie des discours » [5].

Même si un même texte peut comporter à la fois des repérages déictiques et des repérages non-déictiques (anaphoriques ou non – on va y revenir), il ne s'agit pas moins de deux modes de construction des valeurs référentielles différents, et la distinction entre discours et histoire est d'ordre qualitatif et non pas quantitatif. Les traces de l'énonciation ne sont pas quelque chose en plus, qu'on ajoute ou non à l'énoncé, en plus ou moins grande quantité. Les différences entre types de discours ne sont pas d'ordre « stylistique », comme le prétend Todorov, mais concernent le fonctionnement même des catégories linguistiques. Quand nous disons fonctionnement, nous ne voulons pas dire uniquement phénomènes de distribution, mais nous incluons le problème de l'attribution des valeurs référentielles.

Comme le développe Danon-Boileau [6] , il ne convient pas de considérer l'histoire comme le terme non-marqué de l'opposition discours/histoire, comme du discours moins les traces de l'énonciation en quelque sorte. Si l'histoire n'est pas déterminée en référence à la situation d'énonciation, elle est déterminée par d'autres opérations qui ne sont peut-être pas toujours de l'ordre de l'anaphore. D'abord, comme le précise Danon-Boileau, aux déterminations déictiques et aux déterminations anaphoriques s'oppose l'absence de détermination (les opérations de parcours). Mais par ailleurs, toutes les déterminations non-déictiques ne sont pas anaphoriques. Il y a d'abord les termes auto-déterminés : les noms propres (de personne ou de lieu), les dates (en quelque sorte, les noms propres du temps). Il y a d'autre part des déterminations de type contextuel qui ne sont pas à proprement parler des anaphores : lorsqu'un terme est repéré par rapport à un autre. C'est le cas lorsqu'on a affaire à des opérations d'extraction, où le terme introduit est repéré par rapport à un terme du contexte, lui-même déterminé, à travers la relation construite par l'énoncé (« il y a un livre sur la table », *un livre* est repéré par rapport à *la table* – elle-même déterminée soit par deixis soit par anaphore – à travers la relation de localisation construite par l'énoncé). C'est également le cas dans les relations de « temps relatif » ou d' « ordre » [7] : un procès est repéré comme antérieur ou postérieur à un autre procès du contexte. L'anaphore, elle, correspond aux opérations de fléchage [8] : l'anaphore a la même valeur référentielle que le terme qu'elle reprend. Il y a enfin des déterminations de type circulaire qui ne sont déterminées ni par deixis ni par rapport au contexte. Ainsi dans un énoncé tel que « (ce jour-là) il se leva de bonne heure », on peut gloser la valeur du passé simple (et de *ce jour-là*) par « il se leva de bonne heure le jour où il se leva de bonne heure ».

Par ailleurs, en dehors des opérations de repérage du référent par rapport à la situation d'énonciation, la problématique des relations entre énoncé et énonciation inclut les opérations d'assertion (ou de modalisation).

Même s'il existe des textes d'histoire dans lesquels il n'y a aucune trace d'opérations de repérage par rapport à la situation d'énonciation, la distinction discours/histoire ne peut être maintenue, pour Danon-Boileau [9] , qu'au prix du refoulement des phénomènes énonciatifs dans l'histoire : à savoir les modalisations.

Il importe de distinguer les opérations de repérage par rapport à la situation d'énonciation, de type déictique donc, qui contribuent à la constitution des valeurs référentielles du texte, des opérations de modalisation. Il n'y a en effet pas de texte qui ne soit pas modalisé. Tout texte comporte au minimum des traces d'opérations d'assertion, que j'avais appelées dans « Pour une typologie des discours » le « degré zéro de la modalité ». Ce sont les traces les moins visibles des opérations de modalisation, à tel point que, pour certains linguistes, l'assertion n'est pas modale [10].

Nous avons constaté que les modalisations des énoncés ne sont pas sans rapport avec le fait qu'un texte est, ou n'est pas, repéré par rapport à la situation d'énonciation : un texte de type discours comporte habituellement beaucoup plus de modalisations autres que l'assertion qu'un texte de type histoire qui tend à ne comporter que des assertions.

Etant donné qu'un texte peut comporter à la fois des repérages déictiques et des repérages non-déictiques (c'est en tout cas toujours vrai des textes de type discours), et que tout texte comporte des traces d'opérations de modalisation, peut-on maintenir le projet d'une typologie des discours ? Peut-on caractériser un texte par le type (les types) d'opération dont il porte les traces ?

J'avais déjà tenté de définir des types de texte caractérisés par la corrélation systématique d'une catégorie déictique et d'une catégorie anaphorique (ou non-déictique) : par exemple, la 3ème personne + le présent, ou la 1ère personne + le passé simple. On peut considérer qu'un certain agencement de marqueurs particulier suffit à caractériser un type de texte, et produit des effets « signifiants ».

Il ne faudra pas perdre de vue, lorsqu'on tentera de rendre compte, dans des textes non-homogènes, de l'imbrication des repérages déictiques et des repérages contextuels, le fait que les différentes opérations de repérage ne sont pas indépendantes les unes des autres. Il importe d'aller au-delà d'un relevé de formes (les *shifters*) qui seraient considérées en soi comme traces de l'énonciation. Une même forme linguistique est susceptible de prendre des valeurs différentes, et peut être interprétée comme la trace d'opérations différentes. On peut montrer sur de nombreux exemples qu'une même forme peut se référer à l'instance d'énonciation *ou* peut être déterminée par le contexte. C'est le cas de l'article défini et du démonstratif *ce*, qui peuvent fonctionner soit comme déictique, soit comme anaphorique ; et il importe de déterminer ce qui, dans le contexte, sélectionne l'une ou l'autre valeur. Ou bien, certains éléments linguistiques, qui fonctionnent « normalement » comme déictiques, c'est-à-dire qui sont déterminés en référence à la situation d'énonciation, ne peuvent plus, dans certains contextes, avoir qu'une valeur déterminée par le contexte. Par exemple, un adverbe tel que *maintenant*, qui est « normalement » interprété en référence au moment de l'énonciation, ne peut plus être interprété, s'il est associé à un verbe à l'imparfait, qu'en référence au moment du procès énoncé (on en verra des exemples plus loin). C'est ce que j'appelais, dans « Pour une typologie des discours », d'un terme peut-être maladroit, des « faux shifters ».

D'ailleurs, pour Benveniste, ce qui définit le discours c'est la corrélation « je-tu, présent, adverbes déictiques ». Lorsque cette corrélation est systématiquement rompue, le terme « normalement » déictique peut aller jusqu'à perdre totalement sa valeur déictique. Ainsi du présent, lorsqu'il n'est associé qu'à la 3ème personne et à des adverbes non-déictiques, qui prend une valeur aoristique, le présent dit « historique » justement (nous reviendrons longuement sur la valeur aoristique du présent dans la suite de l'article).

Par ailleurs, Benveniste ne définit pas le discours et l'histoire comme des types de discours, mais comme des « plans d'énonciation », dont il précise que « dans la pratique on passe de l'un à l'autre instantanément (. . .) Le propre du langage est de permettre ces transferts instantanés » [11] . Rien d'étonnant donc à ce qu'on rencontre des textes non-homogènes ! C'est en particulier toujours le cas dans les textes contenant un discours rapporté. Si l'on considère le discours rapporté comme un « troisième type d'énonciation » [12] , il est toujours inséré dans un contexte qui constitue un autre plan d'énonciation (discours ou histoire). Un type de discours pourra donc être défini comme constitué par un plan d'énonciation, ou par l'imbrication de plusieurs plans d'énonciation.

C'est en analysant des productions textuelles diverses qu'on pourra rendre compte des divers modes de construction textuelle possibles, qui seront caractérisés par un agencement de marqueurs particulier. Un texte est fait de cohérences et de ruptures possibles, entre les formes figées et le « travail des formes » [13] .

Les textes de presse seront pris ici comme exemple de mode(s) de construction textuelle. Si F. Atlani [14] a pu dire à propos de son corpus de presse quotidienne d'information « les formes des énoncés analysés ne diffèrent pas, de façon pertinente, dans leur construction, de celle de toute autre production discursive », il n'en va peut-être pas de même des enchaînements textuels, et peut-être même des valeurs de certaines formes. Dans « Pour une typologie des discours », j'avais abordé la spécificité des textes écrits par opposition aux textes oraux. Comment fonctionnent des repérages déictiques dans un texte qui, du fait qu'il est écrit, est dissocié de la situation d'énonciation dans laquelle il a été produit ? On a vu qu'il comporte nécessairement une verbalisation des données de la situation qui permet de reconstruire une valeur référentielle à des termes déictiques qui seraient, sans cela, ininterprétables. D'autre part, lorsqu'un texte écrit n'est pas inscrit dans une relation interpersonnelle précise (comme c'est le cas dans la correspondance) comment fonctionne la catégorie de la personne ?

Je n'avais pas l'impression d'autre part que les textes de presse étaient construits comme des textes littéraires, même si on peut trouver dans la presse des articles de type « littéraire ». En particulier, les textes de presse me semblaient construits sur un emploi des temps moins homogène, ou moins systématique, que la plupart des textes littéraires. La presse, on va le voir plus loin, repose, comme certains textes littéraires, sur la rupture de la corrélation présent-*je/tu* qui définit le discours chez Benveniste : elle emploie les temps du discours, mais pas - ou peu - la catégorie de la personne. Les présents dans la presse, étant dissociés du *je* qui fonde sa valeur, ont-ils la valeur aoristique qu'ils ont dans un texte comme *Fouché* de S. Zweig ? Un texte qui parle - ou prétend parler - de la « réalité » est-il construit comme un texte de fiction ? On pouvait faire l'hypothèse que la presse quotidienne d'information présentait un (ou des) types de construction textuelle particulier(s).

Le corpus sur lequel repose ce travail consiste en un échantillonnage de la presse quotidienne parisienne : « France-Soir » du jeudi 27 janvier 1977 (FS) ; « Le Monde » du mardi 9 août 1977 (M) ; « L'Aurore » du mardi 1 mars 1977 (A) ; « Le Figaro » du jeudi 17 juillet 1980 (F) ; « Libération » du jeudi 27 septembre 1979 (L), auxquels s'ajoutent quelques articles tirés d'autres numéros. Sauf indication contraire, tous les exemples cités seront tirés des numéros ci-dessus mentionnés. J'ai exclu systématiquement de l'analyse les discours rapportés au discours direct (ce qui est entre guillemets), considérant qu'on n'avait pas affaire là au discours de la presse. Par contre, j'ai inclus toutes les rubriques, à l'exception des petites annonces, des programmes de spectacles, radio et télé, de la publicité, des feuilletons, du cours de la Bourse, des résultats des courses et du courrier des lecteurs.

Nous envisagerons successivement, même si les différents points sont liés (en particulier, les opérations de détermination des termes ne sont pas indépendantes des opérations de détermination des procès) :

I. les opérations de constitution des valeurs référentielles (en particulier les opérations déictiques), parmi lesquelles on distinguera (1) les opérations de détermination des termes ; (2) les opérations de détermination des procès. Dans (1) on étudiera le fonctionnement de la catégorie de la personne, des déterminants du nom et de *on*. En (2) on envisagera les repérages temporels marqués par les adverbes de temps et les temps verbaux, puis les repérages spatiaux.

II. les opérations de modalisation des énoncés [15] .

1. LES OPERATIONS DE REPERAGE DES TERMES PAR RAPPORT A LA SITUATION D'ENONCIATION.

Nous examinerons d'abord si les textes de presse comportent des traces d'opérations de repérage des termes de type déictique. Nous distinguerons deux types de repérage déictique :

a) un terme de l'énoncé est identifié à l'un des énonciateurs. La trace de cette opération est une forme de pronom personnel de 1ère ou 2ème personne dans le texte.

b) un terme lexical de l'énoncé est précédé d'un déterminant du nom à valeur déictique, nécessitant de se référer à la situation pour reconstruire une valeur référentielle du terme.

1.1. Les pronoms personnels

Nous allons envisager successivement les formes de 1ère personne (*je* ; puis *nous*), et les formes de 2ème personne (*vous* ; aucune occurrence de *tu*).

1.1.1. Je

Les articles de presse étant très fréquemment signés, la forme *je* n'y pose pas de problème d'interprétation : elle est identifiée à la signature considérée comme une verbalisation de l'énonciateur. Il y a toutefois très peu d'occurrences de *je* dans les textes de presse. Une seule occurrence dans M, que l'on n'identifie pas à la signature de l'article :

(1) Multiplions ce petit drame à l'horizon étroit de milliers de boutiques et l'on comprendra en quoi l'inflation peut être une redoutable machine de guerre, car elle mure chacun dans un quotidien qui lui échappe et l'aliène. Faute de pouvoir empêcher les autres de stocker et de spéculer, *je* vais *moi-même me* hâter de *me* « mettre à l'abri ». Ainsi le commerçant qui, pour défendre son fonds, se lance dans l'accaparement et dans le marché noir, agit comme les autres . . . (M p. 10).

Cet exemple est tiré d'un article « La gauche face à la monnaie », signé de Dominique Labbé, assistant à l'université des sciences sociales de Grenoble. Nous le retrouverons plus loin, car il comporte de nombreuses occurrences de *nous*. Pourquoi, dans ce contexte, *je* n'est-il pas interprété comme une identification à l'énonciateur ? Notons d'abord la distance marquée par l'emploi des guillemets [16]. D'autre part, le contexte est de type « discours théorique » [17], caractérisé par le fait que sont privilégiées les opérations de parcours et qu'en particulier, les procès ne sont pas repérés dans le temps, voire ne sont pas actualisés (multiplions ce petit drame . . . et l'on comprendra . . .) *je* est ici interprété comme un opérateur de parcours au même titre que *chacun* et *le commerçant qui* . . . Cet emploi de *je* serait à rapprocher des emplois de *tu* à valeur parcours dans le francais parlé courant.

Les autres quotidiens offrent un nombre d'occurrences un petit peu plus important.

a) je sujet d'un verbe de dire

(2) « Irresponsables », ai-*je* dit ? Non. Responsables. (F p. 2 - Chronique).

(3) PS. Hier (. . .) *j*'avais parlé de « sororité » (A p. 10)

(4) Moi, *je vous* dis que . . . *Faites-moi* confiance !
Mais si *je vous* dis, *moi*, que . . . (FS p. 13 - Votre horoscope).

(5) Mais d'abord, que *je vous* détaille un peu les caractéristiques d'un Tifin. (A p. 14 - Télévision).

Dans les deux derniers exemples, *je* apparaît dans la corrélation *je/vous*, et avec un verbe de dire au présent en (4). Exemple rare de verbalisation de la situation d'énonciation et de forme de communication interpersonnelle !

Par contre, en (2) et (3), il s'agit d'un discours rapporté, qui est marqué par l'emploi des guillemets d'une part, et le temps de verbe (passé composé et plus-que-parfait) d'autre part, qui marque que l'énonciateur cite une énonciation antérieure dont il était le locuteur [18] : en (2), il reprend un terme du contexte-avant ; en (3), un terme de l'article de la veille.

b) « je » dans le contexte introducteur d'un discours rapporté (« je » = l'interlocuteur).

Ce sont les exemples les plus fréquents : l'énonciateur rapporte un discours, le plus souvent au discours direct, dont il a été l'interlocuteur, et il le spécifie dans le contexte introducteur :

(6) « Peu m'importe, *m*'a déclaré M. Collomb . . . (A p. 5)

(7) « Vous savez, *m*'explique-t-elle . . . (A p. 5)

(8) « Ils possèdent certainement une centaine de bombes atomiques, *me* précise un spécialiste anglais de Hong-Kong . . . (F p. 2)

(9) « Le cauchemar est oublié ! Il ne reste que les bons souvenirs. Nous sommes prêts à repartir ! » *me* déclare Evelyne Coquet. (FS p. Cb A)

On reviendra plus loin, à propos des temps, sur la valeur des présents dans les trois derniers exemples.

Parfois le discours cité fait l'objet d'une reprise anaphorique :

(10) « . . . » . Le Maréchal des Logis *me* lança fréquemment *cette menace* lors de *mon* service militaire. (L p. 5)

(11) *J*'avais rencontré, il y a quelques années, l'une de ces familles (. . .) Elles *me* racontaient qu'au début (. . .) Longtemps après, elles *me* recontaient avec une émotion naïve *la chaleur de l'accueil des commerçants arabes* : « (. . .) ». (L p. 14)

Comme pour la 1ère occurrence de l'exemple précédent, *je* peut apparaître dans des contextes qui, sans introduire de discours rapporté, font état de conversations entre le journaliste et les « informateurs » :

(12) *En parlant avec* les autorités d'une ville éloignée (. . .) *je* suis stupéfait (. . .). *Je les écoute* avec attention et sais à l'avance que (. . .) (F p. 2 - reportage sur la Chine)

c) « je » dans des constructions modalisatrices

(13) *Je crois que* cette fois aussi, on se souviendra longtemps de . . . (L p. 10 - Concert)

(14) *Je m'interroge* sur les véritables mobiles de ce mauvais coup (F p. 5 - Point de vue)

(15) *Je ne sais pas si* on sert encore des absinthes rimbaldiennes dans les cafés de Charleville (L p. 10 - Théâtre-hebdo)

(16) *Je* ne veux pas jouer le prophète de mauvais augure, mais *je suis à peu près certain que* . . . (FS p. 19 - Les préjugés de Jean Cotté)

d) quelques autres exemples :

Un de corrélation *je/vous* :

(17) Aujourd'hui, *je* ne *vous* invite donc pas au sourire. (F p. 2 - Chronique)

Un exemple intéressant, parce qu'aux antipodes du fonctionnement habituel de la presse : une désignation lexicale est suivie d'une parenthèse (*c'est moi*) qui l'identifie après-coup à l'énonciateur :

(18) Le texte officiel relatif à cette réforme fondamentale ne précisant pas si le gouvernement a souhaité ainsi (. . .), *l'exégète (c'est moi)* se trouve réduit aux conjectures (FS p. 14 - Philippe Bouvard).

(19) *J*'allais oublier Sacha Pitoeff (. . .) (L p. 16 - Télévision).

(20) Mais Silvia Monfort (. . .) possède la foi qui déplace les montagnes. Pour un peu *je* la soupçonnerais même de faire fabriquer des montagnes rien que (. . .) (FS p. 19 - Théâtre).

Au total, extrêmement peu d'occurrences de *je* dans la presse. On peut, dès ces premières observations, entrevoir des différences de construction textuelle entre journaux (absence de *je* dans M/rareté dans les autres journaux), et entre rubriques (à l'exception des contextes introducteurs de discours rapporté, presque toutes les occurrences de *je* figurent soit dans les rubriques Théâtre, Télévision . . ., soit dans les chroniques fortement personnalisées, telle celle de Ph. Bouvard dans FS).

1.1.2. Nous

Nous est d'un emploi nettement plus fréquent que *je* dans les quotidiens, *Le Monde* inclus (environ 55 occurrences dans M, dont, on y reviendra, 24 concentrées dans deux articles de la page « Economie »).

Nous est une forme linguistique moins déterminée que *je*. Le pluriel est facteur d'indétermination, d'autant plus que «*nous* n'est pas un *je* quantifié ou multiplié, c'est un *je* dilaté au-delà de la personne stricte » [19]. *Nous* c'est *je* plus d'autres, incluant ou excluant le(s) interlocuteur(s). *Nous* est susceptible d'interprétations diverses, et on tentera de dégager les paramètres contextuels qui sélectionnent telle ou telle interprétation.

Une question préalable : si un texte oral ne peut être produit que par un énonciateur singulier, ne peut-on pas envisager qu'un texte écrit soit produit par un énonciateur pluriel - il peut être signé de plusieurs personnes -, et envisager dans ce cas que *nous* se réfère à l'énonciateur pluriel et non pas à l'énonciateur plus d'autres ? Le texte d'un journal peut être, au moins partiellement, considéré comme produit par une équipe de rédaction.

a) Une première série d'emplois serait les mentions *de notre correspondant à . . ., de notre envoyé spécial*, que je n'ai pas relevées systématiquement, et qui sont d'un emploi très fréquent. *Notre* est interprété comme « du journal dans lequel *notre* figure ». Dans ce cas, *notre* serait déterminé par référence au journal en tant que locuteur pluriel. Notons par ailleurs que cette formule, précédant un article, marque une rupture énonciative par rapport au corps de l'article, dont l'énonciateur se trouve désigné préalablement à la 3ème personne. Rupture que l'on retrouve dans certaines occurrences comme :

(21) A Moscou, *nous indique notre correspondant,* les dirigeants soviétiques ont fini par prendre position. (M p.20).

où un énoncé est présenté comme discours rapporté « de notre correspondant ». Notons l'absence de guillemets, alors que M utilise de façon stricte les guillemets pour démarquer le discours rapporté au discours direct (ce qui n'est pas le cas de tous les quotidiens). Faut-il y voir un indice d'inclusion du locuteur dont on rapporte les propos dans l'énonciateur pluriel ? Ou, du moins, le signe que l'énonciateur ne se distancie pas des propos rapportés et les prend en charge ?

On rencontre *nous* dans des environnements semblables à ceux dans lesquels on a vu *je* :

b) « nous » sujet d'un verbe de dire

Le verbe n'est jamais au présent, mais soit à l'impératif ou au futur ou modalisé par *pouvoir*, soit au passé composé.

- à l'impératif, au futur ou modalisé par pouvoir :

(22) *Rappelons* que (. . .) le groupe de la BNP est aussi présent (. . .) (M p. 18).
(23) *Rappelons* à ce sujet que (. . .) (L p. 7).
(24) Le récent rapport (. . .) qui, *rappelons*-le, (. . .) (F p. 5).
(25) (. . .) le premier soupçonnant le second de tendance, *disons* « neutraliste » (M p. 5).
(26) C'est sur (. . .) que *nous* insisterons (M p. 10).
(27) dix-neuf avis (. . .) parmi lesquels *nous* pouvons citer (. . .) (M p. 10).

- au passé composé :

(28) *Nous* avons dit que (. . .) (M p. 10).
(29) Comme *nous* l'avons laissé entendre (Le Monde du 6 août) (. . .) (M p. 18).

Au passé composé, on a affaire, comme dans les exemples avec *je*, à du discours rapporté dont l'énonciateur était le locuteur : il reprend ce qui a été dit, par lui, soit dans le contexte-avant de l'article (en (28)), soit dans un article antérieur du même journal (en (29)).

Quelle est, dans ces exemples, la valeur de l'impératif - qui serait impossible avec la 1ère personne du singulier, mais qu'on pourrait gloser par « je rappelle que » ? L'impératif, comme le futur et la modalisation par *pouvoir*, marque une distanciation - à la fois temporelle et modale - entre le *dire*, qui est verbalisé, et l'instance d'énonciation elle-même. Notons dans (25) l'emploi des guillemets, marquant une distance de l'énonciateur par rapport à l'expression qu'il emploie, qui n'est pas ici de l'ordre du discours rapporté (du moins pas explicite).

Par ailleurs, nous reviendrons plus loin, à propos de *on*, sur le problème de la valeur modale de la complétive, objet du verbe de dire.

Toutefois, ce qui prédomine dans l'interprétation de *nous*, sujet d'un verbe de dire, c'est la référence à l'énonciateur (singulier ou pluriel) à l'exclusion des lecteurs.

- « nous » sujet de « publier »

Publier peut-il être considéré, lorqu'il s'agit d'un texte écrit et imprimé, comme une variante de verbe de dire ? Il ne semble pas avoir les mêmes propriétés : d'une part il admet des compléments d'objet direct nominaux, et difficilement des complétives (à l'inverse de *dire*) ; d'autre part, en relation avec cette propriété syntaxique, *publier* n'a pas la valeur assertive des verbes de dire. Par contre, et il s'agit sans doute d'une sélection lexicale - on en verra d'autres exemples plus loin - *nous* a la valeur de « le journal » lorsqu'il est sujet de *publier*.

(30) Il *nous* est impossible de publier l'ensemble des signatures (L p. 20).
(31) *Nous* en publions ci-dessous les principaux extraits (M p. 6).
(32) Le tableau que *nous* publions ci-dessous . . . (M p. 9).

Notons dans les deux derniers exemples l'emploi de *ci-dessous* qui renvoie à l'espace même du journal (cf. plus loin pour les repérages spatiaux).

c) « nous » dans le contexte introducteur d'un discours rapporté
en position d'objet indirect d'un verbe de dire.

Le discours rapporté est soit au discours direct :

(33) « (. . .) », *nous* confiait un boursier (M p. 19).
(34) « (. . .) », *nous* disait-il vendredi par téléphone (M p. 20).
(35) « (. . .) », *nous* a déclaré le directeur du « Newsweek » (FS p. 6).
(36) « Dans ces conditions, *nous* a déclaré un responsable de (. . .) (L p. 4).

Eventuellement précédé d'une anaphore :

(37) L'avocat français de Marlene (. . .) *nous* a donné hier soir *son avis personnel sur* le film : « (. . .) ». (A p. 16).

- soit au discours indirect :

(38) Il ne *nous* parle guère des origines (. . .). En revanche, *il explique comment* (. . .) (M p. 2).

Dans l'exemple suivant, l'interlocuteur du discours rapporté n'est pas *nous*, mais est repéré par rapport à *nous* (un autre journal . . .) :

(39) Bernard Pons a déclaré à *notre* confrère « Sud-Ouest » que le RPR n'aurait pas à se poser la question de (. . .) (F p. 5).

- citation entre guillemets dans un énoncé faisant état d'une conversation entre le locuteur dont on rapporte les propos et *nous* :

(40) M. le curé Guillomon (. . .) n'est pas content (. . .) des articles parus dans la presse (. . .). Il *nous* a téléphoné hier pour « protester vigoureusement contre le titre et le texte » publiés dans *L'Aurore* de lundi. (A p. 16).

Sauf dans (38), les verbes de dire sont au passé composé ou à l'imparfait, marquant que l'énonciation rapportée est antérieure à l'énonciation présente ; l'antériorité est précisée en (34), (37) et (40) par un adverbe déictique. Nous reviendrons plus loin sur la valeur du présent dans (38).

d) « nous » dans des constructions modalisatrices.

(41) *Il nous semble que,* là encore, le rôle de l'hyperinflation est sous-estimé. (M p. 10).

(42) *L'humanité* de lundi fait état de (. . .) et avance que (. . .). *Nous croyons savoir que* M. Marchais répondrait lui-même, vraisemblablement dès mardi. (M p. 5).

(43) *Nous ne saurons que dans quelques heures* (. . .) s'il a su faire preuve de (. . .) (F p. 1).

(44) *Souhaitons que* (. . .) (M. p. 10).

(45) Dans ce cadre, *nous pourrions très bien imaginer* (. . .) (M p. 7).

Dans ces constructions modalisatrices, *nous* se réfère à l'énonciateur. Il n'y a que dans (43), à cause du futur, que *nous* peut être interprété comme incluant les interlocuteurs (cf. plus loin les emplois du futur avec *vous*).

Si quelques opérations modales apparaissent en relation avec *je* ou *nous*, on verra plus loin qu'elles apparaissent beaucoup plus fréquemment en relation avec *on*.

e) « nous » a la valeur « la rédaction du journal » (valeur sélectionnée lexicalement).

Nous en avons déjà vu des exemples avec *publier*. En voici quelques autres :

(46) (. . .) encore en cours au moment du bouclage de *notre journal* (L p. 20).

(47) *Nous* avons présenté *dans notre édition d'hier* la très difficile naissance de (. . .). *Vous lirez ci-dessous* (. . .) (F p. 4).

(48) A la suite d'un commentaire *publié dans nos éditions* du 2 juillet (. . .) L'ambassadeur *nous* prie d'apporter les précisions suivantes : (. . .).
NDLR. Nous donnons acte à M. l'ambassadeur (. . .) les informations *publiées le 2 juillet dans nos colonnes.* (F p. 4).

Notons en (47) la relation contrastive entre *nous* + passé composé et *vous* + futur qui sélectionne l'interprétation exclusive de *nous*.

En (48) le *NDLR* explicite l'interprétation de *nous* comme « la rédaction du journal ». *Nous donnons acte* est une forme de performatif.

Dans l'exemple suivant, *nous* est interprété dans une relation anaphorique avec le nom du journal qui figure dans l'énoncé précédent :

(49) *L'Aurore* commence aujourd'hui une étude sur (. . .). *Nous* traiterons donc dans l'ordre (. . .) (A p. 5).

Sur quoi repose l'interprétation de l'enchaînement de deux syntagmes nominaux comme relation anaphorique ou relation contrastive ? Ici, il semble impossible d'interpréter comme contrastive la relation entre *L'Aurore* et *nous* parce que le texte figure dans un numéro de *L'Aurore*.

f) « nous » dans une relation contrastive ou d'enchaînement avec « on »

Lorsque *on* est dans une relation contrastive avec *nous*, il est exclu qu'ils puissent avoir la même valeur rérérentielle, et par conséquent *on* ne peut inclure les énonciateurs dans sa valeur référentielle, et ne peut donc avoir la valeur parcours (cf. plus loin à propos de *on*).

(50) La conservation d'un répertoire (. . .) servirait les voix d'or qu'*on* va *nous* forger. (FS p. 14).
(51) C'est le hall de l'Iphigénie Hôtel qu'*on nous* montre (. . .) (A p. 10).
(52) *On nous* prie d'annoncer le décès (. . .) (M p. 15).

Par contre, lorsque *on* et *nous* sont dans une relation d'enchaînement, on peut envisager qu'ils aient la même valeur référentielle :

(53) *On* ne racontera pas Carmen (. . .). *Répétons--le,* c'était très beau. (M p. 8).

Dans cet exemple, le fait que *on*, comme *nous*, est sujet d'un verbe de dire, respectivement au futur et à l'impératif - excluant donc qu'il s'agisse d'un discours rapporté - sélectionne la valeur « je dilaté » aussi bien pour *on* que pour *nous*.

Ce n'est pas toujours évident. Quel rapport, dans l'exemple suivant, entre *on, nous, le pouvoir* et *les Français* ?

(54) Jusqu'à présent, en politique, *on* pouvait toujours corriger (. . .) les erreurs de navigation. *Nous* entrons maintenant (. . .) dans l'ère des choix irréversibles. C'est assez pour que *le pouvoir* ne puisse demander *aux Français* une confiance aveugle. (M p. 7).
(55) *On* peut écraser un peuple, mais *prenons* garde à la force explosive des strates cachées. (M p. 4).

Rien ne restreint le domaine des valeurs référentielles possibles ni de *on* ni de *nous* dans ces derniers exemples. On peut simplement noter que *on* est construit en (54) avec un verbe à l'imparfait ($T \neq \mathcal{T}_0$) alors que *nous* est construit avec un verbe au présent ($T = \mathcal{T}_0$). On reviendra plus loin sur les emplois de *on* avec *pouvoir.*

g) « nous » dans une relation contrastive avec un GN

(56) *L'Urss nous* achète ainsi régulièrement du beurre. (A p. 3).

(57) *LE METRO DE PARIS* N'EST PAS *CELUI DE NEW YORK. Paris* n'est pas *New York. Notre métro* n'est pas *leur underground.* (A p. 14).

La relation contrastive sélectionne la valeur « nous = les Français » en (56) et « nous = les Parisiens » en (57).

h) « nous » est déterminé contextuellement

- soit lexicalement, dans des constructions du type *notre N* (nous en avons déjà vu des exemples) :

(58) La zone orageuse qui a traversé *notre pays* dimanche (. . .). Une nouvelle perturbation (. . .) commencera à affecter *nos régions voisines de l'Atlantique* mardi. (M p. 15). .

- soit par des déterminations spatiales :

(59) Le metteur en scène est anglais et *nous* le connaissons *à Paris* comme un spécialiste de Shakespeare (FS p. 17)

(60) Louis Perrin (. . .) *nous* donne *ici* son point de vue (F p. 5).

Dans ce dernier exemple *ici* est interprété comme renvoyant à l'espace du journal (cf. plus loin : Les repérages spatiaux)

(61) *Nous* entendrons (*tout à l'heure, devant la presse rassemblée dans un hôtel de la rive gauche*) cinq grands dirigeants (. . .) exposer les motifs (. . .) (A p. 1).

Détermination spatio-temporelle dans le dernier exemple.

- soit par une détermination syntaxique :

(62) *Nous sommes quelques-uns* à avoir entendu cette phrase (. . .) Ces quelques mots gravitent dans *notre* mémoire (. . .) *Notre* premier devoir est donc de faire entendre *notre* voix. (M p. 4 - Tribune).

Nous est identifié dans l'énoncé aux « quelques-uns » qui . . ., la relation d'identification étant construite par l'énoncé lui-même. Les occurrences suivantes de *nous* ont la même valeur référentielle que la première.

(63) Elle se transmet à *nous qui l'écoutons* comme s'il *nous* parlait tout à côté de *nous*. (M p. 12).

(64) Ces chansons ont été écrites dans les années 30 ou 40. *Nous* ne pouvons pas nous en souvenir car *nous n'étions alors que d'affectueux projets. Nous* les choisissons parce qu'elles sont bonnes. (FS p. 19).

Dans le dernier exemple la valeur de *nous* est restreinte par l'identification à ceux qui n'étaient pas nés dans les années 30-40, ce qui exclut une partie des lecteurs, et amène à sélectionner la valeur exclusive de *nous*, que l'on interprète comme renvoyant à l'énonciateur (« je » prudemment généralisé).

- détermination par le temps :

C'est un facteur de détermination moindre, toutefois le fait que *nous* soit terme d'un procès déterminé dans le temps restreint le domaine de ses valeurs référentielles possibles, même si, en dernière instance, c'est la référence aux événements extra-linguistiques qui fera sélectionner à un lecteur la valeur inclusive ou exclusive de *nous*.

(65) *Nous* avons volontairement écarté de ce palmarès les firmes (. . .) (M p. 9).

(66) Là tout devenait évident parce que *nous* étaient « montrées » les racines de l'expérience. (M p. 12 - Radio).

En (66) un lecteur s'incluera ou non dans le *nous* selon qu'il aura ou non écouté l'émission en question. D'une façon générale *nous* se réfère à ceux qui ont écouté l'émission, parmi lesquels l'énonciateur.

i) « nous » dans du « discours théorique ».

Nous en avons déjà vu un exemple à propos des emplois de *je* (1). La même page « Economie » de M comporte 24 occurrences de *nous*, dont quelques-unes ont déjà été citées.

(67) Après divers développements qui . . . *nous parvenons* à l'application essentielle . . . un exposé qui *nous mène à* . . . Et *nous en arrivons* aux objectifs. . . *Reportons-nous à* . . . La page consacrée à Alger *nous suggère* . . . *Nous voyons* le dogme établi sur . . . Une bonne idée *nous est donnée* ensuite de .. . . Que le problème des indices de prix . . . soit présenté « à la française » . . . n'est pas pour *nous* étonner. En vouloir à l'auteur serait quand même bien sévère, puisque la théorie est si creuse à ce sujet et que le nouveau messie se fait attendre, *nous est-il* justement *précisé*. (M p. 10 - Les notes de lecture d'Alfred Sauvy).

Dans cet article, *nous* a la valeur « toute personne qui lit le texte dont il est question », incluant l'énonciateur. Notons, par ailleurs, les verbes de mouvement se référant à l'espace du texte dont on parle.

Les emplois de *nous* dans l'autre article de la page « Economie » de M sont un peu différents :

(68) *nos* économistes libéraux ne se font jamais faute de . . . Mais *acceptons* un moment les prévisions pessimistes des critiques du programme commun et *tentons* de . . . *Prenons* par exemple un petit commerçant . . . Il est probable qu'aux Halles *notre* épicier de gauche se verra proposer . . . *Notre* homme refusera-t-il ? . . . C'est la situation que *nous* connaissons depuis 1972. . . . dans l'esprit de *notre* homme . . . *Multiplions* ce petit drame . . . *Notre* homme vivra son impuissance . . . (M p. 10 - La gauche face à la monnaie).

Il s'agit là plutôt d'un discours didactique que d'un discours théorique [20]. Ce texte est caractérisé par le fréquence des procès non-actualisés (à l'impératif ou au futur). *Notre* dans « notre épicier de gauche » et « notre homme » marque la relation d'anaphore avec « un petit commerçant », relation interne au texte donc. Par contre, les deux occurrences « nos économistes » et « la situation que nous connaissons » ont une valeur différente, dans des énoncés au présent : valeur indéterminée de *nous* (cf. plus loin).

j) « nous » à valeur indéterminée

Restent quelques exemples dans lequels rien ne détermine la valeur de *nous*.

(69) *Allons-nous* vers un système dans lequel la responsabilité des choix essentiels passerait du peuple souverain (. . .) à une poignée de gens (. . .) ? (M p. 7).

(70) *Nos* « écologistes » au petit pied (. . .) ce que *nos* technocrates appellent (. . .) (M p. 7).

(71) Ou bien avons-*nous* seulement devant *nous* une part du réseau ? (L p. 4).

(72) *Nous* assistons à l'émersion (. . .) du salariat hors de la condition (. . .). Il reste que se constitue sous *nos* yeux une population dont (. . .) (A p. 1).

(73) D'où un aspect insoutenable de la cérémonie d'ouverture du festival. *Nous sommes le 17 septembre*. Un premier ministre en complet bleu-nuit, accompagné de la blonde Madame Barre fait son apparition sur la place du Général de Gaulle. (L p. 13).

Quelle valeur de *nous* avec un présent à valeur aoristique ?
Ici *nous* ne pourrait être remplacé par *je*. On pourrait gloser par « c'est le 17 septembre ».

Un exemple curieux pour finir :

(74) Cancer. Meilleur climat. *Nous* reprenons confiance en *nous* et *nous* allons de l'avant. Petits contretemps ? Petites complications ? Rien de rien, *on* en viendra à bout, vu que Jupiter et la Lune *nous* protègent. Excellente soirée. (FS p. 13 - *Votre* horoscope).

Curieux, car tout le reste de la rubrique est formulé en *vous*. Doit-on comprendre que l'énonciateur s'inclut dans ce *nous*, qu'il est donc natif du Cancer ? Hypothèse infirmée par le fait que la rubrique « Cancer » est formulée en *vous* dans d'autres numéros de FS. Notons la relation anaphorique entre *on* et *nous* (*on* ne peut être que sujet). Il s'agit sans doute là d'un emploi « familier » de *nous* pour désigner l'interlocuteur, dans une situation de communication où il n'y a pas d'ambiguïté possible.

Pour conclure, la presse utilise beaucoup plus les formes de 1ère personne pluriel que les formes de singulier. Ces formes se réfèrent à l'énonciateur, même si elles ne se réfèrent pas uniquement à l'énonciateur. Par ailleurs, dans les nombreux exemples où nous a la valeur de « je prudemment généralisé », le fait d'employer *nous* et pas *je* entraîne un certain flou au niveau des valeurs référentielles que l'on peut reconstruire : s'agit-il de l'énonciateur, d'un énonciateur pluriel, d'un inclusif, d'un exclusif (l'énonciateur plus d'autres, mais pas les interlocuteurs) ? Nous avons tenté de mettre à jour les paramètres contextuels qui déterminent telle ou telle valeur, mais il reste souvent une zone de flou.

1.1.3. Vous

Assez peu d'occurrences de *vous* dans la presse. La forme ne présente pas l'ambiguïté de *nous* : elle se réfère aux lecteurs du journal. Il ne semble pas, dans ce type de texte, qu'il puisse y avoir ambiguïté entre la valeur « singulier » et la valeur « pluriel » de *vous*.

Une seule occurrence dans M :

(75) « Une fois déshabitués de voir dans la peinture la représentation d'éléments de la nature, de madones et de nus impudiques, s'écriait Casimir Malevitch, nous verrons de pures compositions ». Il avait le sentiment que, sous couvert d'art, les tableaux figuratifs du passé donnaient à voir des symboles. ***Supposez*** qu'on les retire, qu'il ne subsiste dans cet espace quadrangulaire appelé tableau que l'art, le sentiment, l'expression artistique ? (M p. 12 - L'art sans la nature).

Faut-il interpréter cet énoncé - après la citation au discours direct et un énoncé proche du discours indirect (« il avait le sentiment que ») - comme style indirect libre ? Notons le point d'interrogation après une construction impérative !

Dans les autres quotidiens, un peu plus d'occurrences de *vous* ; nous avons déjà vu quelques exemples de corrélation *je-vous*. Comme pour *je*, la plupart figurent dans les rubriques « Radio, Théâtre, Télévision . . . ». D'ailleurs, dans *L'Aurore*, les programmes de Radio-Télé figurent sous le titre « Tous *vos* programmes ».

(76) Ses autres succès, *vous* les entendrez ce soir dans l'émission (. . .) à 23 h sur Antenne 2 (FS p. 20).

(77) *Vous* le *verrez*, au cours de l'émission « L'Evénement » de TF1 (id).

(78) *Vous regarderez* tous sur FR3 (. . .) (id).

(79) *Vous* la *reverrez* sur le petit écran de « Midi-Première » les 28 et 29 Janvier (FS p. 16).

(80) Si *vous avez* déjà *vu* le spectacle, *allez* tout de même faire un tour au bar(p. 10 - Théâtre).

(81) *Vous pourrez* ensuite aller à côté (. . .) (id).

(82) Mais si *vous voyez* des tas de petites figurines (. . .) cela ne sera pas (. . .) (id).

(83) Si *vous* riez, c'est que *vous* êtes doués (FS p. 20)

(84) Un bon récepteur à ondes courtes (. . .) *peut vous* donner une idée de l'invraisemblable cacophonie (. . .) (L. p. 9).

(85) Il ne *vous* reste plus que trois jours pour (. . .) (L. p. 10).

(86) Comment voulez-*vous*, après ça que l'on ne colle pas (. . .). Yvart pourrait tout aussi allégrement *vous* entretenir de « La vallée des roses » (que *vous entendrez* d'ailleurs prochainement (. . .)) (. . .) En attendant il boucle sa valise (. . .) le temps d'y glisser (. . .) et de *vous* laisser, attentionné, de quoi, durant son absence, *vous* rafraîchir « A la source ». (A. p. 14 - Les après midi de TF1).

Notons l'extrême fréquence de *voir, regarder, entendre* comme prédicats associés à *vous* en position de sujet ; d'autre part, le fait que tous ces énoncés sont modalisés : futur, impératif, *pouvoir*, constructions hypothétiques en *si*. . .

Dans les deux derniers exemples - également au futur - le *vous* est mis en relation avec le journal : en (87) relation contrastive avec le nom du journal (*Libé-*

vous) ; en (88) détermination par *ci-dessous*, qui renvoie à l'espace du journal lui-même :

(87) *Libé* demain *vous* en dira plus. (L p. 10).

(88) *Vous lirez ci-dessous* l'essentiel de la communication concernant l'agro-alimentaire (F. p. 4).

En dehors des rubriques théâtre, télévision, certaines rubriques présentent un nombre particulièrement élevé d'occurrences de *vous*. *Le carnet du jour* du *Figaro* en comporte un grand nombre du type :

(89) (. . .) ont la douleur de *vous* faire part du décès de . . .

qui alternent avec des formulations sans objet indirect.
Dans le *Carnet* du *Monde* on ne trouve que des formulations sans objet indirect.

La rubrique *Vos droits* dans France-Soir comporte, on s'y attendrait vu le titre, des occurrences de *vous* (dans 2 articles sur 4).

Les rubriques « horoscope » de *France-Soir* et de *l'Aurore*, celle de FS s'intitule d'ailleurs *Votre horoscope,* regorgent de *vous* associés à des futurs ou des impératifs ; quelques emplois de *pouvoir* aussi :

(90) *Vous pouvez vous* en donner à coeur joie : tout *vous réussira*. Mais ne *veillez* pas trop. (FS p. 13).

Nous avons vu plus haut que cette même rubrique de FS comporte aussi des « je vous dis que ». Notons enfin qu'une photo de l'astrologue figure sous le titre : autre moyen de personnaliser cette journaliste assez particulière, en tous cas en ce qui concerne la structuration de ses articles dans la catégorie de la personne.

Si la presse se réfère peu aux lecteurs, c'est qu'ils ne sont justement que des locuteurs, et pas des co-énonciateurs [21] . Lorsque *vous* est employé, le texte vise un effet d'interlocution fictive, effet renforcé dans quelques occurrences par les traces de modalités pragmatiques, tel que l'impératif.

Faut-il interpréter le fait que la plupart des énoncés comportant *vous* sont au futur, comme la trace de ce que, dans les journaux, malgré le repérage par rapport à la date du journal, il y a, comme dans tout texte écrit, décalage entre le moment de l'écriture et le moment de la lecture et de ce que les repérages temporels déictiques ne sauraient donc valoir à la fois pour l'énonciateur et le lecteur ?

De même que les emplois de *je*, l'emploi de *vous* permet d'établir des distinctions entre journaux et/ou entre rubriques.

1.2. Les déterminants du nom

Nous envisagerons le fonctionnement des déterminants du nom qui sont susceptibles soit d'une interprétation déictique (déterminée par la situation d'énonciation), soit d'une interprétation anaphorique (déterminée par le contexte). Il s'agit des articles dits « définis » et des démonstratifs.

Le fonctionnement anaphorique suppose une extraction préalable dans le texte, le plus fréquemment dans le contexte-avant, que l'anaphore reprend, avec éventuellement un changement de terme lexical (comme dans (296) où « le gendarme Jean Decroix » est repris par « ce témoin »).

C'est l'opération d'extraction qui permet à l'interlocuteur de construire une valeur référentielle du terme nominal. (lorsque l'anaphore est déterminée par le contexte-arrière, on a une opération d'extraction en position de préconstruit : « la maison de ma mère/ma mère a une maison » ; « l'homme que j'ai rencontré/j'ai rencontré un homme ». Le préconstruit pouvant être nominalisé ou en position de « subordonnée »).

Par contre, ce qui permet de construire une valeur référentielle du déictique, c'est la référence à la situation d'énonciation. L'article défini déictique n'est possible que lorsqu'il n'y a qu'un élément de la classe notionnelle correspondant au terme lexical, dans la situation d'énonciation. Le démonstratif déictique, lui, suppose au contraire un contraste en situation. « Tu as vu cette maison » suppose, sauf valeur exclamative - comme dans « regarde-moi ce désordre ! » - qu'il y ait plusieurs maisons dans la situation d'énonciation.

Y a-t-il des emplois déictiques des déterminants dans la presse ? Il y a certes un très grand nombre d'emplois anaphoriques - on en verra des exemples dans le corps de l'article - que je n'envisagerai pas systématiquement, parce qu'ils ne présentent pas de caractéristiques particulières. Les emplois déictiques, par contre, posent problème. a) D'une part, parce qu'il s'agit d'un texte écrit- l'énonciateur et les interlocuteurs ne sont pas dans le même hic et nunc -, et si, du point de vue temporel, la date du journal peut faire fonction d'axe de repérage, par rapport à quelle situation l'interlocuteur peut-il reconstruire la valeur référentielle d'un *le N* qui n'est pas une reprise anaphorique ? (même problème pour les repérages spatiaux, voir plus loin). b) D'autre part, parce qu'il s'agit de textes qui parlent - ou prétendent parler - de la « réalité », à la différence des textes littéraires, qui, se donnant pour de la fiction, peuvent se permettre de construire leurs propres objets référentiels - qui n'ont pas d'existence en dehors du texte - et se permettent des emplois non-anaphoriques des déterminants qui ne sont pas interprétés en fonction d'une situation d'énonciation, mais restent en quelque sorte non-repérés, en attendant que la suite du texte permette de les repérer. Il est, par exemple, très fréquent qu'un roman commence par *le N* [22]. Quelle valeur référentielle le lecteur peut-il bien lui donner ? En dehors de reconstruire une opération d'extraction minimum : il y a un N [23].

On trouve en fait beaucoup d'emplois déictiques de l'article défini dans les quotidiens. La référence à la situation d'énonciation est à entendre au sens large de « la France à une date donnée ». Il n'y a qu'un référent possible en France à une date donnée d'expressions telles que *le président de la république* ou *le premier ministre*. S'il est question du président d'une autre république que « la nôtre », ou du président de la république française à un autre moment que « maintenant », le texte comportera nécessairement une détermination contextuelle renvoyant cette fois à des « unica » (*les Etats-Unis* en (92), ou dates).

(91) ***Le président de la République islamique*** s'en prend avec violence ***au chef de l'Etat***. (FS titre du 12/8/81)

« Le président de la république » est déterminé par « islamique », par contre « le chef de l'Etat », en l'absence de détermination contextuelle, ne peut se référer qu' « au nôtre », celui de la France-aujourd'hui.

Voici un article du *Monde* qui était construit sur la transgression de cette régularité :

(92) *Au jour le jour* DROGUE
A la télévision, un journaliste a demandé à ***la femme du président de la République*** si, à son avis, ses enfants s'étaient déjà drogués : « Il est probable, a-t-elle répondu, qu'une ou deux fois ils aient fumé du haschich.
- Vous les comprenez ?
- Je les comprends, a-t-elle expliqué. C'est comme pour la première cigarette. Mais ça peut être dangereux. Très dangereux ».
Dialogue impensable ? Oui, ***chez nous***. Mais pas ***aux Etats-Unis***, où cet entretien a ***bel et bien*** eu lieu devant les caméras de la télévision entre un journaliste et Mme Nancy Reagan. MICHEL CASTE (Le Monde du 7 mars 1981).

Le texte est construit de telle manière que les lecteurs ne puissent interpréter *la femme du président de la République* que comme déictique - c'est un début de texte, il ne peut donc y avoir reprise anaphorique - donc « en France », interprétation qui va être démentie dans le dernier paragraphe qui à la fois verbalise la référence à la situation d'énonciation : *chez nous* (avec un pronom de 1ère personne), et introduit la détermination contextuelle qui aurait dû être donnée au début, si l'on n'avait pas voulu, justement, que les lecteurs construisent un objet référentiel qui n'était pas le bon ! (l'objectif du journaliste étant de faire contraster deux éléments de la classe notionnelle « président de la république »). Finalement, on aura le nom propre (auto-déterminé) de l'objet référentiel.

Notons la valeur modale de ré-assertion apportée par « bel et bien » dans le dernier énoncé.

On trouve des emplois du démonstratif qui renvoyent à l'espace du journal :

(93) L'ouvrage a déjà été évoqué *dans ces colonnes.* (M p. 1)

« ces colonnes » = « les colonnes du journal *Le Monde* ».

Quelques cas aussi d'ambiguïté des démonstratifs. Faut-il interpréter *cette*, dans l'exemple suivant, comme anaphorique ou comme déictique ?

(94) En d'autres termes, *cette semaine lyonnaise* ne saurait passer pour une réhabilitation tardive. (L p. 13).

(95) *Chaque été* la ville gardo-romaine se réserve une soirée avec l'ami Bizet. L'Arlésienne *parfois*, Carmen *le plus souvent. Cette fois*, il s'agissait de . . . (M p. 8).

Le contraste en classe est souligné par l'opposition de *cette fois* à « chaque été », « parfois » et « le plus souvent » ; mais *cette fois* a-t-il la valeur de « cette fois-ci » ou « cette fois-là » ? Le fait que *cette fois* détermine un procès à l'imparfait ferait plutôt pencher vers une interprétation anaphorique. Mais, comme dans d'autres cas, l'interprétation anaphorique et l'interprétation déictique peuvent ne pas être contradictoires au niveau référentiel. Il n'en va pas de même dans l'exemple suivant :

(96) On arrive trop tard . . . pour écouter . . ., trop tôt pour les Chiami e rispondi . . ., intimes et secrètes modulations à peu près incompréhensibles à la foule de *ce soir.* « Traduction », crie, en vain, une Parisienne égarée. (M p. 8).

De même que *on* et le présent (cf. plus loin), *ce soir*, dans ce texte est interprété comme déterminé par le contexte et non comme déictique. Entre certainement en ligne de compte, par rapport à l'exemple précédent, le type d'unité de temps que l'expression met en jeu : *ce soir* est de l'ordre du jour, *cette fois* est en lui-même imprécis, mais dans le contexte (« chaque été ») interprété comme de l'ordre de l'année.

Il existe donc des emplois déictiques des déterminants du nom dans les textes de presse, qui sont en fait très fréquents, même s'ils portent sur un nombre d'éléments lexicaux - et d'objets référentiels - assez limité. Ils obligent à construire une situation d'énonciation commune aux journalistes et aux lecteurs du journal, à laquelle on peut se référer implicitement (sans la verbaliser sous la forme d'une détermination contextuelle).

1.3. On

On s'étonnera peut-être de voir figurer *on* dans un travail où l'on analyse les traces d'opérations de détermination - déictiques ou contextuelles - dans des textes. *On* est en effet un pronom indéfini de personne (il ne peut référer qu'à de l'humain), que Danon-Boileau [24] considère comme le terme indéterminé s'opposant d'une part aux pronoms de 1ère et 2ème personne - déterminés par deixis - et d'autre part aux pronoms de 3ème personne - déterminés par anaphore.

Ce qui m'a amenée à envisager les emplois de *on* dans la presse c'est leur très grande fréquence, en particulier en position de sujet de verbes opérateurs (verbes de dire, verbes modaux, . . . ; du type : *on pourrait dire/penser que* ; *on sait que* . . .)[25]. Cette fréquence de *on* contraste avec la rareté des formes de pronoms de 1ère personne, et en particulier de *je*. D'autre part la comparaison de mon corpus avec les articles de *Lutezia* de Heinrich Heine [26] fit apparaître que le type de constructions dans lesquelles on trouve *on* dans mon corpus sont plus fréquemment construites avec *ich* ou *wir* qu'avec *man* chez Heine. On pouvait donc faire l'hypothèse qu'il y a une relation entre la présence de *on* et l'absence de *je* que l'on peut interpréter comme un effacement des traces de l'énonciateur (cf. le point 3. sur les modalisations).

D'autre part, dire que *on* est un pronom indéfini ou indéterminé ne rend pas compte du fait qu'il est susceptible de trois types d'interprétation très différents :

a) *On* peut être un opérateur de parcours de la classe 'être humain' (il peut être glosé par « n'importe qui », « tout homme »). Cette valeur ne semble compatible qu'avec un procès lui-même indéterminé, et en particulier avec une valeur parcours du temps. Exemple : *comme on fait son lit on se couche.*

b) quelqu'un de non-spécifié (singulier ou pluriel), mais déterminé par la place qu'il occupe dans une relation prédicative elle-même déterminée en situation. Exemple : *on m'a volé mon porte-monnaie.* C'est une valeur de type extraction, mais le terme extrait n'est pas spécifié, ni en genre ni en nombre ni lexicalement, et il ne peut faire l'objet d'une reprise anaphorique par *il* ou *elle* (éventuellement par *ils* . . .). L'énoncé peut comporter une détermination contextuelle qui permet d'attribuer une valeur référentielle précise de *on* (on verra plus loin des emplois quasi-anaphoriques de *on*), ou du moins de restreindre le domaine des valeurs référentielles possibles. Par exemple, dans (109) : *« . . .», affirme-t-on au Club Méditerranée.*

c) Dans quelle mesure cette dernière valeur de *on* peut-elle inclure l'énonciateur et/ou le co-énonciateur ? Bien évidemment la valeur « parcours » l'inclut (entre autres . . .). Il semble impossible d'inclure l'énonciateur dans le champ des valeurs référentielles de *on* dans deux cas : 1. lorsque *on* est en relation contrastive avec un pronom de 1ère personne. Exemple : *on m'a volé* . . . 2. Lorsque le contexte ne comporte aucune trace de repérage par rapport à la situation d'énonciation, autrement dit dans un contexte de type « histoire ».

Lorsque nous parlons d' « interprétation », il ne s'agit en aucun cas de poser une équivalence entre *on* et une autre forme linguistique, on y reviendra plus loin.

Je vais tenter, en analysant les occurrences de mon corpus [27] de rendre compte des paramètres contextuels qui sélectionnent l'une de ces valeurs de *on*.

Je distinguerai : I. les constructions dans lesquelles *on* est sujet d'un verbe introduisant une complétive, incluant les introductions de discours direct pour les verbes de dire

II. *on* sujet d'autres verbes

1.3.1. On + verbe + que

De nombreuses occurrences de *on* sujet d'un verbe de dire, et en particulier du verbe « dire ». On les classera en sous-groupes en fonction du temps et du mode du verbe.

1) *le verbe est à un temps du révolu* (passé composé, plus-que-parfait, imparfait) :

(97) *A-t-on* assez *dit que* ... (M p. 1).

(98) Les équipages des avions de la mort ignoraient tout de la toxicité des produits transportés, *on leur avait dit que* ... (L p. 8).

(99) *Pendant les guerres coloniales, on disait que* les colonisés ... (M p. 10).

(100) *On disait naguère que* ... (M p. 16).

(101) Le pétrole (...) sera-t-il aussi abondant qu'*on a bien voulu le dire* ? (M p. 18).

Le procès de dire étant déterminé dans le temps, il s'agit, dans ces exemples, de discours rapporté, dont le locuteur n'est pas spécifié. Les occurrences (99) et (100) comportent de surcroît une détermination temporelle (*pendant les guerres coloniales* ; *naguère*) de type non-déictique, et l'occurrence (98) un complément d'objet indirect (*leur*), autres facteurs de détermination du procès, comme on le reverra en 1.3.2. Toutes ces déterminations excluent la valeur « parcours » de *on* et sélectionnent plutôt une interprétation non-déictique de *on*, sans exclure totalement une identification possible à l'énonciateur, mais à l'énonciateur en tant que locuteur du discours rapporté et non pas en tant que locuteur de la présente instance d'énonciation. Par contre en (101), il semble impossible d'identifier le *on* à l'énonciateur, d'une part parce que le discours rapporté est remis en question, d'autre part à cause de la modalisation que supporte dire (*bien voulu*) [28].

2) *le verbe est au présent*

Deux séries d'exemples : la 1ère avec « dire » :

(102) En clair *on dit* aux médecins : « ... » (L p. 14).

(103) Il y a place, *dit-on*, pour des entreprises qui ... (F p. 4)

(104) La CSMF n'a pas manqué de rappeler qu'elle avait « déjà » donné », *comme on dit*. (L p. 14).

(105) (. . .) P.C. Taittinger que le RPR n'aurait pas, *dit-on*, récusé comme candidat (FS p. 4).
(106) « (. . .) », *dit-on sur les plateaux de Cognacq Jay* (L p. 16).

Dans tous ces exemples, l'interprétation déictique de *on* semble exclue. De même, comme le note F. Atlani [29], que « les performatifs excluent absolument l'emploi de « on » », ainsi que « tout énoncé qui suppose une identification claire des partenaires de l'échange linguistique », de même l'interprétation « performative » (dans le sens de Ross et Mac Cawley) de *on dit que* est exclue : ce ne peut être une verbalisation de la présente instance de discours. Soit on interprète le présent comme un aoristique ($T \,\omega\, \mathcal{C}_0$), soit on interprète *on* comme de la non-personne ($S \,\omega\, \mathcal{S}_0$), ou les deux. D'ailleurs la « distance » de l'énonciateur à l'énoncé rapporté est marquée en (104) par l'emploi des guillemets, et en (105) par le conditionnel.

Les occurrences de « on dit que » sont rares, par contre on trouve fréquemment au présent d'autres verbes de dire :

(107) « Le photocopieur est dans l'enfance » *estime-t-on dans la société très « vieille Angleterre» où* . . . (F p. 6)
(108) New-Delhi a accordé l'asile à (. . .), *indique-t-on de source officielle*. (M p. 2).
(109) M. Biard - *explique-t-on à la police* - avait été pris en chasse . . .(M p. 15).
(110) « (. . .) », *affirme-t-on au Club Méditerranée, où* l' *on* tient ce drame pour inexpliquable. (M p. 20).
(111) Même attitude *à TF1 où* l' *on déclare* : « (. . .) » (F p. 21)

On s'interrogera plus loin sur la valeur de ces présents. Notons que tous ces exemples comportent des déterminations contextuelles qui restreignent considérablement le domaine des valeurs référentielles possibles de *on* et en excluent la valeur déictique. Flottement dans l'emploi des guillemets : les propos rapportés de « la police » et « de source officielle » ne sont pas entre guillemets. Par contre on a un plus-que-parfait en (109) comme on pourrait l'avoir en discours indirect (cf. plus loin pour le plus-que-parfait).

3) *le verbe est modalisé par pouvoir (+ conditionnel)*

(112) *On peut dire qu'* ils « inventent » (M p. 13).
(113) *On pourrait dire* à la limite que . . . (M p. 13).
(114) Toujours en schématisant, *on peut dire que* . . . (F p. 7).
(115) Un attentat de plus, *pourrait-on dire.* (F p. 22).

Ces exemples ne sont pas interprétés comme discours rapporté, et l'énonciateur n'est pas exclu des valeurs référentielles de *on*, voire *on* est interprété comme un *je* dilaté. Ce qui rend possible l'interprétation déictique de *on*, c'est le fait que le procès de « dire » n'est pas actualisé ; le verbe modal « pouvoir » pose la notion « on dire/ne pas dire que . . . » [30]. Quant au conditionnel [31], qui s'ajoute à *pouvoir* dans une partie des exemples, il pose le procès de « dire » comme validable, à partir d'un repère fictif, « ce qui permet de dissocier l'énonciateur du locuteur [32]. On a également une dissociation entre énonciateur et locuteur dans les cas de discours rapporté, mais dans ce cas le procès de locution rapporté est asserté comme ayant eu lieu, alors qu'avec *pouvoir* ou le conditionnel le procès n'est qu'envisagé, ce qui confère à *on* un statut tout différent de celui qu'il avait dans les exemples vus plus haut de discours rapporté : il ne s'agit plus d'un locuteur, non-spécifié peut-être, mais repéré par rapport à un procès de dire déterminé, mais d'un locuteur fictif, susceptible d'asserter une prédication validable, mais non-validée. Cette construction permet à l'énonciateur de dire ce qu'il dit tout en ne faisant qu'envisager l'éventualité qu' « on » (pas lui) puisse le dire. C'est une double façon de dire sans le dire, à la fois à travers la modalisation et à travers l'emploi de *on*. Interpréter *on* comme un *je* masqué, c'est en quelque sorte remettre l'énonciateur à sa place.

1.3.1.2. On + entendre dire

On a encore affaire à du discours rapporté, mais dans ce cas *on* occupe la place de l'interlocuteur, et non plus celle du locuteur comme avec *dire*.

(116) ***Dans les couloirs de l'Assemblée on entendait*** même ***dire que*** . . . (M p. 16).
(117) Les milieux politiques (. . .) se montrent déçus. (. . .) « (. . .) », ***entend-on dire ici et là***. (M p. 20).

Les deux exemples comportent une détermination spatiale du procès. En (117) le contexte plus large restreint l'interprétation de *ici et là* à « ici et là à Chypre ». Le champ des valeurs référentielles de *on* est donc restreint par ces déterminations. Par ailleurs, le sujet de *entendre dire* n'est pas à proprement parler un interlocuteur (ce n'est pas forcément à lui que le discours qu'il rapporte était adressé). Notons que si c'est *on* qui a entendu dire, c'est ∅ qui a dit [33]. La détermination contextuelle vaut tout autant pour le sujet vide de *dire* que pour le sujet de *entendre dire*. Si on peut inclure l'énonciateur dans *on*, alors qu'on l'exclut comme sujet de *dire*, c'est qu'on ne rapporterait guère ses propres propos en les introduisant pas « x (m') a entendu dire que ». Ce ne serait guère possible que sur le mode du fictif : vous avez / on a pu m'entendre dire que . . .

1.3.1.3. on+verbe opérateur

On est fréquemment construit comme sujet de verbes tels que *apprendre, penser, savoir, reconnaître, se souvenir, voir, estimer, découvrir . . . que . . .*, verbes qui « indiquent la relation que « on » entretient avec ce qui est prédiqué », comme le formule F. Atlani, qui écrit à propos de ce type de construction : « le journaliste parcourt donc la classe des locuteurs (. . .) c'est une assertion dont le(s) énonciateurs(s) ne sont pas identifiables ; tout particulièrement, bien sûr, le journaliste [34]. » La question se pose-t-elle de qui asserte la complétive ? Elle n'est pas assertée par l'énonciateur qui asserte bien, par contre, la « principale » contenant *on*. Quelle est par ailleurs la valeur modale de la complétive ? Dans le cas des complétives objet d'un verbe de dire on a affaire à une reprise explicitement référée à une autre énonciation [35].

(118) Plutôt que de guérison, il faut donc ***parler de*** convalescence. (M p. 9).

(119) Une lecture attentive des commentaires de la presse soviétique (. . .) ***laisse penser que*** Moscou (. . .) ne serait pas fâchée de voir . . .(F p. 4).

(120) ***Il n'est donc pas absurde de penser que*** . . . (FS p. 4)

(121) ***Que dire*** de ce raisonnement (. . .) qui consiste à ***dire*** : les revenus des agriculteurs sont mal appréhendés, ce qui est exact, et malgré cette méconnaissance, ***on*** chiffre ce qui serait la fraude fiscale dont ils seraient coupables. (F p. 5).

Avec les autres verbes opérateurs, la valeur modale de la complétive dépend de plusieurs facteurs. Et principalement du verbe opérateur.

a) Avec certains verbes, la complétive a la valeur modale « certain », certain pour l'énonciateur, mais du fait qu'il ne l'asserte pas dans l'énoncé, certain pour tout énonciateur ou reprise non-explicite - par opposition avec le discours indirect - de l'assertion d'un autre énonciateur. C'est le cas avec un verbe comme *apprendre que* :

(122) Un élève-enseignant londonien (. . .) a été arrêté par le K. G. B. à Lvov le mardi 2 août, ***vient-on d'apprendre***. (M p. 4).

(123) « (. . .) », a déclaré mercredi l'union départementale CGT de la Drôme. ***On venait d'apprendre que*** . . . (L p. 4)

(124) Par ailleurs, ***on apprenait*** hier ***que*** . . . (L p. 4).

A la différence des verbes de dire, *apprendre que*, s'il suppose un autre discours (celui par lequel on a appris que . . .) ne s'y réfère pas explicitement ; d'autre part, le contenu de la complétive est repris par l'énonciateur comme du certain. Par ailleurs dans tous les exemples, *apprendre* est à un temps du révolu - à valeur $T \neq \mathcal{C}_0$- le procès est donc déterminé dans le temps, ce qui exclut la valeur parcours de *on*.

Avec *savoir que* le contenu de la complétive est également repris comme du certain [36] . Dans tous les exemples du corpus *savoir* est au présent et non-modalisé, du type :

(125) ***On sait que*** finalement les élections ont eu lieu. (L p. 15)

sauf lorsqu'on a *savoir si* et non pas *savoir que* :

(126) ***On saura*** lundi prochain ***si*** l'avocat belge (. . .) ***sera ou non maintenu*** sous mandat de dépôt. (L p. 4).

Avec *si* on a un parcours des valeurs modales de la relation prédicative [37] qui est re-marqué dans cet exemple par « sera *ou non* maintenu » (p ou $\bar{p}$). D'autre part, l'énoncé est au futur, on est donc nécessairement dans le domaine du non-certain. L'énoncé étant repéré dans le temps par un déictique (*lundi prochain*) *on* peut inclure l'énonciateur [38].

Comprendre que peut être suivi soit de l'indicatif, soit du subjonctif :

(127) *Lorsque l'on sait* ce que représente l'ancien secrétaire d'Etat aux yeux du Kremlin (. . .) *on peut comprendre que*, contre toute logique, ce « réactionnaire » à la tête de la Maison-Blanche *soit* plus souhaitable qu'un Jimmy Carter. (F p. 4).

(128) Multiplions ce petit drame (. . .) et l'*on comprendra* en quoi l'inflation *peut* être . . . (M p. 10).

(129) *On aura donc compris que* grâce à la seule musique et sans un tel déploiement de phénonènes parasitaires, ce premier festival de Berlioz *aurait pu* être vraiment irréprochable. (L p. 13).

(130) *On comprendra, en lisant le livre de Raymonda, que* les deux combats *sont* inséparables. (L p. 15).

(131) *On a cru comprendre que* cette bête-là n'*était* pas franche du collier (M p. 8).

(132) Tout à coup, *on comprend qu'*il *est* question de chômage. *On* dresse l'oreille, mais *on* aperçoit aussitôt . . . (M p. 8).

La différence entre *comprendre que* + subj et *comprendre que* + ind. correspond : 1) à une différence de sens de *comprendre* : suivi du subj. il est proche d'*admettre, comprendre pourquoi* - qui est, lui, toujours suivi de l'indicatif - ; suivi de l'indicatif il est proche de *s'apercevoir, apprendre, déduire* : 2) à des différences de fonctionnement : on peut avoir « que Pierre soit venu, je le comprends », mais pas * « que Pierre est venu, je le comprends » ; 3) à une différence de valeur de la complétive : avec le subjonctif il s'agit d'une reprise [39], ce qui n'est pas sans rapport avec le point 2) ; 4) il y a un rapport entre les deux types de *comprendre* et le temps : *comprendre* + subj. est plutôt construit au présent (identifié au présent de l'énonciation), *comprendre* + ind. sera plutôt à un temps du révolu [40] ou au futur (dans ce cas, *on* se refère plutôt aux lecteurs qu'à l'énonciateur ; cf. plus haut les emplois de *vous* ; l'énonciateur, lui, a déjà compris). De même, *comprendre* + subj. sera plus facilement modalisé comme du non-certain (comme en (127)) que *comprendre* + ind.

D'autres verbes ont la propriété de présupposer le caractère « certain » de la complétive :

(133) Coup de théâtre ? Beaucoup plus simplement, conséquence d'une négligence. *On ne s'est pas aperçu* à temps *que* l'un des experts (. . .) avait auparavant été consulté. (FS p. 1).

(134) Alain Santy, *on s'en souvient*, (. . .) avait crié sa détresse (F p. 15).

cf. également *rappelons que* dans les exemples (22), (23) et (24).

b) après certains verbes opérateurs, la complétive a la valeur « non-certain ». Il faudrait distinguer le cas où *je* est en position de sujet du verbe (*je pense que p* est l'une des formes possibles pour l'énonciateur de poser p comme non-certain) du cas où c'est de la « non-personne » qui est sujet du verbe, cas qui se rapproche du discours indirect [41] (*il pense que p*) ; lorsque *tu* est en position de sujet, l'énoncé ne semble guère possible que comme demande de confirmation (*tu penses que p?*). *On pense que* pourra donc, selon qu'on interprète *on* comme incluant l'énonciateur ou comme de la « non-personne », avoir la valeur soit d'une assertion de « non-certain », soit d'une opinion rapportée.

(135) Voilà pourquoi *on peut raisonnablement penser qu'*au cours des semaines à venir le front social restera relativement calme. (FS p. 4).

(136) Les résultats du commerce extérieur agro-alimentaire sont en nette progression (. . .) *On peut donc penser que* 1980 sera une bonne année. (F p. 4).

(137) Le premier secrétaire du PS préconise de (. . .) *On doute que* cette décision soit du goût des communistes. (M p. 1).

(138) Les spécialistes affirment que (. . .) *On veut bien.* (M p. 8)

(139) *On estimait alors qu'*Argyll recelait des ressources d'environ dix millions de tonnes de pétrole brut. Après deux ans d'exploitation, *on pense que* le gisement ne fournira que . . . (M p. 18).

(140) La démission de M. Hoveyda (. . .) a fait sensation à Téhéran, bien que *des rumeurs* laissant prévoir ce départ - *on croyait généralement que* M. Ansari serait le successeur - aient circulé *il y a dix jours dans les milieux politiques de la capitale iranienne*. (M p. 1).

On interprète différemment les exemples où le verbe est au présent (aucun ne comporte d'ailleurs de détermination contextuelle) et ceux où il est à l'imparfait. Au présent et sans détermination contextuelle *on* a la valeur « parcours », et inclut donc l'énonciateur ; à l'imparfait il s'agit en quelque sorte d'une assertion translatée. En (139) on a un rapport contrastif entre *on estimait alors* et *on pense*, entre une assertion translatée - repérée dans le temps par *alors* - et l'assertion présente. Dans (140) la parenthèse contenant *on* est déterminée par l'énoncé dans lequel elle s'insère (*des rumeurs, il y a dix jours, dans les milieux politiques de la capitale iranienne*). Si *généralement* renforce la valeur « parcours » de *on* c'est le parcours de la sous-classe définie contextuellement.

La valeur « non-certain » est également marquée dans la complétive par le futur - (135), (136), (139) - , le conditionnel - (140) - ou le subjonctif - (137).

Notons que dans la plupart des exemples, la modalisation introduite par le verbe opérateur est appuyée de façon argumentative soit à travers des relations entre propositions (*voilà pourquoi* ; *donc* ; cf. aussi (127) : *lorsque l'on sait . . . on peut comprendre que . . .)* [42] soit à travers une modalité appréciative (*raisonnablement*)

Certains verbes introduisant une complétive avec la valeur « non-certain » expriment de surcroît une modalité appréciative. Un exemple où le verbe n'est pas suivi d'une complétive, mais d'une nominalisation [43] :

(141) (. . .) *on peut souhaiter* aujourd'hui la réussite de la lutte contre l'inflation (FS p. 4).

De même que dans les constructions du type « on pourrait dire que », les constructions « on + verbe opérateur + que » permettent à l'énonciateur de dire ce qu'il dit sans l'asserter, et ceci à un double titre : d'une part en faisant de la proposition une complétive objet du verbe opérateur ; d'autre part en évitant *je* comme sujet du verbe opérateur et en utilisant un *on* qui l'inclut certes (lorsque *on* a la valeur parcours), mais de façon encore plus « prudemment généralisée » que *nous*.

1.3.2. On + verbe

Nous allons maintenant envisager les emplois de *on* en dehors des constructions du type *on* + verbe opérateur + que.

On a déjà vu que dans les énoncés comportant des traces d'opérations de détermination du procès *on* ne peut avoir la valeur « parcours ». Il a tout au plus la valeur « parcours » de la sous-classe définie par les déterminations du contexte. Dans ce cas reste la question si *on* est à interpréter comme de la « non-personne » ou s'il peut inclure l'énonciateur. Il peut ne pas y avoir contradiction - on le reverra plus loin - entre l'interprétation en référence au contexte et l'interprétation en référence à la situation d'énonciation, dans la mesure où la détermination contextuelle peut être comprise comme une verbalisation de la situation d'énonciation (du moins lorsque le verbe est au présent à valeur $T = \mathcal{C}_0$), verbalisation souvent nécessaire dans un texte écrit. Ainsi, on ne dira guère étant à Paris : « il fait beau *à Paris* », par contre on l'écrira. Toutefois, ce que construit le texte, c'est une détermination contextuelle, que le lecteur pourra, ou non, interpréter comme une verbalisation de la situation d'énonciation. Ainsi en (145) les lecteurs interprèteront-ils que l'énonciateur est « au Palais de l'Europe, au cinquième jour de session d'assemblée » ? Le présent a-t-il d'ailleurs dans cet exemple la valeur $T = \mathcal{C}_0$, ou la valeur aoristique ? [44] Lorsque la situation de référence est posée comme non-identique à la situation d'énonciation (ce qui est marqué en particulier par les temps), l'énonciateur peut-il être inclus dans le référent de *on* ? Par exemple en (155) interprètera-t-on que l'énonciateur était à Naussac ?

(145) *Le Palais de l'Europe* n'est pas vide, mais *au cinquième jour de session d'assemblée* élue au suffrage universel, *on* est déjà dans le train-train. (L p. 5).

(146) *On* se lève *dans les rangs officiels*. (L p. 13).

(147) *En France*, *on* s'apprête à reparler de la chasse au Gaspi. (L p. 5).

(148) *Place des Brotteaux*, *on* présente *alors* . . . (L p. 13).

(149) *Autour d'un podium champêtre, on* a chanté en occitan *samedi soir*. (M p. 7 - la manifestation de Naussac)

(150) *En ces temps-là*, au moins, *on* savait assassiner. (M p. 8).

(151) *A Ste-Geneviève-des-Bois*, *on* fête *cette année* . . . (M p. 16)

(152) *A Bangkok* (. . .), *on* ne voit que des avantages . . . (F p. 4).

(153) . . . *à Phnom-Penh on* a fait un effort sérieux (F p. 4).

(154) *On* se penchera tout particulièrement *à l'Elysée*, sur le problème des transports. (F p. 4).

(155) But de la promenade : *Naussac, où* l' *on* devait planter un arbre. (M p. 7).

(156) Il faut préciser que *cette semaine au Murfield on* dispute la 109e édition du tournoi. (F p. 15).

Il faudrait sans doute distinguer entre les déterminations spatio-temporelles de type déictique (*cette semaine* ; *cette année* ; *samedi soir*) et celles qui sont de type aoristique (*au 5ème jour de session* ; *alors* ; *en ces temps-là*). Les déterminations de type aoristique orientent plutôt vers une interprétation de *on* comme « non-personne ».

De même, le temps du verbe est en relation avec la valeur référentielle de *on*. En particulier, *on* semble toujours interprété comme « non-personne » lorsqu'il est sujet d'un verbe au passé-simple - l'aoristique par excellence en français - (il n'y en a d'ailleurs que très peu d'exemples dans le corpus) :

(157) Lorsque vers 1950, le chef d'orchestre Charles Münch manifesta (. . .) l'intention de fonder une espèce de Bayreuth berlozien, *on lui répondit* très sèchement : « . . . » Par bonheur, un Anglais nommé Colin Davis commença à enregistrer toute l'oeuvre de Berlioz pour Philips. Et dès 1964, année à partir de laquelle nombre de mélomanes français découvrirent qu'*on leur avait menti* d'une manière immonde. Mais *on n'en parla* guère. (L p. 13).

Lorsque *on* est sujet d'un verbe au présent, le présent peut avoir plusieurs valeurs, et il y a une corrélation entre la valeur de *on* et celle du présent : si le présent a la valeur aoristique, il s'agit d'un procès déterminé et la valeur « parcours » est exclue ; c'est la valeur « déterminée contextuellement » de *on* qui prédomine.

(158) *On décide alors* de prendre deux mesures devant le scandale (. . .) Deuxièmement, *on décore Erulin, on le nomme* colonel et *on l'envoie* pantoufler à l'Etat-Major. (L p. 7).

(159) Et dans le mécontentement de plus d'un des auditeurs. *Est-on* rassemblés pour Berlioz, *le 17 septembre*, ou est-*on* au matin du 14 juillet ? (L p. 13).

(160) *En 76* les Israéliens décident d'organiser des élections . . . *On* ne peut plus se satisfaire comme en 72 d'un boycot de principe. (L p. 15).

cf. également (132) et (148). Les adverbes de temps sélectionnent sans ambiguïté la valeur aoristique du présent. En (158), le fait que le 2ème terme de la relation soit déterminé (cf. plus loin) contribue à exclure l'interprétation « parcours » de *on* au profit de la valeur « non-personne ». En (159), l'énoncé contenant *on* pourrait être interprété comme style indirect libre, exprimant le mécontentement des auditeurs, et dans ce cas *on* est coréférentiel avec *plus d'un des auditeurs*.

Parmi les facteurs de détermination des procès dont *on* est le premier terme, figure aussi le fait que le 2ème terme soit spécifié, par opposition aux cas où il ne l'est pas. Nous en avons déjà vu quelques exemples : parmi les énoncés où *on* était sujet d'un verbe de dire, quelques-uns comportaient un objet indirect ((98) ; (102) ; (157)).

(161) *On les* a vêtues de blanc (L p. 13).

(162) Ils demandaient par ce geste à bénéficier à posteriori du statut des objecteurs de conscience. *On leur* a refusé ce droit. (L p. 6).

(163) Les Sardes se sont répandus partout. *On les* suit . . . Plus tard, dans la nuit, *on les* découvre . . . (M p. 8)

(164) En 77, cet officier de 25 ans se fait examiner, *on lui* diagnostique un cancer de l'abdomen. (L p. 8).

(165) C'est là qu'*on lui* livre à trois reprises des explosifs. (L p. 4).

Notons par ailleurs que les verbes sont au passé composé, au plus-que-parfait ou au présent (à valeur aoristique, étant donné les déterminations temporelles du contexte *plus tard* ; *en 77* ; *à trois reprises*).

Dans les trois exemples suivants, *on* est quasi anaphore d'un syntagme nominal du contexte-avant :

(166) *Le nouveau gouvernement* (. . .) a donc toutes raisons de se méfier de son influence. Aussi *l*'a-t-*on* fait transférer, de la calme prison de . . . (F p. 19).

(167) Le 18 juin les présidents d'université furent avisés, *par une lettre de M. Imbert*, qu'une des modalités du décret « Imbert » ne serait pas appliquée. En bref, « *on* » *leur* demandait de reprendre à leur compte la décision d'inscrire les étudiants étrangers et « *on* » *leur* renvoyait la totalité des dossiers . . . (M du 5/8/81 - extrait d'une lettre de M. Bernier, président de Paris VII)

(168) *Moscou*, de tout temps, a préféré voir au pouvoir dans les pays capitalistes *les hommes que l'on y* connaissait . . . (F p. 4).

Si *on* est, sans ambiguïté, interprété dans ces trois exemples comme identifiable au syntagme nominal qui précède, il serait, par ailleurs, difficile d'avoir en (166) et (168) une reprise anaphorique en *il*. Les syntagmes nominaux, bien que singuliers, se réfèrent à du collectif, et la seule reprise anaphorique possible serait *ils*. La reprise anaphorique par *il* serait possible en (167) par contre. Quelle est la valeur de *on*, alors que l'anaphore est possible ? Et de surcroît, les *on* sont dans ce texte entre guillemets ! Faut-il y voir une trace de subjectivité ? [45] En tous cas, pas dans le sens où l'énonciateur serait inclus dans les valeurs référentielles de *on*. Emploi polémique plutôt : intuitivement on pourrait dire que s'il y a *on*, et pas *il*, c'est que l'énonciateur vise d'autres personnes - de façon non-spécifiée - que M. Imbert qui a écrit la lettre.

On ne peut avoir que la valeur « non-personne » lorsqu'il est en relation contrastive avec *nous*, comme on l'a déjà vu :

(169) C'est le hall de l'Iphigénie Hôtel qu'*on nous* montre. (A p. 10).

Pour appréhender à quel point ces deux facteurs - détermination du procès dans le temps et détermination du 2ème terme - sont déterminants pour la valeur de *on*, on pourra comparer la valeur de *on* dans « on m'a dit que / on lui a dit que » avec celle qu'il a dans « on dit que ».

1.3.3. De très nombreuses occurrences de *on* [46] se trouvent dans des subordonnées dont la valeur modale est de type « parcours » $(p, \bar{p})$:

(170) Il semble, ***si l'on en croit*** les revues spécialisées, que de nombreux pays s'intéressent à . . . (L p. 5).

(171) C'est bien pire que cela ***quand on y regarde*** de près. (L p. 14).

(172) un misérabilisme qui n'attire guère les misérables, ***si l'on juge*** par l'effondrement de la pratique populaire. (F p. 1).

(173) Et c'est alors non plus le pasteur, mais le théologien qui s'exprime (***à condition qu'on puisse*** les séparer) (F p. 1).

(174) ***Autant qu'on peut le savoir*** à la vue des constatations de l'assedic, il y a un certain tassement du chômage. (F p. 5).

(175) Un homme apparaît aujourd'hui en « vedette », ***qu'on soit ou non*** partisan de la peine de mort . . . (FS p. 1).

(176) Il y en avait, ***si l'on peut dire***, pour tout le monde. (M p. 7).

(177) N'est pas punk ***qui veut. Même si on y met*** beaucoup d'application. (M p. 8).

(178) ***Encore faut-il qu'on ait*** conscience du danger . . . (M p. 10).

On distinguera le parcours des valeurs modales $(p,\bar{p})$, du parcours dans lequel l'énonciateur distingue une valeur (p ou $\bar{p}$), que A. Culioli appelle « visée » [47] et qu'il note $(p/\bar{p})$: en $T_1 = \mathscr{C}_0$, on a $(p,\bar{p})$ et l'on vise p (ou $\bar{p}$) en T_i. Dans nos exemples, on a toujours visée (parcours avec une valeur distinguée), sauf en (175) où la valeur parcours $(p,\bar{p})$ est marquée par « qu'on soit *ou non* ». Toutes ces constructions de subordonnée entraînent la valeur $(p,\bar{p})$ de la principale. En (170) la valeur « non-certain » de la principale est re-marquée par « il semble que ». Notons que *quand* + prs n'a pas les mêmes propriétés que lorsqu'il est suivi d'un temps du révolu. En (178) la valeur parcours est en relation avec la modalité *il faut que* qui est de l'ordre du nécessaire. Notons aussi que dans plusieurs constructions, le subjonctif est la marque du non-certain. Enfin, on a déjà vu que la frontière entre phénomènes de discours rapporté et modalisations n'est pas nette, et on pourra rapprocher (170) d'un énoncé tel que « Les revues spécialisées disent que ».

Quel est, par ailleurs, le T_i par rapport auquel la valeur distinguée est « visée » ? Il ne s'agit pas dans ce type de construction d'un T_i repéré dans le temps - comme dans le cas du futur - mais d'un T_i non-repéré (le présent a dans ces exemples la valeur « absence de détermination temporelle » ou « parcours des T »).

On pourra rapprocher les emplois de *on* dans ces constructions à valeur parcours, des emplois de *on* qu'on a vus plus haut, avec le conditionnel et *pouvoir*. D'ailleurs, en (173), (174) et (176) $(p/\bar{p})$ de l'énoncé est re-marquée par *pouvoir* [48].

On a donc, pour résumer, deux types d'environnements de *on* :

a) des contextes comportant des déterminations contextuelles - temps du verbe ; adverbes spatio-temporels ; spécification du 2ème terme de la relation - sélectionnant une interprétation déterminée contextuellement de *on*, de type $S \omega \mathcal{S}_0$. Interprétation ne veut pas dire équivalence : *on*, même lorsqu'il est déterminé contextuellement, garde la valeur de « flou » que n'aurait jamais une forme explicite de 3ème personne. Par exemple, dans un énoncé tel que « A Moscou, on pense que . . . », *on* peut être interprêté comme : « A Moscou, tout le monde pense que . . . », ou comme « A Moscou, il y a des gens (non-spécifiés) qui pensent que ». D'autre part, on peut souvent inclure $\mathcal{S}_0$ dans le champ des valeurs référentielles de *on*, ce qui n'est pas le cas avec une forme de 3ème personne. De même, on le verra plus loin, le présent aoristique n'est pas équivalent à un passé simple, même s'il a la même valeur $T \omega \mathcal{T}_0$.

b) des contextes ne comportant pas de déterminations du procès, (qui est interprété comme non-déterminé en situation) qui ne permettent pas d'interpréter le *on* en termes de valeur référentielle ; les procès sont du type « dire », « penser », c'est-à-dire des verbalisations d'un mode d'assertion ; les énoncés ont la valeur modale $(p,\bar{p})$, marquée par le conditionnel, « pouvoir » ou certains procédés de subordination. La valeur « parcours » du point de vue modal, lorsqu'elle porte sur un procès qui notionnellement exprime un acte assertif, est à distinguer d'une part des assertions de l'énonciateur, d'autre part des assertions rapportées. Quel est dans ce cas le statut du *on* en position de sujet ? On tentera d'en rendre compte avec la notion de « repère fictif » empruntée à A. Culioli [49]. On peut considérer ces énoncés comme repérés non pas par rapport à la situation d'énonciation ($\mathcal{S}it_0$) mais par rapport à une situation fictive ($\mathcal{S}it_0^*$), telle que $\mathcal{S}it_0^* * \mathcal{S}it_0$ Cette notion va nous permettre de rendre compte du statut de *on* qui, en tant que sujet (dans le sens « sujet humain ») de ces assertions repérées par rapport à un repère fictif, pourra être considéré comme un sujet fictif ($S * \mathcal{S}_0$). La relation $*$ permet de rendre compte du fait que *on* peut avoir la valeur $S \omega \mathcal{S}_0$, ou la valeur $S = \mathcal{S}_0$, ou la valeur $S \neq \mathcal{S}_0$ (qu'on peut noter aussi $S = \mathcal{S}'_0$), ou *à la fois* $S \omega \mathcal{S}_0$ et $S = \mathcal{S}_0$. Les valeurs $s = \mathcal{S}_0$ (*on* se référant strictement à l'énonciateur) et $S \neq \mathcal{S}_0$(*on* se référant au(x) co-énonciateur(s)) se rencontrent peu dans notre corpus, mais sont très fréquentes dans la langue parlée. Nous avons vu que, dans les contextes de type a), *on* a habituellement la valeur $S \omega \mathcal{S}_0$. Dans les contextes de type b), *on* a les deux valeurs $S = \mathcal{S}_0$ et $S \omega \mathcal{S}_0$ à la fois.

2. LES OPERATIONS DE REPERAGE DES PROCES PAR RAPPORT A LA SITUATION D'ENONCIATION

Nous reprendrons systématiquement, dans cette deuxième partie, les observations concernant les repérages spatio-temporels des procès. Nous envisagerons successivement les repérages temporels et les repérages spatiaux.

2. 1. Les repérages temporels

La presse comporte à première vue de très nombreuses traces d'opérations de repérage temporel des procès de type déictique, aussi bien en ce qui concerne les adverbes de temps que les temps verbaux (temps du « discours », selon Benveniste).

Dans un texte écrit dissocié par définition de ses coordonnées énonciatives, et en particulier du moment où il a été écrit, comment peuvent fonctionner des repérages temporels de type déictique pour permettre aux co-énonciateurs de construire les mêmes valeurs référentielles ? Il semble, en fait, qu'il soit toujours nécessaire de verbaliser l'axe de repérage ($T = \mathcal{C}_0$) sous la forme d'une date. C'est l'usage dans la correspondance (une lettre est datée ; et signée d'ailleurs) ; c'est également l'usage dans la presse : un journal est daté. Et F. Atlani a pu fort justement noter que cet axe que représente la date est plutôt référé au moment de la lecture qu'au moment de l'écriture [50]. Cette date va servir d'axe de repérage pour la totalité du numéro, bien qu'encore il puisse, comme on va le voir plus loin, y avoir quelque flottement.

Bien que leur fonctionnement soit lié, nous analyserons d'abord les repérages marqués par des adverbes de temps, puis les repérages marqués par le temps des verbes.

2. 1. 1. Les adverbes de temps

Les textes de presse comportent de très nombreux adverbes de temps de type déictique. On pourra distinguer : i) les expressions purement déictiques : *aujourd'hui, hier, demain, actuellement, la semaine prochaine, jusqu'à présent, il y a deux ans, dimanche dernier, cette année* . . ., qui expriment des relations soit $T = \mathcal{C}_0$, soit $T \neq \mathcal{C}_0$, déterminant soit le moment du procès, soit la borne - gauche ou droite - de l'intervalle de temps correspondant au procès. Certaines sont ambiguës, tel *dimanche* qui peut avoir la valeur soit « dimanche prochain », soit « dimanche dernier ». L'ambiguïté est généralement levée par le temps verbal. Ces expressions purement déictiques comportent toutefois une valeur notionnelle de l'ordre des unités de temps (le jour, la semaine, le mois, l'année . . .). ii) les expressions partiellement déictiques : *ce lundi* (par opposition à *aujourd'hui*), *ce lundi 8 août*, *le 31 août prochain*, *le dimanche 7 août* (par opposition à *dimanche dernier*, l'occurrence figurant dans M du 9 août), *le 26 juillet*. Je considère ces expressions comme partiellement déictiques parce qu'elles comportent à la fois une part de repérage « objectif » de type date, et une part de repérage « subjectif » (elles nécessitent, pour avoir une valeur référentielle, la référence à la date du journal, au minimum à l'année, pour *le 26 juillet*, par exemple).

On trouve également dans la presse des adverbes de temps de type non-déictiques : des dates ; des expressions comme *alors*, *l'autre soir*, *autrefois*, *un jour* . . ., qui constituent soit des repérages circulaires (ne renvoyant qu'au moment du procès lui-même), soit des repérages anaphoriques ou déterminés contextuellement ; ou des repérages par rapport à un autre procès énoncé (*durant les conflits indochinois* ; *au lendemain de la révolution* ; *pendant le concile*).

On trouve aussi dans la presse des emplois d'adverbes de temps « normalement » déictiques, mais dont le contexte - et en particulier le temps verbal - sélectionne une interprétation déterminée contextuellement :

(179) Les hommes partis pour le continent, étaient restés les vieux, les enfants et les chats, et les camionnettes *maintenant* venaient apporter la nourriture. Et puis quelques garçons déterminés sont venus. (M p. 8).

(180) Erulin rentré dans l'ombre, le ministère tentait *maintenant* de l'y laisser le plus longtemps possible. (L p. 7).

Maintenant avec un imparfait, qui a la valeur aspectuelle « ouvert », correspond à un intervalle de temps non défini par rapport à $\mathcal{T}_o$ mais par rapport à la borne droite du procès à valeur aspectuelle « fermé » du contexte-avant (*les hommes partis* ; *Erulin rentré* . . .)

Les repérages temporels déictiques sont effectués en fonction de la date du journal. On peut donc envisager de les considérer comme déterminés contextuellement, et comme on l'a déjà vu, il peut ne pas y avoir contradiction entre détermination contextuelle et détermination déictique : le contexte est considéré comme la verbalisation de la situation d'énonciation. Toutefois, on rencontre des énoncés dans la presse quotidienne dans lesquels ce n'est pas en fonction de la date du journal que sont effectués les repérages temporels.

C'est très fréquemment le cas dans *le Monde* qui, comme F. Atlani l'a noté [51], présente la particularité de porter la date du lendemain du jour où il paraît, et donc du lendemain du jour où il est lu, du moins par les lecteurs parisiens. Ce fait a une incidence sur l'emploi des adverbes de temps, du moins sur ceux d'entre eux qui repèrent les procès énoncés en unités de jour. *Le Monde* n'emploie guère *hier* et *demain*, et n'emploie *aujourd'hui* que dans le sens large de « actuellement » et non pas de « le jour où *je* parle ». Pas une seule occurrence de *hier* dans M, alors que tous les autres quotidiens en font un emploi important (10 occurrences sur la page 3 de A ; 6 occurrences sur la page 4 de F ; 6 occurrences sur la page 4 de FS ; 3 occurrences sur la page 7 de L). Une seule occurrence de *demain* dans M, en position de déterminant du nom, que l'on interprète pas en termes de « jour » :

(181) De toute façon, le projecteur commence à se braquer sur les ressorts du chômage et prépare enfin l'action de *demain*. (M p. 10).

Par contre, il y a 20 occurrences de *aujourd'hui*, qui, à l'exception peut-être de (186), sont toutes interprétées au sens large :

(182) *Aujourd'hui*, les Etats-Unis mettent en chantier . . .(p. 7)

(183) Venu « à l'aide », il se demande *aujourd'hui* qui aide qui. (p. 2).

(184) Chaque direction « zonale » comprend *aujourd'hui* plus de laics que de clercs (p. 2).

(185) *Aujourd'hui* que le destin dessine (. . .) l'épilogue de la tragédie chypriote (. . .) (p. 4).

(186) C'est le peuple tout entier de Chypre qui répond *aujourd'hui*. (p. 4).

(187) Celui qui, tout au long de sa vie politique, a su dire « non » (. . .), laisse *aujourd'hui* à ses successeurs. . .(id)

(188) Il devient *aujourd'hui* nécessaire et urgent de convoquer la conférence internationale. (id).

(189) Un grand nombre de personnes qui, *auparavant*, tentaient de (. . .), orientent *aujourd'hui* leur recherche vers . . . (p. 9).

(190) Le taux d'inscription à l'agence, qui avait connu une forte progression *entre 1975 et 1976*, tend toutefois *aujourd'hui* à se stabiliser. (p. 9).

(191) Encore faut-il qu'on ait conscience du danger et la volonté d'y parer, ce qui ne semble pas être le cas *aujourd'hui*. (p. 10).

(192) *Aujourd'hui*, le fait que les deux députés de la Lozère soient (. . .) prouve que (. . .) (p. 7).

(193) *Aujourd'hui*, les Lozériens demandent un droit. (p. 7).

(194) *Aujourd'hui*, son Dictionnaire (. . .) figure dans toutes les bonnes bibliothèques. (p. 12).

(195) Ils sont animés (. . .) par leur « vécu », comme on dit *aujourd'hui*. (p. 13).

(196) C'est bien ce « triste spectacle » que donne *aujourd'hui* (. . .) le manteau d'Arlequin des Eglises. (p. 16).

(197) *Aujourd'hui*, la préfecture de l'Essonne prend en charge les pensionnaires de plus de 65 ans. (p. 16).

(198) La colonie, qui s'élevait *après la guerre* à 700 personnes, n'en compte plus *aujourd'hui* que 300. (p. 16).

(199) L'étang de St-Quentin fournissait *autrefois* une eau pure. *Aujourd'hui*, les eaux qu'il reçoit charrient bien des déchets . . . (p. 16).

(200) Il défendait avec courage - et il en faut *aujourd'hui* en Argentine - (. . .) (p. 20).

(201) *Aujourd'hui*, tous les salariés sont payés par virement, ce qui était loin d'être le cas *il y dix ans*. (p. 10).

Notons que, dans toutes les occurrences, le verbe est au présent. Notons également les relations contrastives entre *aujourd'hui* et *auparavant* (189), *entre 1975 et 1976* (190), *il y a dix ans* (201), *après la guerre* (198) et *autrefois* (199), qui contribuent à l'interprétation « au sens large » de *aujourd'hui*.

Pour comprendre pourquoi toutes ces occurrences de *aujourd'hui* sont interprétées « au sens large », nous allons examiner quelques occurrences de *aujourd'hui* dans d'autres quotidiens :

(202) De là l'importance (. . .) que revêtira cette fois la sélection du colistier dont le nom doit être connu *aujourd'hui*. (F. p. 1).

(203) Un procès spectaculaire (. . .) devrait s'ouvrir *aujourd'hui* à Téhéran. (id).

(204) . . . l'open britannique sera disputé *à partir d'aujourd'hui et jusqu'à dimanche* . . . (F. p. 15).

(205) Je suis à peu près certain que la télévision . . . va subir *aujourd'hui* une sévère défaite. (FS p. 19).

(206) Roy Jenkins . . . a discuté *hier* . . . Il *doit* s'entretenir *aujourd'hui* avec plusieurs membres du gouvernement français. (A. p. 3).

(207) *Aujourd'hui*, nous avons pensé à mettre au menu du boudin noir . . . (FS p. 6).

(208) Le conseil interministériel (. . .) se réunit *aujourd'hui à 11 h* à l'Elysée. Autour du président (. . .) seront présents (. . .) (F. p. 4).

(209) *Aujourd'hui, à 20 h*, à Chateauroux, l'équipe de France militaire affronte la Hollande dans un match. . . (FS p. 13).

Dans tous ces exemples, *aujourd'hui* a la valeur de « jour » identifié à la date du journal, interprétation renforcée par les relations contrastives avec *jusqu'à dimanche* (204) et *hier* (206). On remarque que, dans tous les exemples sauf (208) et (209), les verbes sont soit au passé composé, soit à une forme de prospectif et de non-certain (futur ; *devoir* + infinitif ; *aller* + inf.). Si en (208) et (209) le verbe est au présent, *aujourd'hui* y est précisé par une indication d'heure, et en (208) le verbe de l'énoncé suivant est au futur.

Il en va de même dans les exemples comportant *ce matin*, *ce soir* . . . , spécifications de *aujourd'hui* (adverbes également absents dans M) :

(210) Le meeting « sport 2000 » rassemblera *ce soir* au stade Charlety . . . (F p. 15).

(211) La grève SNCF a fortement perturbé le trafic *ce matin*. (FS p. 1).

(212) Ses autres succès, vous les entendrez *ce soir* dans l'émission (. . .) à 23 h sur Antenne 2. (FS p. 20).

Cet emploi des temps, dans leur double valeur temporelle et modale, avec *aujourd'hui* ne saurait surprendre : s'il est question d'événements repérés de façon précise dans le temps par rapport à *aujourd'hui*, ils ne peuvent guère être que soit révolus, soit à-venir (avec la valeur modale que cela implique). J'avais déjà relevé [52] la nécessité de marquer les relations d'antériorité et de postériorité par rapport à $\mathcal{C}_o$ dans le « discours », alors que dans un texte d' « histoire », les événements n'étant pas repérés par rapport à un axe, il peut y avoir très peu de relations d'antériorité/postériorité (entre procès énoncés) marquées par les temps verbaux (cf. plus loin, à propos de la valeur aoristique).

Intervient également le type de procès : avec des procès notionnellement non-bornés on aura plus fréquemment le présent (à valeur aspectuelle « ouvert » ; cf. plus loin à propos du présent). Dans les exemples (182) à (201), les procès sont presque tous de type non-borné, et lorsqu'ils sont de type borné, ils sont interprétés comme des itératifs (la valeur aspectuelle « ouvert » du présent vaut pour la série).

Si *Le Monde* n'emploie pas *aujourd'hui* dans le sens de « jour », il emploie par contre beaucoup les expressions partiellement déictiques du type *ce lundi*, qui désignent habituellement le jour de la parution, et non pas la date que porte le journal. Il s'agit à la fois d'expressions plus déictiques qu'*aujourd'hui* dans leur fonctionnement, en ce sens qu'elles ne sont pas identifiées à la détermination contextuelle de la date, mais au jour de la parution, qui n'est pas verbalisé, et moins déictiques dans leur forme.

Même relation dans M entre la désignation du jour de la parution (*ce lundi...*) et l'emploi des temps qu'avec *aujourd'hui* dans les autres quotidiens :

(213) M. Akbar Etemad (. . .) doit en principe entamer, *ce lundi* à Washington, des négociations dont (. . .) (M p. 1).

(214) « Le Matin » a publié, *ce lundi 8 août*, une interview (. . .) (M p. 1).

(215) Interrogé au cours du journal télévisé de TF 1, *lundi 8 août à 13 h*, M. Michel d'Ornano (. . .) a déclaré que (. . .) (M p. 5).

(216) La lecture du jugement, dont on ne connaîtra que *ce lundi à 17 h* les motivations précises (. . .) (M p. 6).

(217) Les corps des victimes ont été découverts, *ce lundi 8 août*, par la gendarmerie de Barentin. (M p. 15).

(218) *Lundi 8 août, à 8 heures*, la pression atmosphérique réduite au niveau de la mer *était* (. . .) (M p. 15).

(219) De nouveaux progrès ont été accomplis *lundi* . . . (M p. 19).

(220) (. . .) le cercueil de l'archevêque Makarios a parcouru, *ce lundi matin* (. . .) (M p. 20).

(221) La police a expulsé, *lundi matin 8 août, à 6 h 30* (. . .) (M p. 20).

(222) M. Cyrus Vance (. . .) devait mener, *ce lundi 8 août*, des entretiens (. . .) (M p. 3) [53].

Il n'y a que trois occurrences de désignation du jour de la parution (de moins en moins déictiques) dans M qui soient construites avec le présent :

(223) Il est significatif que le journal du P.C.F. publie *ce lundi* . . . (M p. 5).

(224) *L'Humanité de lundi* fait état de . . . (M p. 5).

(225) Le quotidien « Libération » publie, *lundi 8 août*, . . . (M p. 6).

Notons que, dans ces trois cas, le sujet de l'énoncé se réfère à un texte (cf. plus loin les présents repérés par rapport à un texte).

Il y a certes également dans les autres quotidiens des emplois de *aujourd'hui* dans le sens large de « actuellement » (ou ambigus). Ils sont également au présent :

(226) Le journaliste (. . .) publie *aujourd'hui* une « Histoire . . . » (F p. 5).

(227) Dans ce débat qui (. . .), un homme apparaît *aujourd'hui* en « vedette » (FS p. 1).

Le flottement que l'on a pu constater dans M (les procès sont-ils repérés par rapport à la date du journal ou par rapport au moment de la parution ?) [54] se rencontre aussi occasionnellement dans les autres quotidiens. Il semble que *ce matin* soit habituellement construit avec le futur dans les journaux du matin et avec le passé composé dans les journaux du soir (cf. (211)).

Que penser de l'exemple suivant paru dans FS daté du jeudi 27 janvier 1977 :

(228) Me Badinter ***sera***, ***ce mercredi***, sur Antenne 2, « Le grand témoin » de Jean-Marie Cavada, à l'émission « C'est-à-dire » à 21 h 30. (FS p. 1).

Lapsus du journaliste, pour qui c'était encore à-venir, alors que c'est du révolu par rapport à la date du journal ?

Autre exemple curieux, à propos d'un même événement dans le même numéro de L :

(229) L'audience se poursuivait ***cette nuit*** pour Franco Piperno et Lanfranco Pace devant la chambre d'accusation. (L titre p. 1).
Chambre d'accusation - L'audience se poursuivait ***hier dans la nuit***. (L titre p. 20).
L'audience . . . ***doit*** se poursuivre ***fort tard dans la soirée***. (L p. 20 - dernière phrase de l'article).

Cette nuit (« la nuit à-venir » ou « la nuit passée ») est désambiguisé par l'imparfait. Que penser du prospectif de la dernière phrase ? Repéré par rapport au moment où le journaliste a écrit son article ? Dans ce cas les titres de la rédaction ne seraient pas construits de la même façon que les énoncés du journaliste-reporter. Ou bien s'agit-il d'un présent à valeur aoristique ?

Il y a donc quelques adverbes déictiques de temps dans la presse qui sont repérés par rapport à un $\mathcal{T}_0$ qui n'est pas identifié à la date du journal, même si massivement la plupart des déictiques sont repérés par rapport à cette date.

2. 1. 2. Les temps

On l'a déjà dit, la presse emploie essentiellement les temps dits « du discours » (présent, passé composé, futur), c'est-à-dire les temps qui sont repérés par rapport à un $\mathcal{T}_0$ dont la date du journal peut être considérée comme la verbalisation.

2. 1. 2. 1. Le présent

La valeur du présent consiste en une identification du moment du procès avec le moment de l'énonciation ($T = \mathcal{T}_0$) et du point de vue aspectuel il définit un intervalle de temps « ouvert » (non-borné à droite). Comme on l'a déjà vu, on trouve plus fréquemment des relations de type $T \neq \mathcal{T}_0$ que de type $T = \mathcal{T}_0$. C'est surtout des procès notionnellement non-bornés qui sont exprimés au présent (à valeur $T = \mathcal{T}_0$). En voici quelques exemples tirés de la page 1 de M :

(230) ***N'en font plus partie*** une dizaine de ministres . . . Les principaux membres du précédent cabinet ***conservent*** leurs postes, notamment . . . M. Houchang Ansari, qui ***garde*** . . . pour palier la pénurie de main-d'oeuvre qui ***affecte*** . . .

(231) La controverse. . . ***continue de*** se développer . . . Le problème nucléaire ***demeure*** cependant au centre du débat . . . Le jugement, qui ***comporte*** 6 peines d'emprisonnement ferme, a été mal accueilli.

(232) Mais, même s'ils ont du mal à . . . , les pays de l' ASEAN ***maintiennent*** . . . la cohésion . . .

(233) Locarno, contrairement à ce que beaucoup de gens *croient*, n'*est* pas en Italie, mais en Suisse.

Avec des procès notionnellement bornés, le présent est souvent interprété comme itératif (la valeur aspectuelle « ouvert » porte sur la série de procès et non sur un procès unique) :

(234) Il y a 700 invités (. . .) et un public de touristes et de Tessinois qui, *le soir*, *fait monter parfois* à 3 500 le nombre des spectateurs. (M p. 1).

(235) « Dom Pelé » : c'est ainsi que *les* Brésiliens (. . .) *appellent* le seul, de leurs quelques 300 évêques, qu'ils considèrent comme noir. (M p. 1).

L'interprétation itérative du présent est renforcée par *parfois* et *le soir* ($\neq$ un soir déterminé) dans (234), et par le pluriel du sujet dans (235).

Se trouvent également au présent des verbes qui, notionnellement, n'expriment pas des procès impliquant un repérage temporel :

(236) L'analyse *montre que* le phénomène a été moins sensible en Province qu'à Paris. (L p. 5).

(237) Cet « incident » *dénote que* désormais le gouvernement français seul décide. (L p. 7).

(238) (. . .) *ce qui veut dire que* la France a fait seule le tri. (L p. 7).

(239) Angelo Ventura (. . .) a été blessé hier matin (. . .) Cet attentat *est* le troisième commis dans cette ville. (L p. 2).

Le présent de ces verbes peut être interprété comme la seule trace du fait qu'il s'agit bien là d'opérations de l'énonciateur malgré l'apparence d'opérateurs logiques de ces verbes. Notons que dans la plupart des exemples ils portent sur un procès qui est repéré comme révolu (*le phénomène a été* ; *la France a fait* ; *A. V. a été blessé*).

De même, on trouve habituellement au présent les constructions modalisatrices :

(240) Le séjour hors d'Iran du premier ministre (. . .) *semble* avoir retardé . . . (M p. 1).

(241) Et tout *laisse croire* à son amplification après les déclarations de M. Mitterrand (M p. 1).

(242) *Il est vrai qu*'entretemps, la « jeunesse » centrafricaine (. . .) avait décidé de . . . (L p. 7).

(243) A dire vrai, *il est curieux que* personne n'ait songé . . . (M p. 10).

De même qu'est presque toujours au présent l'opérateur de thématisation *c'est*.

Tous les présents dans la presse n'ont pas la valeur T $= \mathscr{C}_o$. Nous allons le voir plus loin.

2. 1. 2. 2. Le passé simple

Si la presse emploie massivement les temps dits du « discours », elle emploie aussi le passé simple, l'aoriste par excellence en français. On verra plus loin que les temps dits « du discours » peuvent avoir, dans certains contextes, une valeur aoristique. On examinera également le fonctionnement de l'imparfait et du plus-que-parfait, qui appartiennent aux deux plans d'énonciation selon Benveniste.

Ce que l'on entend par aoriste c'est : d'une part une relation de non-repérage par rapport au moment de l'énonciation ($T \; \omega \; \mathcal{T}_0$) ; mais il peut y avoir repérage par rapport à une détermination contextuelle. D'autre part la valeur aspectuelle « fermé - non adjacent » ou « compact » [55]. En tant que « fermé », l'aoriste s'oppose au présent et à l'imparfait qui sont des « ouvert ». En tant que « non-adjacent », l'aoriste s'oppose au passé composé qui a la valeur « fermé-adjacent » [56] du fait qu'il est repéré par rapport à $\mathcal{T}_0$. C'est cette propriété de non-adjacence qui explique le fait qu'une série d'aoristes exprime la successivité. Inversement, c'est l'adjacence par rapport à $\mathcal{T}_0$ qui rend le passé composé impropre au récit (cf. le caractère artificiel d'un roman comme *L'étranger* de Camus), et si l'on n'utilise pas le passé simple dans un récit - à l'oral par exemple - on emploiera plutôt le présent, à valeur aoristique, après un éventuel début au passé composé. Une série de passés composés n'exprime pas la consécution si elle n'est pas marquée par des adverbes (*puis, ensuite*. . .). On en verra des exemples plus loin (cf. également *L'étranger*).

Nous envisagerons d'abord les emplois du passé simple (ps), avant de traiter de la valeur aoristique des autres temps.

Il n'y a pas beaucoup d'occurrences du ps dans la presse quotidienne.

D'autre part, contrairement à une opinion très répandue [57], le ps est plutôt d'un emploi moins répandu dans *le Monde* que dans les autres quotidiens (je n'ai pas travaillé sur *Paris-Match*. . .). J'ai relevé une centaine d'occurrences du ps dans M, concentrées d'ailleurs dans 19 articles (sur une centaine), dont 10 comportent au moins 5 occurrences de ps. Ce fait soulève à nouveau la question, sur laquelle on reviendra, de la spécificité de certaines rubriques. D'autre part, j'ai été frappée par le nombre important d'occurrences du ps du verbe être - c'est souvent la seule occurrence de ps dans un article. Pourquoi cette fréquence exceptionnelle de la combinaison ps + *être*, qu'on pourrait rapprocher du fait qu'en bavarois, par exemple, les seuls verbes employés au prétérit sont les auxiliaires - *sein*, *haben* et les modaux - les autres verbes n'étant employés qu'au perfekt ? [58].

Il n'y a pas un seul article dans mon corpus entièrement construit sur l'emploi des temps de l'histoire. Je vais donc tenter de rendre compte de la manière dont s'articulent les emplois du ps avec les temps - et déterminations contextuelles - de leurs contextes.

Peut-on dire, comme le fait F. Atlani [59] : « Dans les articles d'information de la presse quotidienne le système temporel fonctionne tantôt sur le mode d'énonciation « discours », et dans ce cas le temps linguistique est repéré par rapport au présent d'énonciation des lecteurs, tantôt sur le mode d'énonciation « histoire ». La répartition se fait assez simplement puisque le passage d'un mode d'énonciation à un autre s'accompagne généralement d'un changement d'objet référentiel » ?.

Nous allons commencer par une rubrique particulièrement riche en ps : les articles nécrologiques. Il y en a quatre dans M. Ils regroupent à eux seuls 40 occurrences de ps.

Le premier, *Mort de M. Paul Chaudet* (p. 4) est construit de la façon suivante : le premier énoncé est au passé composé (*M. P.C.* (. . .) *est décédé, le dimanche 7 août*). Il est suivi d'une série de passé composé (pc) - la moitié de l'article -, puis d'une série de ps :

(244) M. P.C. . . ***est décédé le dimanche** 7 **août**.* . . Il ***était*** âgé de 72 ans. . . . P.C. ***a été*** l'un des notables du parti radical vaudois dont l'influence ***a longtemps été*** prépondérante. . . Il ***a*** lui-même ***pratiqué*** le métier de son père. S'il n'***a*** pas ***fréquenté*** l'université, cela ne l'***a*** pas ***empêché*** de . . . Il ***a d'abord été*** syndic (maire) de son village natal . . .
il ***entra*** au gouvernement helvétique ***en 1955. Pendant les douze ans qu'il passa*** à la tête du département militaire fédéral, il ***s'attacha*** à réorganiser et à moderniser l'armée suisse. L'augmentation du budget militaire qu'***entraina*** cette politique ***suscita*** des réserves dans une partie de l'opinion publique. Les critiques se ***firent*** encore plus pressantes ***à partir de 1964*** avec l'éclatement de l'affaire des Mirage. Sous les pressions de ses adversaires, Paul Chaudet ***fut*** amené à démissionner du Conseil fédéral ***en 1966***. A deux reprises, ***en 1959 et 1962***, il ***avait été*** président de la Confédération.

Les ps sont déterminés contextuellement par des adverbes de temps non-déictiques. Quant aux pc, le premier est repéré par rapport à une détermination contextuelle partiellement déictique (il n'y a pas d'indication de l'année). Les suivants ne sont pas repérés par rapport à des déterminations contextuelles, à l'exception de « a *longtemps* été » et du dernier pc « il a *d'abord* été » qui est repéré par rapport à une détermination contextuelle d'ordre chronologique, et qui assure la transition avec la suite de l'article au ps. Un seul imparfait (imp) *était* portant sur un procès notionnellement non-borné ; il est repéré par rapport à la détermination temporelle de l'énoncé précédent. Nous reviendrons plus loin sur le plus-que-parfait (pqp) avec lequel se termine le texte.

La construction de cet article est exemplaire : un pc partiellement repéré par rapport à $\mathscr{C}_0$; puis une série de pc sans relations d' « ordre » (ou de « temps relatif », dans le sens que Jakobson donne à ces termes) ; un dernier pc avec une détermination d'ordre (*d'abord*) ; puis des ps. On retrouvera ce type de construction textuelle à propos des présents à valeur aoristique. Il semblerait difficile de dire ici que le changement de temps, du pc au ps, va de pair avec un changement d'objet référentiel.

Le second des articles nécrologiques (*Mort de Sir Alexander Bustamante* . . . p. 20) commence de façon semblable (pc + détermination temporelle partiellement déictique), mais présente des emplois du pqp que nous retrouverons plus loin :

(245) Sir A.B. . . .*est mort le 6 août* . . . Né en 1884 . . . , Sir A.B. *avait quitté* l'île *à l'âge de 19 ans* . . . et n'*était apparu* sur la scène politique . . . que *peu avant la 2e guerre mondiale.* Il *eut souvent* maille à partir avec . . . et *fut* emprisonné *pendant deux ans. Après* avoir formé *en 1942.* . . , il *fut*, pour la première fois *en 1944*, élu à la chambre. . . C'*est* lui qui, *après* l'indépendance, *en 1962, forma* le 1er gouvernement. Mais la maladie *l'obligea, en 1967*, à se démettre . . .

Une seule occurrence de présent : *c'est lui*, opérateur de thématisation.

Les deux autres articles nécrologiques ont une structure plus complexe. Voyons le 1er (*Le cardinal Staffa est mort* p. 16) :

(246) Le cardinal Dino Staffa . . . *est mort le 7 août* . . . La disparition du cardinal Staffa *ramène* à 134 le nombre des membres du Sacré Collège. . . *Né* à Lugo . . . *le 14 mars 1906*, le cardinal Staffa *fut ordonné* prêtre *en 1929, nommé* évêque *en 1960*, et cardinal par Paul VI *en 1967*. Il *était* auditeur . . . *depuis 1944, puis devint en 1958* secrétaire de . . . , ce qui lui *permit* de . . . Le prélat *fut* un homme de tradition. *Pendant le concile*, il s'*est fait* remarquer . . .Certains observateurs *ont vu* en lui . . . Le cardinal Staffa se *définissait* comme . . . Il n'en *était* pas moins un opposant à la collégialité, qui lui *paraissait* empiéter sur les droits personnels du pape.

Deux pc apparaissent après une série de ps, avec une détermination contextuelle non-déictique (*pendant le concile*), à vrai dire non-datée. D'autre part, le 1er pc est suivi d'un présent sans détermination contextuelle, qu'on interprète donc en référence au moment de l'énonciation.

S'il y a une abondance exceptionnelle de ps dans les articles nécrologiques, c'est peut-être parce que ce sont des textes dans lesquels il n'est guère question d'actualité (la seule actualité étant la mort, qui est toujours exprimée au pc, donc repérée par rapport à $\mathcal{T}_0$), mais dans lesquels est retracée la vie de la personne, les événements étant repérés par rapport à la chronologie « objective » du calendrier.

On rencontre toutefois aussi des ps dans les articles d'actualité. En voici un exemple : dans l'article de M p. 7, intitulé, au pc, *La manifestation de Naussac a relancé le débat sur l'aménagement du monde rural*, on trouve 9 occurrences de ps (pour 25 imparfaits, 17 pc, 14 présents et 3 pqp) :

(247) *Dimanche matin*, le Père Jean Cardonnel *a célébré* à Naussac une messe en plein air, qui *ressemblait* aux assemblées des premiers chrétiens, « ces partisans et ces terroristes », comme il les *qualifia*. . . . Le défilé *commença dimanche vers 16 h* . . . Mais *quand* l'un des organisateurs *rappela* au micro . . . que les « casseurs » éventuels étaient indésirables, il y *eut* plus qu'un flottement. Un millier de manifestants vexés *menacèrent* de . . . *Après excuses et explications*, ils *emboitèrent* le pas à ceux qui *se dirigeaient* vers le village . . . *Vers 19 h* . . . la dislocation se *fit* sans incidents. Cependant, quelques centaines de jeunes gens *décidèrent* . . . *Au bout d'une heure et demie*, on *leva* le camp de part et d'autre.

Avec les déterminations contextuelles partiellement déictiques (*dimanche matin* ; *dimanche vers 16 h*) on a un pc, pour la 1e, et un ps, pour la 2e. Notons que les ps suivants ne sont plus associés qu'à des déterminations non-déictiques. Notons le *on* de la dernière phrase, interprété, ds ce contexte, comme s $\omega\, \mathcal{S}_0$. On a donc là un exemple de mixage d'opérations de repérage des procès de type déictique et de type contextuel, à propos d'une série d'événements repérés globalement par rapport à $\mathcal{T}_0$.

L'association du ps et d'une détermination contextuelle déictique ou partiellement déictique est très rare dans M. A part l'exemple ci-dessus, je n'en ai relevé que deux occurrences (et dans le même article) :

(248) Tel ***fut*** le cas, ***au début de juin, . . . quand*** les GRAPO ***assassinèrent*** 2 gardes civils . . . (M. p. 4).

Traqué par la police ***dans la nuit de vendredi à samedi***, M. Luis Torrijo Cantero ***se réfugia*** dans un immeuble. (id)

A ce propos, je voudrais revenir sur deux exemples que cite F. Atlani [60].

Les voici :

(249) Dans la brume et sous une pluie fine qui doucement élimine la neige salie par la poussière des crassiers, Longwy, le Longwy des hommes ***est parti*** au travail ***ce mardi matin 23 janvier***. (Le Monde daté du mercredi 24 janvier 1979).

(250) A Verdun (Meuse) une cinquantaine de militants de la CGT de Longwy ***occupèrent mardi matin*** l'hôtel des impôts pour protester contre la « désertification de la région » (id).

Du deuxième exemple F. Atlani dit qu'il « ne peut pas s'adresser à des lecteurs parisiens qui eux en sont encore » mardi 23 janvier « ! » Et elle ajoute : « Le fait que ce soit un passé simple importe peu pour notre propos : le mardi matin est présenté comme un passé ».

En quoi le ps serait-il plus du « passé » que le pc ? On pourrait au contraire considérer que le pc exprime plus le passé que le ps, dans la mesure où il est repéré par rapport à $\mathcal{T}_0$, alors que le ps ne l'est pas. De toute façon, *Le Monde* paraissant l'après-midi, le mardi matin est du « passé » pour les lecteurs, même parisiens. Par contre, il est cohérent de trouver le temps déictique avec l'adverbe déictique (« *ce* mardi »), et le temps aoristique avec l'adverbe moins déictique (« mardi »), partiellement déictique quand-même.

On rencontre plus fréquemment le ps avec des adverbes déictiques dans les autres quotidiens que dans *Le Monde* :

(251) C'est ***au mois de juin dernier*** en effet que Just Fontaine ***quitta*** la capitale. (FS p. 13).

(252) L'enterrement de l'un d'eux ***donna lieu récemment*** à une fusillade. (F p. 3).

(253) Sa désignation peut être considérée comme . . . un apaisement donné en particulier aux populations qui ***manifestèrent*** à Tizi Ouzou, ***en avril dernier***. (F p. 3).

On y trouve également plus souvent des relations contrastives entre ps et temps repérés par rapport à $\mathcal{T}_0$:

(254) *Aujourd'hui*, Miou-Miou, qui *démarra*, comme nul ne l'*ignore*, au Café de la Gare . . . *peut* choisir et *sait* choisir. (FS p. 17).

(255) *Aujourd'hui*, paradoxalement dans le pays même où *put* se développer le maccartysme, il *vient de* réaliser . . . (FS p. 17).

(256) *Oui*, c'*est* exact. Les milliers de grognards écossais qui *empliront* les tribunes *jusqu'à dimanche* sont ceux qui *inventèrent* le golf. (F p. 15).

(257) Ils *veulent* retrouver et redistribuer au plus grand nombre, ce trésor qui *fut* français. (A. p. 1).

(258) Jean-Claude Genoud-Prachez, ce jeune francais de 27 ans, libéré *dimanche* des geôles algériennes où il *fut* maintenu *pendant plus de 54 mois* . . . n' *est* jamais *passé* en jugement. *A son arrivée à Annemasse* . . . , où il *habite* chez ses parents, il *évoqua* le sort des Français . . . (A. 1).

C'est sans doute pour ces raisons que *Le Monde* emploie moins de ps.

En conclusion : on trouve des emplois du ps dans la presse quotidienne, pour une large majorité des exemples avec des déterminations contextuelles non-déictiques, et en relation avec des procès eux-mêmes repérés de façon déictique.

Si le ps est l'aoriste par excellence en français, d'autres temps peuvent avoir la valeur aoristique, c'est-à-dire la double valeur i. de non-repérage par rapport à $\mathcal{C}_0$, ii. la valeur aspectuelle « fermé - non-adjacent ».

2. 1. 2. 3. Le présent à valeur aoristique

C' est en particulier le cas du présent (prs). Tous les prs de notre corpus n'ont pas la valeur $T = \mathcal{C}_0$, on en a déjà vu des exemples, certains ont la valeur $T \omega \mathcal{C}_0$. D'une part, ils sont repérés par des déterminations contextuelles de type $T \omega \mathcal{C}_0$ ou $T \neq \mathcal{C}_0$, ce qui exclut l'interprétation $T = \mathcal{C}_0$ du prs. D'autre part, lorsque, dans une série de prs, sont marquées des relations d'ordre, ils ne peuvent avoir la valeur $T = \mathcal{C}_0$. La propriété aspectuelle « ouvert » de cette valeur rend les prs impropres à exprimer la successivité. Une succession de procès doit comporter, s'ils sont repérés par rapport à $\mathcal{C}_0$, la marque, au niveau des temps, des relations d'antériorité/postériorité. Autrement dit, certains procès sont exprimés au prs, d'autres au pc, et d'autres au futur (ou autre forme de prospectif).

La presse fait un usage important du prs aoristique (le récit oral aussi). On trouve des articles construits essentiellement sur l'emploi des prs aoristiques (et assez proches de la construction des articles nécrologiques, qui peuvent être au prs d'ailleurs). Par exemple, dans M p. 3 : *M. Hoveyda : le « secrétaire de l'empereur »*. L'article commence par un pc avec une détermination contextuelle déictique (« pendant les douze dernières années »), puis des imparfaits, dont un à valeur aoristique (cf. (284)), puis un prs à valeur $T = \mathcal{C}_0$, deux pc et un ps (le seul du texte), enfin une série de prs aoristiques :

(259) . . . le 1er ministre sortant *a fait* ses études secondaires au lycée français de Beyrouth. Il *a été ensuite* élève de . . . et de la Sorbonne, où il *obtint* un doctorat en histoire. *En 1942,* il *rentre* dans son pays *alors* occupé. . . *Bientôt,* il

entre dans la carrière diplomatique. *En 1945*, il *est* attaché à l'ambassade d'Iran à Paris. *Après* un bref séjour en Allemagne fédérale, où il *est* deuxième secrétaire. . . il *regagne* Téhéran *en 1951* et *est par la suite* chargé de. . *De 1958 à 1964*, M. Hoveyda *devient* représentant. . . *En 1962*, il *se lance* dans la politique et *devient* . . . A ce titre il *participe* activement . . .Dirigeant *en décembre 1963* du nouveau parti officiel . . . il *devient un an plus tard* ministre des finances du cabinet formé par M. Hassan Ali Mansour . . . qui *jouissait alors* de l'entière confiance du chah. *Après* l'assassinat de . . . *en janvier 1965* . . ., M. Hoveyda *succède* à son ami à la tête du gouvernement. *Reconduit* à son poste *en 1971 et en 1975*, il *a battu depuis lors* tous les records de longévité politique de l'histoire de l'Iran moderne. (M p. 3).

Les déterminations contextuelles associées aux prs sont soit des dates, soit des adverbes d'ordre. Emploi classique de l'imp (*qui jouissait alors*) exprimant un procès « ouvert » repéré par rapport au prs aoristique (auquel se réfère « alors »). Un curieux emploi de *devenir* (procès notionnellement ponctuel) avec une indication de durée (?). Notons enfin que l'article conclut, comme il commence, avec un pc.

On rencontre également des prs aoristiques dans les articles d'actualité. Par exemple, dans l'article déjà cité en (229). Le texte commence par un pc déterminé par *hier soir* et continue au pc, imp, pqp, puis un ps et ensuite des prs :

(260) Devant la tension qui *montait* un certain nombre de personnes *avait commencé* à . . . Les gardes *firent* entrer les journalistes . . . L' avocat général . . . *commence* son réquisitoire par . . . La Cour, *rappelle-t-il*, n'*a* pas à juger sur le fond . . . Elle ne *juge* donc pas de . . . *Pour M. l'avocat général*, 23 des 46 accusations . . . *entrent* dans le cadre des délits qui . . . *permettent* l'extradition. Il *s'agit* de tout ce qui . . . *concerne* le rapt. . . *Sont* évidemment exclus les délits . . . *Puis* l'avocat général *aborde* la discussion . . . M. Dupin *avait* fort à faire. Il *eut* recours à 2 types d'arguments . . . *Selon lui* « la gravité et le caractère odieux » de ces actes les *disqualifient* . . . Il *s'agit* en fait de . . . L'avocat général *demande* l'extradiction de . . . Il *explique enfin* qu'à l'heure où la justice italienne *remportait* des succès . . . , la justice française *devait* être fidèle . . . Commençant une très longue plaidoirie - encore en cours au moment du bouclage de *notre* journal - Me Kiejman . . . *eut* beau jeu de souligner que la cour *était* réunie « pour . . . ». L'audience . . . *doit se poursuivre fort tard dans la soirée.* (L p. 20).

Adverbes de succession associés au prs (« puis », « enfin »). Notons que le passage au prs est encadré par deux ps. Un imp (« était ») : même valeur que dans l'exemple précédent ; suivi d'un ps isolé ; puis retour au prs. Les deux imp suivants (« remportait » et « devait ») sont en discours indirect. Une partie des prs figurent dans des énoncés qui peuvent être considérés comme style indirect libre (SIL), marqué par « rappelle-t-il », « pour M. l' avocat général » et « selon lui », avec le flou habituel sur les frontières du SIL [61]. Enfin l'ambiguïté déjà signalée du prs de la dernière phrase : aoristique, comme les prs qui précèdent, ou $T = \mathcal{C}_0$, repéré par rapport au moment où le journaliste écrit ? (la détermination contextuelle « fort tard dans la soirée » pouvant être aussi bien interprétée comme déictique - « la soirée d'aujourd'hui » - que comme anaphorique - « la soirée de ce jour-là »).

Le plus souvent, les prs aoristiques sont déterminés par une date :

(261) C'est *en 1974* qu'il *s'engage* dans la course (. . .) qu'il *remporte* à deux reprises *en 1975* et *en 1977*. Il *est* troisième *en 1976* et *en 1978*. (F p. 15).

(262) *En 77*, cet officier de 25 ans se *fait* examiner, on lui *diagnostique* un cancer (. . .) il *fait* le lien avec (. . .) *fonde* l'association (. . .) et *part* en campagne. *En 78*, il *déclare* : « (. . .) ». La guerre du Vietnam *s'acheva quelques mois plus tard*. (L p. 8).

Les transitions prs-ps ou ps-prs sont très révélatrices de la valeur aoristique du prs, comme dans l'exemple ci-dessus ou dans (260) ou dans :

(263) *30 juin 1977*. Bertin, Croissant et Gueutal *renvoient* leurs papiers militaires au ministre Bourges et *demandent* par ce geste à bénéficier « à posteriori » du statut des objecteurs de conscience. Pour ce faire ils *appuyèrent* leur demande sur . . . (L p. 6).

(264) Philippe Erulin *de 1955 à 1961 avait* le titre de . . . deux régiments qui *furent* dissous *après le putsch d'Alger*. . . Il *eut* l'occasion de . . . Comme de nombreux officiers . . . *après le putsch*, Erulin *subit* une période de pénitence, mais il *possède* un avantage. . . il *est* officier de la Légion . . . et Erulin *réapparaît soudainement* . . . il *est toujours* à la Légion et *commande maintenant* (. . .) le détachement du 2e REP qui *saute* sur Kolwesi *lors de l'opération du Shaba le 19 mai 79*. Malheureux coup de projecteur, qui le *fait* apparaître . . . Erulin ne *nie* pas ; le ministre de la Défense *invoque* la loi d'amnistie ; Giscard *fait* semblant de . . . et lui *serre* la main . . . ; les militaires *sont* dans leurs petits souliers. *On décide alors* de prendre deux mesures . . . Premièrement, le ministre de la Défense *porte* plainte . . . Deuxièmement, *on* le *nomme* colonel et *on* l'*envoie* pantoufler . . .(L p. 7).

L'ambiguïté de la forme « subit » (prs ou ps) n'est pas levée par le contexte (elle est précédée d'un ps et suivie d'un prs). Pour *on*, cf. (158). Comme dans (179) et (180), « maintenant » n'a pas ici la valeur déictique. Les autres déterminations contextuelles sont toutes non-déictiques.

Si les transitions ps-prs sélectionnent la valeur aoristique du prs, les transitions pc-prs sont plus ambiguës :

(265) Le Congrès américain *hausse* lui aussi le ton. Le sénateur Jackson (. . .) *a qualifié* de « mensonge flagrant » les dénégations soviétiques *et affirme* que . . . (L p.8)

Comment faut-il interpréter le dernier prs ? $T = \mathcal{C}_0$ ou $T \, \omega \, \mathcal{C}_0$ (repéré par rapport au pc précédent) ?

Dans l'exemple suivant, le texte commence par un pc avec une détermination contextuelle partiellement déictique (désignant le jour où M est paru), puis un imp à valeur « ouvert », puis une série de prs que l'on interprète comme se référant à la même situation de référence (cf. les relations notionnelles entre « cercueil » et « obsèques », « parcouru » et « cortège ») :

(266) Le cercueil (. . .) *a parcouru*, *ce lundi matin*, les 2 km (. . .) où il *était* exposé *depuis 6 jours* . . . où se *déroulent* les obsèques . . . Le cortège *est* plus militaire que religieux. Différents corps de troupes . . . *précèdent* quelques popes

> . . . qui *portent* les décorations du disparu. Derrière eux, les évêques de Chypre, menés par celui de Paphos, qui *va célébrer* l'office, *peinent* . . . dans la chaleur qui *accable* Nicosie *depuis l'aube. (M p. 20).*
> la chaleur qui *accable* Nicosie *depuis l'aube.* (M p. 20).

On l'a déjà dit, il n'y a pas nécessairement contradiction entre l'interprétation déictique et l'interprétation déterminée contextuellement, d'autant plus qu'ici les événements énoncés sont explicitement repérés par « ce lundi » comme s'étant déroulé le jour même de la parution du journal. Je pense toutefois que ce prs qui « s'identifie (. . .) à celui des personnes sur le lieu de l'événement » , que F. Atlani considère comme un présent d'énonciation [62], est plus déterminé contextuellement que de façon déictique.

Dans l'exemple suivant de M, le prs est employé aussi bien avec la détermination contextuelle désignant le jour de la parution qu'avec la détermination contextuelle correspondant à la date du journal. Par contre, on a le futur avec « lundi », qui correspond aussi à la date du journal dans le cas d'un numéro de week-end :

(267) Le ministre français des relations extérieures *quitte* Paris, *ce samedi 22 août en début d'après-midi*, pour une visite officielle de 2 jours en Inde. . . M. Claude Cheyson . . . *arrive dimanche 23 août* à New-Delhi . . . Au cours de son séjour, qui *s'achèvera lundi* par une conférence de presse, . . . (M dimanche 23-lundi 24 août 1981 p. 1).

Comme les trois déterminations contextuelles entretiennent entre elles des relations d'ordre, il est exclu que le prs puisse être repéré par rapport à un axe. D'autre part, le prs à valeur $T = \mathcal{C}_o$ a, rappelons-le, la valeur aspectuelle « ouvert ». La détermination contextuelle sélectionne, lorsqu'elle porte sur un procès notionnellement borné, la valeur aspectuelle « compact » qui est incompatible avec la valeur $T = \mathcal{C}_o$ du prs.

Dans de nombreux exemples, le prs est repéré par rapport à une détermination contextuelle de type spatial : l'espace d'un texte. Il s'agit le plus souvent d'introductions de discours rapportés. On retrouve l'équivalence : repérage spatial = repérage temporel = repérage par rapport à un texte, que l'on avait dégagée dans les « textes théoriques » [63].

(268) « (. . .) » *raconte* Marian Anderson *dans son autobiographie* (A p. 11).

(269) *Dans une lettre commune* adressée à (. . .), les deux parlementaires *expliquent que* « (. . .) » (A p. 6).

(270) *Dans son édition datée du 24 août 79*, la revue *Science cite* (. . .) cette phrase de Champlin : (. . .) (L p. 9).

(271) Henri Alleg *raconte dans son livre « La question »* (p. 51) : « (. . .) ». (L p. 20).

(272) *Dans une déclaration rendue publique à Milan*, 47 avocats de cette ville *critiquent* (. . .) (L p. 20).

(273) Le président de cette Université (. . .) nous *a adressé un texte où* il *explique que* (. . .) (M 5/8/81).

(274) Diagnostic confiant *hier* du premier secrétaire du PS, François Mitterand, *sur les ondes de RTL*, qui précise : « (. . .) ». François Mitterrand *note* que

(. . .) Interrogé au sujet de (. . .) François Mitterrand *a répondu* que . . . (A p. 6).

Dans (274), où le texte cité est un texte oral, la détermination temporelle déictique « hier », à valeur T $\neq \mathcal{T}_o$, exclut que le prs puisse avoir la valeur T $= \mathcal{T}_o$. Le dernier verbe est au pc : retour à un fonctionnement déictique des temps.

On trouve aussi le prs lorsque le texte cité est en position de sujet, et non pas de détermination spatiale comme dans les exemples précédents :

(275) *Le quotidien* (. . .) *dénonce vendredi* l'arrestation au Koweit de (. . .). *Le quotidien précise* que (. . .) (L p. 2).

(276) (. . .) garanties que *la presse iranienne de dimanche juge* « contraires à la souveraineté nationale ». (M p. 3)

(277) *L'humanité de lundi fait état de* . . . (M p. 5).

(278) *Le communiqué explique que* (. . .). « (. . .) », *poursuit le communiqué* (L p. 7).

On peut rapprocher de ces exemples ceux qu'on a vus plus haut à propos de « on + dire + que » ((102), (103), (105) et (106) à (110)), dans lesquels le prs n'était pas non plus interprété comme T $= \mathcal{T}_o$. Lorsqu'on a affaire à du discours rapporté, il a nécessairement été produit antérieurement à l'énonciation présente.

Dans quelques exemples, le prs est repéré par rapport à une détermination spatiale qui renvoie à l'espace même du journal :

(279) *Dès aujourd'hui*, il *répond (en page 3)* aux questions de « France-Soir ». (FS p. 1).

(280) Louis Perrin (. . .) *nous donne ici* son point de vue. (F p. 5).

Si dans ces derniers exemples, l'interprétation déictique du prs n'est pas exclue en raison de la présence dans le contexte d'autres déictiques (« aujourd'hui » ; « nous » ; « ici » - cf. plus loin pour les repérages spatiaux), le prs y a-t-il par ailleurs la valeur aspectuelle « ouvert » ?

On peut se demander si la fréquence des prs se référant à des discours écrits cités ne reflète pas une conception atemporelle du texte écrit. Dans ce cas, le prs aurait dans ces exemples la valeur « absence de détermination temporelle » (comme les prs dits « de vérité générale ») plutôt que la valeur aoristique à proprement parler. Ce qui expliquerait que l'on hésite dans certains cas pour déterminer la valeur aspectuello-temporelle du prs.

S'il y a de très nombreux exemples de prs à valeur aoristique dans la presse, le prs n'y est toutefois pas équivalent à un ps [64]. De quel ordre est la différence entre ps et prs aoristique ? On pourrait en rendre compte à l'aide de l'opérateur $\mathcal{T}_o^{\prime}$ (repère-origine fictif) de Culioli [65]. Cet opérateur est construit à partir de $\mathcal{T}_o$ de telle sorte que $\mathcal{T}_o^{\prime} * \mathcal{T}_o$, ce qui rend compte du fait qu'on a à la fois identification formelle au présent (qui n'est pas équivalent au ps) : $\mathcal{T}_0^1 = \mathcal{T}_0$, et valeur aoristique : $\mathcal{T}_0^1 \; \omega \; \mathcal{T}_0$.

On pourra dès lors justifier le rapprochement intuitif qu'on avait fait entre « on » et le prs aoristique.

2. 1. 2. 4. Imparfait à valeur aoristique

On trouve aussi dans la presse des emplois de l'imp. à valeur aoristique. D'après la représentation de A. Culioli [66], la valeur normale de l'imp. c'est d'être repéré par rapport à un repère translaté $\mathcal{T}_0'$, tel que $\mathcal{T}_0' \neq \mathcal{T}_0$, ce qui rend compte du fait qu'il a les mêmes propriétés aspectuelles que le prs à valeur $T = \mathcal{T}_0$, à savoir « ouvert ». L'imp est presque nécessairement repéré par rapport à une détermination contextuelle, soit de type $T \neq \mathcal{T}_0$, soit de type $T \omega \mathcal{T}_0$ (« hier, il faisait froid »; « ce jour-là, il pleuvait »), qui est identifié au repère translaté. Le pc, lui, ne nécessite pas de détermination contextuelle (il est repéré par rapport à $\mathcal{T}_0$), le ps non plus (il est en quelque sorte auto-déterminé).

La différence essentielle entre la valeur normale de l'imp et sa valeur aoristique est d'ordre aspectuel : il a dans un cas la valeur « ouvert », et dans l'autre la valeur « fermé - non-adjacent » (ou « compact »). Si dans le cas du prs aoristique la relation $\mathcal{T}_0^1 * \mathcal{T}_0$ avait la valeur $\mathcal{T}_0^1 = \mathcal{T}_0$ et $\mathcal{T}_0^1 \omega \mathcal{T}_0$, dans le cas de l'imp la relation $\mathcal{T}_0^1 * \mathcal{T}_0$ a la valeur $\mathcal{T}_0^1 \omega \mathcal{T}_0$ et $\mathcal{T}_0^1 \neq \mathcal{T}_0$. (identification formelle à l'imp).

Voici quelques exemples :

(281) ***Après cette fusillade*** le calme ***revenait*** et, ***à 14 h 45***, un policier, M. Simonin (sic), ***réussissait*** à convaincre Fetas de jeter son fusil par la fenêtre. Le déséquilibré ***était aussitôt*** dirigé vers un hôpital psychiatrique. (A p. 13).

Notons que chaque occurrence de l'imp est accompagnée d'une détermination contextuelle non-déictique, exprimant, pour deux d'entre elles, des relations d'ordre (« après . . . »; « aussitôt »), qui ne sont compatibles qu'avec la valeur aoristique de l'imp.

(282) Le chah d'Iran a procédé, le samedi 6 et le dimanche 7 août, à une refonte de son gouvernement. (. . .) le souverain a déchargé en effet samedi, de ses fonctions de 1er ministre, M. (. . .), et a confié à (. . .) la tâche de constituer une nouvelle équipe. Un cabinet de 23 membres *était formé dès dimanche matin*. N'en font plus partie (. . .) (M p. 1).

Si le procès « être formé » était construit avec la valeur aspectuelle « ouvert », on n'aurait pas la détermination contextuelle « dès dimanche matin » mais « depuis dimanche » (exprimant la borne gauche). Par ailleurs, le contexte étant repéré par rapport à $\mathcal{T}_0$ on aurait sans doute le prs et non l'imp.

(283) *Le 27 juillet*, le premier secrétaire du PS *formulait* la même proposition sur les antennes de TF 1 . . . La polémique qui s'est instaurée depuis . . . (M p. 5).

(284) « Nous sommes passés, *disait*-il *en octobre 1973*, de l'économie des forgerons à . . . » (M p. 3 ; article cité en (259))

(285) *Un mois plus tard*, l'organisation terroriste *posait* deux bombes au siège de (. . .) . . . Les GRAPO ont commencé leurs activités en 1975 (. . .). *Le 1er octobre*, ils *tuaient* 4 membres de la police . . . *En décembre 1976, ils enlevaient* le président du Conseil d'Etat (. . .) (M p. 4).

(286) *quelques semaines auparavant*, Amnesty International (. . .) *dénonçait* cette gangrène de la torture qu'un an et demi de loi martiale a relancée en Turquie. (F p. 3).

(287) *Quelques heures plus tard* Dacko *affirmait* le contraire : « (. . .) ». (L p. 7).

(288) Finalement, *en cours d'instruction* (elle fut très rapide puisqu'elle *s'achevait à la fin du mois d'août*), les trois premières inculpations *étaient* abandonnées. (L p. 6).

(289) Mais c'est la fédération nationale de la presse française, bien oublieuse *aujourd'hui* de ses origines, qui *déclarait en 1945*, dans un texte adopté dans l'enthousiasme : « (. . .) ». (Le Monde 1août 81).

(290) A propos des idées de M. Mitterrand, ce journal *écrivait le 25 juillet* : « (. . .) ». (id).

Notons la parenté entre les deux derniers exemples et les exemples au prs (268) à (278). Toutefois, à la différence du prs, l'imp marque une relation $T \neq \mathcal{T}_0$.

En (289), il ne serait pas possible d'avoir le prs au lieu de l'imp à cause de la relation contrastive entre « en 1945 » et « aujourd'hui ».

Il faut également prendre en considération, pour pouvoir rendre compte des imp aoristiques, du type de procès qui est construit à l'imp : un procès notionnellement borné n'est compatible qu'avec l'aspect « fermé » lorsqu'il est déterminé par un adv de type $T \; \omega \; \mathcal{T}_0$, de type $T \neq \mathcal{T}_0$ ou d'ordre (« quelques heures plus tard » ; « quelques semaines auparavant »), sauf s'il y a relation de chevauchement avec un autre procès (comme dans « (hier) il sortait de chez lui, quand je suis arrivée » - et dans ce cas, la détermination contextuelle n'est pas indispensable).

2.1.2.5. Le futur aoristique

Le futur peut également avoir la valeur aoristique. La différence entre la valeur normale du futur et sa valeur aoristique est à la fois d'ordre temporel - on a la relation $T \; \omega \; \mathcal{T}_0$ au lieu de $T \neq \mathcal{T}_0$ - et d'ordre modal - assertion au lieu de « non-certain ».

Un premier exemple dans un article commençant par un pc repéré par rapport à un adverbe déictique (« hier en fin d'après-midi »), puis deux imparfaits, puis une série de prs à valeur aoristique :

(291) . . . Il *est* 17 h 45. Dominique Hayet *est* sur la route de Lyon . . . Il la *dirige alors* sur . . . qui *avait prêté* son téléphone à . . . , et *tire* dans les fenêtres. *Puis* il *recharge* une nouvelle fois, il *tente* de se faire justice . . . Mais Dominique Bayet n'*est* que blessé, il *était, hier soir,* dans un état grave. Une explication peut-être : dans la maison du drame, les inspecteurs . . . *trouveront* un certain nombre de bouteilles d'alcool vides que le forcené *avait vidées pendant l'heure où* il *a parlementé* avec les gendarmes. (F p. 7).

Les pqp sont révélateurs de la valeur aoristique du prs et du futur. L'imp « était » est repéré par rapport à $\mathcal{T}_0$, et construit avec un adverbe déictique (« hier soir »). Le dernier verbe du texte - comme le premier - est repéré par rapport à $\mathcal{T}_0$ (il est au pc).

(292) . . . le journaliste J.T. a pu quitter Buenos-Aires . . . l'ancien directeur du quotidien « La Opinion » a été expulsé vers Israel où sa femme et ses 3 enfants vivent depuis 2 ans.

. . . Jacobs Timmerman . . . *avait fondé au début des années 70* le 1er journal d'opinion du pays. *En 1977*, il *était* accusé de complicité avec le banquier Daniel Graiver . . . Graiver *était mort* dans un accident d'avion au Mexique sans qu'aucune preuve n'ait pu être fournie . . . contre J. T. qui *sera* arrêté *en avril 77*. (L p. 8)

Le début de cet article est repéré par rapport à $\mathcal{T}_0$ (pc et prs). Puis on passe au pqp (nous y reviendrons plus loin), un imp aoristique, et enfin un futur aoristique.

Dans l'exemple suivant, on a d'abord un ps (« ce fut d'abord ») puis un pc (« puis il y a eu »), puis une série de prs aoristiques et enfin des futurs aoristiques, et de nouveau le ps :

(293) . . . C'est *à cette époque* qu'il *rencontre* Bob Ezrin . . . B. E. et Nils Lofgren *passent* de nombreux mois à étudier ensemble. . . C'est *pendant cette période de travail* que les rencontres *vont se succéder*. La première *sera* celle du guitariste . . . Mais c'est la seconde rencontre qui *aura* encore plus d'importance, ce *sera* celle de Lou Reed . . . Bientôt les discussions *commencèrent* . . . (L p. 10).

Les transitions prs aoristique-futur aoristique expriment une relation d'ordre entre les procès énoncés.

Un dernier exemple dans un article dont le titre est au prs aoristique :

(294) *Après 25 h d'audience* - Le tribunal de Bourgoin-Jallieu *prononce* 8 peines d'emprisonnement. (M p. 6).

L'article commence par des pc et imp. Une première occurrence de futur (ambiguë) :

(295) *Dès leur sortie de prison, dimanche 7 août, vers 10 h 30,* 4 inculpés *se sont vu* notifier un arrêté d'expulsion . . . Leurs compatriotes emprisonnés *subiront* le même sort *dès la fin de leur détention*. (id).

Le futur, déterminé contextuellement par « dès la fin de leur détention » (non-déictique), peut-être interprété comme « aoristique et asserté » ou « à-venir et non-certain ». L'interprétation du futur est liée à l'interprétation - du point de vue modal et temporel - de « la fin de leur détention », soit « leur détention a pris fin » (révolu et asserté), soit « quand leur détention prendra fin » (à venir et non-certain). Ce qui fait pencher pour la deuxième interprétation, c'est le contraste entre les déterminations temporelles de « dès leur sortie de prison » («dimanche 7 août, vers 10 h 30 ») et l'absence de détermination temporelle de « dès la fin de leur détention ».

Ensuite une occurrence de futur avec sa valeur normale (cf. (216)).

Ensuite une série de futurs aoristiques :

(296) Certains gendarmes . . . *ont, le lundi, été* « invités à identifier » d'éventuels adversaires . . . D'autres les *ont reconnus* spontanément . . . Pourtant d'autres gendarmes *diront* que . . . Tous *affirmeront* que . . . De même, leur *paraîtra* étrange, le fait que . . . Aussi le défilé des 22 gendarmes *a semblé*, à bien des égards, systématique. Certains d'entre eux, cependant, comme le gendarme Jean Decroix, *ont confessé* que . . . « . . . », *dira* ce témoin. *Alors que* près de la moitié des témoins de l'accusation *avaient été entendus*, un incident *a éclaté*, soulevé par Me Damien Verrier . . . « . . . », *protestera*-t-il . . . . Deux religieuses *apporteront* ultérieurement la confirmation de . . . , mais le président Mannent *ordonnera* . . . que . . . *Après*, cette mesure, certains gendarmes *se montreront* moins à l'aise pour . . . Et plusieurs se *tromperont* carrément de personnage. *Un peu après minuit, devait débuter* l'audition . . . M. Louis Mermaz . . . *avait été* invité à déposer *au début de l'après-midi de samedi.* « . . . » , *dira*-t-il notamment. Plusieurs témoins *affirment* que . . . ou *fourniront* sur . . . des indications contradictoires avec . . . Dernier de ces témoins, M. Michel Bonhomme . . . *dénoncera* « . . . » : « . . . », *observera*-t-il. *Pour le procureur de la République*, la violence *était* du côté des manifestants. « . . . », *dira*-t-il . . . Quelle part de responsabilité *ont* les inculpés dans l'expression de cette violence *?* « . . . », *affirmera* . . . le représentant du ministère public.

On a là un exemple remarquable de série de futurs aoristiques comme on en a pour le présent. Il ne semble, par contre, pas possible de construire des séries similaires d'imp aoristiques. On a noté en (281) que chaque imp était accompagné d'une détermination contextuelle. La différence entre valeur normale et valeur aoristique de l'imp étant uniquement aspectuelle, le risque d'ambiguïté est sans doute trop grand.

Quelques formes de pc au milieu de ces futurs, dont un pc de verbe modal (« a semblé »), qui dissocie la modalisation de $\mathcal{S}_o$, $\mathcal{T}_o$. *A semblé* à qui ?

Ce texte présente une abondance de relations anaphoriques tout à fait remarquable, qui lui assurent un très haut degré de cohérence, et établissent la relation de coréférence entre les procès exprimés au pc et les procès exprimés au futur : « certains gendarmes, d'autres, d'autres gendarmes, tous, leur, les 22 gendarmes, certains d'entre eux, certains gendarmes, plusieurs ; le gendarme J. D., ce témoin ».

Quelle est la valeur du prs qui figure dans la question (« ont ») ? Trace de l'énonciateur qui pose la question ? [67] Question polémique, en relation avec l'énoncé précédent (« la violence était . . . ») qui n'est pas asserté par $\mathcal{S}_o$, mais mis au compte du procureur de la République (si la question, était à mettre au compte du procureur, on aurait l'imp et non le prs) ? La relation entre la question et l'énoncé précédent est marquée par la relation anaphorique « la violence », « cette violence » et « les manifestants », « les inculpés » que le contexte construit comme co-référentiels.

Signalons, pour conclure sur cet article, qu'il se termine, après des pc et des imp, par une question :

(297) **Fallait-il plus de 22 h de débats confus pour aboutir à** ***ce qui paraît bien-être*** **un postulat ?**

Abondance de modalisations dans ce dernier énoncé au présent : outre l'interrogation, la modalité du non-certain marquée par « paraît » et la valeur d'assertion réitérée de « bien » [68].

2. 1. 2. 6. Le plus-que-parfait

Le pqp marque, comme l'imp, une relation de repérage à un repère translaté $\mathcal{T}_0$, qui est identifié à un repère $T \omega \mathcal{T}_0$ ou $T + \mathcal{T}_0$ du contexte. Par opposition à l'imp, sa valeur aspectuelle est « fermé ». Comme le pc, le pqp a la valeur aspectuelle « fermé-adjacent » (et non pas « compact » comme le ps), mais il est adjacent à un intervalle repéré par rapport à un $T \omega \mathcal{T}_0$ ou à un $T = \mathcal{T}_0$ et non pas par rapport à $\mathcal{T}_0$ comme le pc. Comme le pc, le pqp sera donc, selon les types de procès et en fonction des adverbes de temps du contexte, interprété soit comme un antérieur - par rapport au repère - soit comme un état résultant (« il était mort l'année précédente / il était mort depuis un an »).

Le pqp se trouve habituellement dans un texte en relation contrastive : a) avec l'imp, auquel il s'oppose du point de vue aspectuel (le contexte comportant normalement un repère temporel). b) avec le ps, le pqp exprimant un procès auquel correspond un intervalle de temps fermé, adjacent au repère que représente le ps. c) ou avec le pc, et dans ce cas c'est le procès exprimé au pc qui sert de repère. Notons toutefois une différence entre le fonctionnement du ps et celui du pc : le pc étant repéré par rapport à $\mathcal{T}_0$, un procès antérieur peut être exprimé au pqp (« il a mangé le gâteau qu'il avait acheté »), mais il peut être aussi bien exprimé au pc, donc repéré par rapport à $\mathcal{T}_0$ et non pas par rapport au repère que représente le pc (« il est parti hier. La veille il est allé voir sa grand-mère »), et dans ce cas l'antériorité est marquée par un adverbe de temps (« la veille »), par une subordination (« avant de partir, il est allé voir sa grand-mère »), ou pas du tout (« il a mangé le gâteau qu'il a acheté »). Il semble beaucoup plus difficile que deux ps successifs puissent dénoter deux procès dont on aurait inversé l'ordre - celui qui a eu lieu d'abord exprimé en second. On a vu plus haut qu'une succession d'aoristes exprime la succession des procès (« il acheta un gâteau et le mangea »). Cela semble même à peu près impossible si la relation d'ordre n'est pas marquée par un adverbe ou une subordination (* « il mangea le gâteau qu'il acheta »). Par contre une série de pc peut exprimer une série de procès tous repérés par rapport à $\mathcal{T}_0$, mais sans relations d'ordre entre eux. De ce fait, on peut s'attendre à trouver plus de pqp dans les textes d' « histoire » que dans les textes de type « discours ».

Toutefois, les pqp seront fréquemment utilisés en relation contrastive avec le pc, lorsqu'ils ont la valeur « état résultant ».

Comme dans :

(298) . . . 200 à 300 manifestants *ont scandé* des slogans (. . .) Les manifestants, dont les rangs *s'étaient étoffés* (. . .) *ont* ensuite *défilé* . . . (M p. 6).

Le pqp a ici la même valeur que celle qu'aurait un verbe d'état à l'imp, exprimant l'état résultant du processus.

On rencontre dans la presse de nombreux emplois du pqp en relation contrastive avec le ps ou le pc, et l'imp. On va en voir quelques exemples, avant de passer à des emplois plus surprenants.

1. *Le pqp dans un contexte au ps*

(299) Les policiers de . . . arrivèrent sur les lieux. Plusieurs d'entre eux tentèrent de maîtriser le forcené qui fit alors feu sur eux. Un inspecteur fut tué . . . Quatre autres, blessés, purent être secourus . . . L' un d' eux . . . *avait reçu* une décharge en pleine poitrine. (A p. 13).

(300) Côté anglais, on attendait deux grosses vedettes . . . Les seconds . . . ne déclenchèrent que . . . Catégorie punk, les Anglais *avaient dépêché* Damned . . . (M p. 8).

(301) Cette corrida qu'on *avait imaginé* intégrée au spectacle fut comme un rajout . . . (M p. 8).

(302) Les examens pratiqués revélèrent alors . . ., et les autorités judiciaires furent saisies par . . . Ces victimes de tabous anciens . . . *s'étaient-elles rendues coupables* d'un infanticide ? A cette question le parquet répondit négativement : . . . (M p. 20).

(303) Paul Chaudet *fut amené* à démissionner (. . .) *en 1966*. A deux reprises, *en 1959 et 1962*, il *avait été* président (. . .) (M p. 4).

Dans tous ces exemples, les pqp expriment des procès antérieurs aux ps qui les précèdent. Il serait impossible d'avoir le ps au lieu du pqp (ils seraient interprétés comme postérieurs), ou bien il faudrait intervertir l'ordre des énoncés. En (301) et (302) il ne semble pas possible d'avoir le ps, même en modifiant l'ordre des énoncés. En (302) le pqp peut être interprété comme SIL, d'une part à cause de la valeur modale de la question, d'autre part en relation avec l'énoncé suivant « à cette question le parquet répondit . . . » qui fait rétrospectivement apparaître la question comme une question qui fut posée, et non pas comme une question que pose $\mathcal{S}_0$ (si c'était le cas, on aurait, d'ailleurs, sans doute le pc).

2. *le pqp dans un contexte au pc*

(304) *Alors que* près de la moitié des témoins (. . .) *avaient été entendus*, un incident *a éclaté*. (M p. 6 - article cité en (296)).

(305) D'autres les *ont reconnus* spontanément, à l'occasion de tours de garde, qu'ils *ont effectués au cours de la nuit de dimanche à lundi*, pour surveiller les détenus en question. *Avaient-ils pu dévisager* suffisamment les manifestants *au cours des combats* ? (M p. 6).

(306) Dix membres de l'organisation, qui *avaient été exilés* à l'étranger *à la veille des élections*, sont rentrés illégalement en Espagne. (M p. 4).

(307) M. Lionel Jospin . . . a répondu, samedi 6 août, au micro de RTL, aux propos de M. Roland Leroy . . . qui *avait qualifié* de «. . .» les suppositions. . . (M p. 5).

(308) Le tribunal a relaxé MM . . . Le procureur de la république . . . *avait requis* contre tous les prévenus des peines d'emprisonnement . . . (M p. 6).

(309) Le gouvernement a finalement fait ouvrir une enquête. Les commandants de la loi martiale en *avaient* d'ailleurs *lancé* une *dès le mois de mai* à Ankara et Istanbul (F p. 3).

(310) Le président de la République, Elias Sarkis, *a accepté hier* la démission de gouvernement que le premier ministre, Selim et Hoss, lui *avait présentée le 7juin dernier*. Cette démission *avait été présentée, à l'époque*, comme . . . (F p. 4).

(311) La police *a expulsé, lundi matin 8 août* . . . Le jugement d'expulsion *avait été rendu le 14 décembre 1976. Depuis lors*, les appels pour . . . *s'étaient multipliés*. (M p. 20).

(312) « . . . », *a déclaré lundi 8 août* . . . le premier ministre M. Menahem Begin . . . M. Begin . . . *a souligné* que . . . A ce propos M. Begin *a assuré* que . . . Le chef du gouvernement israélien *avait visité dimanche* la frontière libanaise et *avait déclaré à cette occasion* que . . . Il n'*avait* cependant pas *précisé* . . . (M p. 20).

(313) . . . ils *ont vu* le jeune Vénézuélien Johnny Cecotto remporter . . . Vénézuélien d'origine italienne, J. C. *avait été, en 1975*, à 19 ans, le plus jeune des champions du monde. Mais son jeune âge pour une si lourde couronne, son inexpérience . . . lui *avaient fait* baisser les bras, et beaucoup l '*avaient déclaré* fini . . . Avec ses deux victoires de *dimanche* à Brno, il *a fait* la preuve qu'il a beaucoup *appris*. (M p. 11).

(314) La production industrielle, qui *avait fléchi* de 8 % *en 1975, a progressé* de 9,7 % *en 1976, alors que* les effectifs *ont* peu *augmenté*. La productivité, de son côté *s'est accrue* de 10, 8 % *alors qu*'elle *avait baissé* de 2 % *un an auparavant*. La part des salaires rapportée à la valeur ajoutée par l'industrie, qui *avait atteint* 52, 21 % *en 1975, est revenue* à 51,48 % ; enfin l'augmentation du coût salarial par unité produite, qui *avait été* de 19,8 % *en 1975*, n'*a été* que de 4,8 % *en 1976*. (M p. 9).

Les occurrences de pqp dans des contextes au pc sont très nombreuses. La plupart n'y ont pas la valeur « état résultant » à proprement parler, comme (298) ; c'est le cas de (304), où la valeur « état résultant » est sélectionnée par « alors que ». Dans la plupart des exemples, le pqp est accompagné d'un adverbe de temps déterminant le moment du procès. C'est le cas dans tous les exemples sauf (307) et (308). Les déterminations contextuelles sont pour la plupart non-déictiques, quelques-unes sont partiellement déictiques (« le 7 juin dernier » ; « dimanche » ; « dès le mois de mai »). Une seule détermination contextuelle exprime une relation d'ordre par rapport au pc du contexte : « un an auparavant » dans (314). Les pqp sont interprétés comme des antérieurs des pc, d'une part à cause de la relation contrastive pc-pqp, d'autre part à cause de la relation contrastive entre les déterminations contextuelles respectives des pc et des pqp (« hier » / « le 7 juin dernier » en (310) ; « en 1975 » / « en 1976 » en (314)). Toutefois, contrairement aux exemples dans des contextes au ps, le pc ne serait, dans la plupart des exemples, pas impossible. Dans (311)) « depuis lors » établit une relation d'ordre entre les deux procès au pqp : le premier sert de borne gauche au second. Quelle est la borne droite ? le procès au pc

(« a expulsé ») ou $\mathcal{T}_0$? Dans (305), comme dans (302), le pqp peut être interprété comme SIL : une question qui s'est posée alors, et non pas une question que pose $\mathcal{S}_0$ au $\mathcal{T}_0$.

Si les occurrences de pqp accompagnées d'une détermination d'ordre par rapport au pc du contexte sont rares en regard du grand nombre d'exemples de déterminations contextuelles exprimant le moment du procès, on en rencontre toutefois quelques exemples. Dans ce cas, on a affaire à une relation explicite d'antériorité. C'était le cas de l'une des occurrences de (314). En voici quelques autres :

(315) Une expédition britannique . . . *a conquis*, *le 13 juillet*, le pic de l'Ogre . . . Trois tentatives *avaient auparavant échoué*. (M p. 11).

(316) La délégation somalienne *a quitté*, *lundi 8 août*, la réunion à Libreville de la commission . . . « . . . », *a déclaré* M. Jama Barre . . . *La veille*, M. J.B. *avait demandé* que . . . « . . . », *avait alors assuré* un membre de la délégation . . . (M p. 20).

(317) « . . . », *a déclaré* M. Haig, *jeudi 30 juillet*, . . . Le secrétaire d'Etat *avait précisé la veille* . . . que L'URSS avait livré 40 000 tonnes d'armements . . . (M 1/8/81).

Dans certains exemples, la relation pqp-pc ne peut être interprétée ni en termes d'antériorité, ni en termes d'état résultant :

(318) La fraîcheur des rapports entre Washington et Téhéran s' *est manifestée au cours des 5 derniers mois* par plusieurs mesures qui *ont été interprétées*. . . *La plus récente de ces mesures avait été* l'opposition manifestée *fin juillet* . . . De même Washington *hésite*. . . (M p. 1).

(319) Les paysans se sont installés en masse sur leurs terres *le jour où* le fazendeiro *avait promis* d'envoyer sa police. (M p. 2).

(320) M. Jacques Andréani, né en 1929, . . . *a été* en poste à . . . *puis* à Washington . . . . Il *a été chargé* de . . . , *de 1972 à 1974*. Par trois fois, il *a été* à la direction d'Europe, dont il *a été* directeur *en 1978 et 1979*, *avant d* 'être nommé ambassadeur au Caire. *En juin*, il *avait été chargé* de transmettre des messages personnels de M. Mitterrand à plusieurs chefs d'Etat arabes. (M 1 août 81).

(321) . . . M. Ulrich . . . *a commencé* sa carrière diplomatique *en 1948*. . . Il *a occupé* divers postes . . . , *avant de* devenir, *en mai 1974*, le directeur de cabinet du ministre . . . , *puis*, *en 1976*, celui de M. . . . Il *avait été nommé* président d'Antenne 2 *le 7 décembre 1977*. (M 1 août 81).

En (318) on a une relation de chevauchement entre l'intervalle correspondant au pc et celui correspondant au pqp. En (320) et (321) le pqp est explicitement postérieur au pc. En (319) on a une identification entre le temps de référence du pc et du pqp (« le jour où »). Quelle est ici la valeur du pqp ? Aoristique, c'est-à-dire définissant un intervalle de temps fermé sans adjacence ?

Un dernier exemple, dans lequel le pqp a un pc comme contexte-avant et un ps comme contexte-arrière (déjà cité en (245)) :

(322) Sir A.B. . . . *est mort le 6 août* . . . Né en 1884 . . . , Sir A. B. *avait quitté* l'île *à l'âge de 19 ans* . . . et n'*était apparu* sur la scène politique . . . que *peu avant la 2e guerre mondiale*. Il *eut souvent* maille à partir avec . . . (M p. 20).

Les pqp sont, comme dans la plupart des exemples précédents, accompagnés de déterminations contextuelles qui repèrent le procès par rapport à la chronologie objective et non par rapport à un procès du contexte. Le pqp semble ici assurer la transition entre le pc - temps du discours, repéré déictiquement - et le ps - temps de l'histoire - repéré uniquement contextuellement.

3. *le pqp dans un contexte aoristique autre que le ps*

On rencontre le pqp dans des environnements au prs, futur et imp à valeur aoristique. La relation entre le pqp et le prs, futur ou imp est du même ordre que la relation pqp/ps. Et le pqp y est révélateur de la valeur aoristique du temps avec lequel il contraste. On en a déjà vu des exemples : en (292) le pqp figure après un imp aoristique et avant un futur aoristique ; en (291) on a un pqp contrastant avec un prs aoristique et un pqp contrastant avec un futur aoristique. En voici quelques autres :

(323) *Au mois d'octobre 1969, lors d'une réunion du bureau national du SAC*, M. Charles Pasqua *démissionne*, arguant de l'incompatibilité de son mandat parlementaire avec ses fonctions au SAC, dont il *était devenu* le vice-président. (M du 26/27 juillet 81).

(324) *Le 3 juillet dernier*, Jacques Cao Hûu Thien . . . *quitte* un petit bal en plein air où il *s'était rendu*, à Noisy-le-Grand . . . (M p. 15).

(325) L'ancien premier ministre de Bokassa . . . Ange Patassé « sera arrêté dès son arrivée à Bangui », *avait déclaré mardi* Dacko . . . *quelques heures plus tard* Dacko *affirmait* le contraire. (L p. 7).

(326) *Un mois plus tard*, l'organisation terroriste *posait* deux bombes au siège du quotidien madrilène « Diaro 16 » , qui *s'était interrogé* à plusieurs reprises sur la nature de « l'étrange GRAPO ». (M p. 4).

De même, comme on l'a déjà vu, qu'on emploie des imp pour les procès « ouvert » en relation avec un prs aoristique, on emploie le pqp pour les « fermé-adjacent ».

Lorsque l'imp a la valeur aoristique, l'opposition imp/pqp n'a pas la valeur de l'opposition aspectuelle entre « ouvert » et « fermé », mais de l'opposition entre « fermé non-adjacent » et « fermé adjacent ». En (325) elle est interprétée comme une relation d'ordre à cause de la détermination « quelques heures plus tard ».

4. *le pqp dans un contexte au prs*

On trouve de très nombreux exemples où le pqp contraste avec un prs non-aoristique, là où l'on s'attendrait plutôt à un pc (exprimant le « fermé adjacent » par rapport à $T = \mathcal{C}_0$).

(327) Les dirigeants iraniens *conviennent* que . . . *Lors de son passage à Téhéran*, M. Cyrus Vance . . . *avait affirmé* que . . . (M p. 1).

(328) Un cabinet . . . était formé dès dimanche. N'en *font plus* partie une dizaine de ministres . . . dont l'action *avait été* particulièrement *critiquée*. (M p. 1).

(329) Les ministres des affaires étrangères des 22 pays . . . *se réunissent*, *les 1er et 2 août*, . . . , afin de . . . Ils *examineront* la question de . . . La question de la liste *avait été tranchée* à l'issue des deux réunions à Vienne (. . .), *en novembre 1980 et en mars 1981*. (M 1 août 81)

(330) Le taux d'inscription à l'agence, qui *avait connu* une forte progression *entre 1975 et 1976*, *tend* toutefois *aujourd'hui* à se stabiliser. (M p. 9).

(331) Addis-Abeda se *fonde* sur ce principe, tandis que Mogadiscio *invoque* les réserves déjà formulées en 1964 et ne *s'estime* pas lié par . . . *Avant la réunion de Libreville*, le secrétaire général de l'organisation panafricaine *avait déclaré* : « . . . » (M p. 20).

(332) « . . . » : par cette déclaration, le ministère vietnamien des affaires étrangères *vient d'indiquer que* le 2e round du conflit entre Chine et Vietnam *est sur le point de* commencer. L'accusation vietnamienne contre la Chine *répond* aux *déclarations faites mardi* par le délégué américain . . . ; Mr Petree *avait annoncé que* l'armée vietnamienne *a lancé* une offensive . . . (L p. 8).

(333) Le petit galop que la Bourse *avait effectué à la veille du week-end* ne *semble pas avoir trop entamé* ses forces. (M p. 19).

(334) *Dans deux ouvrages*, qui ont formé une demi-génération d'étudiants, Yves Lacoste *avait défini* les caractéristiques du sous-développement. *Ce* travail, le géographe . . . le *prolonge dans* . . . (M 1 août 81).

(335) Qu'en *est*-il en effet ? Cinq sites *sont* certes « suspendus », mais sur trois d'entre eux . . . rien, *jusqu'à présent*, n'*avait été entrepris*. (M 1 août 81).

(336) Cette armée (. . .) *récupère* une part de pouvoir qu'elle *avait perdu depuis 1967* : M. Chadli *rétablit* l'état-major (. . .) il *nomme* vice-ministres deux de ses fidèles . . . (F p. 3).

On trouve même des pqp qui contrastent avec un futur (repéré par rapport à $\mathcal{T}_0$). cf. (329) et :

(337) Ce procès n'*est* pas seulement important par sa longueur . . . Il *fera* date *si*, *comme on l'espère en France*, les magistrats de Chicago acceptent de . . . Il *deviendra* également « historique » *si* le tribunal reconnait la responsabilité de ceux à qui profite le trafic pétrolier, c'est-à-dire les grandes compagnies. Or *celles-ci avaient réussi* . . . à . . . (M 26-27 juillet 81).

(338) Le budget de la défense *augmentera l'an prochain* dans les seules proportions de l'enveloppe générale, et le ministère de M. Hans Apel se *verra* crédité de 1, 7 milliard de marks . . . au lieu des 3 milliards qu'il *avait demandés*. (M 1 août 81).

Dans presque tous les exemples, il y a des relations anaphoriques entre les termes du procès au prs et ceux du procès au pqp, dans la plupart des cas sous la forme de relatives. Dans (332) « le délégué américain » et « Mr Petree » sont co-référentiels.

Le pqp est accompagné d'une détermination contextuelle spécifiant le moment du procès dans la plupart des exemples. En (334) il s'agit d'une détermination spatiale (référence à un texte). Il y a deux exemples comportant une détermination d'ordre, mais par rapport à un préconstruit nominalisé : « avant la réunion de Libreville » (331) et « à la veille du week-end » (333). Faut-il reconstruire une valeur temporelle = « antérieur au prs » pour ces préconstruits ? Dans (332) le préconstruit nominalisé comporte une détermination temporelle, déictique d'ailleurs : « les déclarations faites mardi . . . ». Le pqp qui suit (« avait annoncé que ») se réfère à ce préconstruit. Dans deux cas, la détermination contextuelle spécifie l'une des bornes de l'intervalle fermé : dans (336) la borne gauche (« depuis 1967 ») et dans (335) la borne droite (« jusqu'à présent »), dont on notera qu'elle est identifiée à $\mathcal{T}_0$.

Faut-il, pour interpréter ces pqp, rechercher dans le contexte un procès antérieur à $\mathcal{T}_0$ (exprimé à un autre temps que le prs) ? En (332) le pqp peut être interprété en référence à « vient d'indiquer » plus haut dans le contexte. Ou faut-il reconstruire un procès non-verbalisé mais que le contexte permettrait de reconstruire ? C'est le cas dans certains emplois du pqp dans la langue parlée quotidienne : « je te l'avais bien dit ! ». On reconstruit une relation à un procès qui n'est pas explicite dans le contexte, mais reconstructible dans la situation ou le contexte large.

Il convient aussi de s'interroger sur la valeur de certains prs. Certains procès notionnellement bornés ne sont guère compatibles avec la valeur aspectuelle « ouvert » du prs. C'est le cas des prs en (336) qui ont la valeur $T \omega \mathcal{T}_0$. En (329) également. Quelle est la valeur du prs « répond » dans (332) après les périphrases aspectuelles repérées par rapport à $\mathcal{T}_0$ (« vient de », « est sur le point de ») ? On pourrait le gloser par « est une réponse », c'est-à-dire à la fois un procès non-borné et une opération d'identification construite par l'énonciateur.

Mais quelle est la valeur du pqp quand le contexte ne comporte pas d'éléments permettant de reconstruire un intervalle de temps – autre que $T = \mathcal{T}_0$ – auquel le pqp serait adjacent ? Quand il n'est repéré que par rapport à une détermination adverbiale spécifiant le moment du procès ? Ou quand la borne droite de l'intervalle de temps correspondant au procès au pqp est explicitement $T = \mathcal{T}_0$, comme dans (335) ? Il semble bien que dans tous ces cas – et c'était déjà le cas dans une partie des exemples vus plus haut – le pqp prend la valeur aoristique « fermé non-adjacent » (ou « compact »). Et la fréquence des pqp dans la presse serait peut-être à mettre en relation avec la faible fréquence des ps.

Un « journal » comme *Détective*, dont on pourrait démontrer qu'il est entièrement aoristique, emploie très peu le ps, mais massivement le prs aoristique et . . . le pqp. Des séquences entières sont construites sur l'emploi du pqp :

(339) ***Le lendemain***, ***lors de*** ce repas en tête à tête, il ***avait pris*** brusquement conscience de l'importance que Catherine ***avait acquise*** dans sa vie. ***Longuement***, ils ***avaient parlé***. Pour elle, Raoul ***avait composé*** son menu le plus somptueux. En ne le quittant pas des yeux, elle ***dévorait*** à belles dents . . . ***Ce n'est qu'au café*** qu'elle ***était devenue*** un peu plus grave. Son beau front s' ***était*** même ***assombri***, ***lorsqu'enfin*** son compagnon lui ***avait posé*** la question qui lui ***brûlait*** les lèvres : « . . . ». Elle n' ***avait*** rien ***répondu*** . . . ***C'est alors qu'*** elle s'***était blottie*** contre son épaule et qu'elle ***avait pleuré*** comme une petite fille. ***Un mois*** . . . ***Durant près d'un mois***, ils s'***étaient revus*** . . . ***Enfin***, ***un soir de mai***, tout naturellement, elle ***était restée*** chez lui

. . . etc (notons quelques imparfait pour les « ouvert »). Puis passage au prs (puis au pc) :

Quinze jours avaient encore passé. Quinze jours durant lesquels Raoul *avait mûri* une importante, une grave décision. *En ce soir de fin mai où* ils *dînent* encore une fois face à face dans le restaurant *maintenant* désert, il *résoud* d'en faire part à sa compagne : « . . . ». Il n'*a pu achever* sa phrase. La jeune fille s'*est jetée* à son cou . . . (Détective 28/7/77 p. 6).

Dans tous les cas le pqp marque une distance par rapport à $\mathcal{T}_0$, $\mathcal{S}_0$: a) il est repéré par rapport au repère translaté $\mathcal{T}'_0$. Même si le repère translaté est interprété comme antérieur à $\mathcal{T}_0$, le pqp n'est repéré que de façon médiatrisée par rapport à $\mathcal{T}_0$. b) à défaut de terme identifiable à $\mathcal{T}'_0$ dans un contexte au prs ($T = \mathcal{T}_0$), le pqp prend une valeur aoristique. Dans ce cas on a la relation de non-repérage $T \ \omega \ \mathcal{T}_0$. c) le repère translaté est interprété non pas en termes de temps, mais en termes de translation de la situation d'énonciation (cf. la valeur de SIL qu'avaient les pqp dans plusieurs exemples). Dans ce cas, on identifie $\mathcal{T}'_0$ non pas à un T_2 (le moment du procès) $\neq \mathcal{T}_0$, mais à un T_1 (le moment de locution) $\neq \mathcal{T}_0$. Dans ce cas, la distance n'est plus seulement d'ordre temporel, mais aussi d'ordre modal : ce n'est pas un énoncé asserté par l'énonciateur.

2. 1. 2. 7. De quelques curieux emplois des temps dans « le Monde »

Nous allons envisager, comme dernier problème de repérage temporel, quelques emplois curieux, typiques du journal « Le Monde ». Nous avons déjà relevé la spécificité de fonctionnement de ce journal à propos des adverbes de temps ; spécificité qui tient, rappelons-le, au fait qu'il porte la date du lendemain du jour où il paraît. Ce fait peut être source de flottement dans les repérages : que prend-on comme origine des temps ?

Voyons d'abord quelques exemples d'emploi de la forme *devait* + infinitif :

(340) M. Cyrus Vance (. . .) *devait mener, ce lundi 8 août*, des entretiens avec (. . .) Les conversations *se déroulent* à Taef . . . (M p. 3).

(341) (. . .) il *devait aborder samedi 9 mai* (. . .) *Au préalable* il *aura achevé de* (. . .) en rencontrant *samedi matin* (. . .) Il *avait, vendredi, eu* des entretiens . . . (M du 10/11 mai 1981).

La forme *devait* + inf est le translaté de *doit* + inf. Au prs, la forme repère un procès comme « à-venir » avec la valeur modale « visée » ($p/\bar{p}$) et la modalité pragmatique $\longrightarrow$ S. Translatée, c'est-à-dire repérée par rapport à un repère translaté $\mathcal{T}'_0$ et non plus $\mathcal{T}_0$, elle exprime le prospectif. Conserve-t-elle les mêmes valeurs modales ? Le prospectif dans le révolu n'a pas les mêmes propriétés que l'à-venir par rapport à $\mathcal{T}_0$, qui est toujours du non-certain. *Devait* + inf semble tantôt avoir les mêmes valeurs modales que *doit*, tantôt avoir la valeur modale « certain » et n'exprimer qu'une relation d'ordre (comme dans « il devait mourir dix ans plus tard »).

Ce qu'il y a de curieux dans l'emploi qu'en fait « Le Monde », c'est qu'il est le plus souvent employé pour se référer à un procès explicitement repéré comme « = le jour de la parution du journal », là où on aurait dans d'autres quotidiens « il doit + inf aujourd'hui ». Notons d'ailleurs que dans (340) *devait* + inf est suivi d'un prs se référant au même événement (« des entretiens » et « les conversations » sont co-référentiels). C'est comme si on avait un double repérage : i) c'est encore à-venir par rapport au moment de la parution du journal – a fortiori de l'écriture de l'article – d'où *devoir*. ii) c'est du révolu par rapport à la date du journal, d'où l'imp.

Dans un énoncé comme « La marche qui devait avoir lieu aujourd'hui en Pologne, n'aura pas lieu » (entendu aux informations à la radio) la forme *devait* + inf a la valeur « visée », alors que dans les exemples précédents on l'interprète comme du certain. Le repère translaté prend ici une valeur proche du discours indirect, qui, rappelons-le, est construit sur l'emploi des formes en –ait en français, des formes donc qui sont repérées par rapport à un repère translaté. On pourrait gloser par : on pensait (hier) qu'elle aurait lieu aujourd'hui, mais . . . Dans ce cas le repère translaté n'est pas interprété en termes de temps, mais en termes de situation d'énonciation translatée.

On pourrait faire la même interprétation des futurs antérieurs de (341) et (342) qu'on pourrait gloser par : on pourra dire qu'elle a été. Là aussi on a un double repérage : i) par rapport au moment de la parution du journal, le procès est ouvert (l'issue de l'élection *est encore* incertaine), la borne droite est encore dans l'à-venir, d'où le futur. ii) par rapport à la date du journal, le procès est fermé, d'où le futur antérieur.

(342) Les deux camps *s'attendaient* à un scrutin particulièrement serré. L'élection (. . .), dont l'issue *aura été* incertaine jusqu'au dernier moment, *se sera accomplie* dans le calme. (M du 10/11 mai 1981) [69]

Par contre, l'imp dans (342) n'est repéré que par rapport à la date du journal, ce qui produisait un curieux effet : au moment où les lecteurs parisiens lisent « Le Monde », les deux camps ne s'attendaient pas, ils s'attendent encore, et l'issue de l'élection est encore incertaine !

C'était un dernier exemple de la difficulté à se repérer par rapport à un axe dans un texte écrit, coupé de ses coordonnées énonciatives par définition, même quand une date y fait fonction d'axe. Et ce n'est pas par hasard qu'on y trouve plutôt des déterminations temporelles contextuelles que déictiques.

2. 2. Les repérages spatiaux

Si les repérages temporels déictiques posent problème dans un texte écrit, c'est encore davantage le cas pour les repérages spatiaux, l'énonciateur et les lecteurs n'étant pas dans le même lieu (c'est déjà le cas lorsqu'on parle à quelqu'un au téléphone). D'où la nécessité d'exprimer explicitement les repérages spatiaux. Et si les textes de presse comportent des traces de repérages temporels de type déictique, les repérages spatiaux, par contre, y sont pour l'essentiel de type non-déictique (noms propres de lieu, ou anaphores).

On trouve toutefois quelques occurrences de *ici* dans les textes de presse. Elles renvoient la plupart du temps, même si on peut aussi les interpréter éventuellement comme « le lieu où écrit le journaliste », à une expression spatiale explicite du contexte-avant (parfois arrière), dont on peut considérer *ici* comme l'anaphore, si l'on considère comme anaphorique tout élément linguistique notionnellement vide qui prend une valeur référentielle déterminée par le contexte (par opposition aux déictiques, qui prennent une valeur référentielle déterminée par la situation d'énonciation).

(343) *Alhandra* est situé *au sud de Joao-Pessoa, dans une zone* où (. . .). Même le bambou, *ici*, a chassé les cultures vivrières (M p. 2).

(344) Lors du défilé de dimanche *dans la plaine de Naussac* (. . .) les manifestants étaient environ 5000 contre 30 à 40 000 le 31 juillet sur les collines de Faverges. Il n'y a pas eu *ici*, à la différence de ce qui s'est passé en Isère, ni mise en condition (. . .) (M p. 7).

(345) Doublé de Johnny Cecotto *en Tchécoslovaquie* (titre). Les pilotes ont été parqués *à l'extérieur de Brno*. Très vite, ils ont attiré la foule des curieux (. . .). Les coureurs représentent *ici* plus que (. . .) (M p. 11).

(346) *Le cimetière de Ste Geneviève des Bois* est une forêt (. . .) 10 000 Russes sont enterrés *ici*. (M p. 16).

(347) Mais la crise a atteint *Montpellier*. Le chômage sévit *ici*, comme ailleurs. (A p. 5).

(348) Ainsi *dans la vallée des 1000 Bouddhas, en plein Shangtong*. Le responsable des recherches archéologiques confond peut-être l'ordre des dynasties qui ont laissé *ici* leurs empreintes depuis 15 siècles, mais (. . .) (F p. 2).

(349) Parce que tout a commencé *là, sur cette lande écossaise*. Tout est né *ici*, officiellement le 17 mai 1754, *à St Andrews - sur la côte en face à 10 miles de Muirfield.* (F p. 15).

(350) *Dans le 15e arrondissement*, la campagne électorale a commencé. *Ici, à l'ombre des tours du Front-de-Seine*, le duel qui (. . .) (A p. 5).

(351) *En Corse*. (. . .) *sur ce piton rocheux de Pigna* (. . .). Ils ont (. . .) révélé aux autres la beauté sévère des choses d'*ici*. (. . .) un art de vivre dont on a douté qu'on fût *ici* capable. (. . .) *Ici, sur une aire où* l'on ne bat plus le blé, deux frères égyptiens hurlent à la nuit (. . .) (M p. 8).

(352) *Ici*, une sculpture-machine de Stenberg ressemble à une grue de chantiers (M p. 12 - Exposition - « Le constructivisme (. . .) », au musée d'art moderne de la ville de Paris).

On l'a déjà vu à plusieurs reprises : l'interprétation déictique d'un terme et son interprétation déterminée contextuellement ne sont pas nécessairement contradictoires. Et on pourra rendre compte de la valeur de ces *ici* avec la relation composite notée *. On a donc $\text{Sit}_2 * \text{Sit}_0$, c'est-à-dire à la fois $\text{Sit}_2 = \text{Sit}_0$ et $\text{Sit}_2\ \omega\ \text{Sit}_0$.

Si dans nos exemples la valeur ω (de non-repérage) semble plus prégnante que la valeur $=$ (d'identification), c'est que, d'une façon générale, les textes comportent peu de traces d'opérations de repérage par rapport à la situation d'énonciation, et en particulier pas de terme identifiable à l'énonciateur (*je*). Notons en (349) le fait que *ici* fonctionne de la même façon que *là* : ils sont identifiés à la détermination spatiale du contexte. (Sit_2 ω Sit_0).

Nous avions vu à propos des emplois de *nous* un exemple dans lequel *ici* était employé en corrélation avec *nous* (cité en (60)) :

(353) Louis Perrin (. . .) *nous donne ici* son point de vue.

Ici y est interprété comme renvoyant à l'espace même du journal, de même que les *ci-dessous* des exemples (31) et (32). L'espace du journal fait fonction de situation de référence implicite commune aux journalistes et aux lecteurs. Dans le cas des repérages spatiaux, ce n'est qu'en référence à l'espace du journal qu'on rencontre des déictiques purs (non-identifiés à un terme du contexte). C'est aussi en référence à l'espace du journal que peuvent être interprétées des expressions comme « de gauche à droite » que l'on rencontre dans les journaux qui comportent des photos.

Dans certains cas, *ici* n'est pas interprété dans un sens spatial, comme par exemple dans :

(354) Car le danger, *ici*, n'est plus lié à l'éclatement d'une guerre . . . (M p. 7).

Ici est interprété dans ce cas en référence au texte même dans lequel il figure. On pourrait le gloser par : au point de mon discours où nous en sommes. Cas particulier de renvoi à l'espace du texte (qui, dans ce cas, pourrait ne pas être écrit).

3. LES OPERATIONS DE MODALISATION

Le problème de la valeur modale des énoncés a été abordé à plusieurs reprises dans le cours de ce travail. Nous ne le développerons pas ici, et nous nous contenterons de quelques remarques.

Les textes de presse comportent de nombreuses traces d'opérations de modalisation autres que l'assertion pure. De ce point de vue, ils se distinguent des textes d'histoire qui ne comportent que très peu de modalisations autres que ce « degré zéro de la modalité » [70].

D'autre part, ces modalisations ne peuvent que très rarement être mises au compte d'un énonciateur explicitement identifiable à un terme de l'énoncé, vu la rareté des formes de 1ère personne. De ce point de vue, la presse quotidienne contemporaine se distingue considérablement des articles de H. Heine réunis dans *Lutezia*, qui comportent de très nombreuses formes de 1ère personne (*ich* ou *wir*) presque toutes en position de sujet de verbes de dire ou de penser, donc explicitement reliées aux modalisations des énoncés. Si Heine ne parle guère plus de lui dans ces textes que les journalistes de la presse quotidienne contemporaine, il y apparaît, par contre, explicitement comme « asserteur ». L'effacement (ou la non-manifestation) de l'énonciateur comme support des valeurs modales a incontestablement un effet idéologique d' « objectivité », ou à l'inverse, l'introduction de *je* comme support des valeurs modales a un effet de « subjectivité ». Que l'on compare de ce point de vue 1) Pierre est arrivé hier, 2) Pierre a pu arriver hier ; il paraît que Pierre est arrivé hier, 3) je pense que Pierre est arrivé hier. 1) est l'énoncé qui paraît le plus « objectif », 2) paraissent moins « objectifs » parce qu'ils sont modalisés comme du « noncertain » et 3) apparaît comme plus « subjectif » en raison de la relation au *je*. Il serait intéressant de regarder s'il a pu y avoir une évolution historique des modes de construction des textes de presse.

Enfin, alors même qu'on avait provisoirement laissé de côté les problèmes de discours rapporté, ainsi que de la valeur du conditionnel dit « journalistique », on a été amené à poser la distinction locuteur/énonciateur à propos de l'interprétation de *on* et du plus-que-parfait, qui obligent à envisager le cas où le locuteur se distingue de l'énonciateur, soit parce qu'on a du discours rapporté ($S_1 \omega \mathcal{S}_0$), soit parce qu'on est amené à construire un locuteur fictif ($S_1 * \mathcal{S}_0$).

CONCLUSION

Au terme de cette analyse des modes de construction textuelle de la presse quotidienne écrite, on peut dire que les opérations de référenciation y reposent essentiellement sur des déterminations contextuelles. Si les textes de presse comportent des déictiques, ils sont construits - par l'énonciateur - et interprétés - par les lecteurs - en relation avec des déterminations contextuelles, soit dans le sens restreint du terme, soit en référence au contexte large (le numéro entier du journal), même s'ils peuvent être interprétés *aussi* - et s'ils sont construits - en référence à la situation d'énonciation. Ainsi *je*, dans un article de journal, sera identifié par le lecteur à la signature, même s'il est aussi compris comme une identification à l'énonciateur ; *ici* est identifié aux déterminations spatiales du contexte, même s'il peut être interprété - et construit - comme une identification à la situation d'énonciation de l'énonciateur ; quant aux repérages temporels, ils sont fondamentalement construits en fonction des déterminations contextuelles du contexte strict et du contexte large (la date que porte le journal), et on a vu que, s'ils sont interprétés aussi en termes déictiques, c'est cette fois en fonction de la situation du lecteur et non pas de la situation de l'énonciateur - l'énonciation étant nécessairement antérieure à la lecture, comme dans tout texte écrit [71].

Ce n'est d'ailleurs le cas que lorsque la lecture a lieu le jour de la parution du journal : lorsqu'on lit un « vieux » journal, les repérages temporels ne peuvent plus être interprétés en termes déictiques, mais uniquement en fonction des déterminations contextuelles.

On a vu par ailleurs que les formes de déictiques sont rares dans la presse, à l'exception des déictiques temporels ; or les journaux comportent toujours au minimum la date qui fait fonction d'axe de repérage, et qui permet d'interpréter ces déictiques.

Finalement, les repérages les plus déictiques dans leur fonctionnement sont peut-être ceux qui sont marqués par le déterminant du nom (« le premier ministre »), dans la mesure où ils reposent sur une extraction situationnelle (même s'ils sont également déterminés du point de vue temporel par la date du journal).

On assiste donc à un glissement de la valeur des formes, qui, d'un mode de fonctionnement déictique, passent à un mode de fonctionnement par rapport au contexte [72]. On peut distinguer deux cas : 1) celui où la détermination contextuelle est contradictoire avec une interprétation déictique (par exemple, le présent dit « historique ») et 2) celui où la détermination contextuelle n'exclut pas une interprétation déictique. Dans le premier cas, la forme peut être considérée comme ambigüe - susceptible de deux interprétations qui s'excluent mutuellement -, dans le deuxième cas, elle peut être considérée comme ambivalente - les deux interprétations sont compatibles [73]. Toutefois on peut considérer que la détermination contextuelle prévaut toujours sur la détermination déictique [74]. Dans le premier cas, c'est la détermination contextuelle qui exclut l'interprétation déictique, et jamais l'inverse. D'autre part, il est des cas où c'est l'absence de détermination contextuelle qui impose une interprétation déictique. Enfin, les formes déictiques peuvent rester ininterprétables dans un texte écrit si elles ne sont pas mises en relation avec des déterminations contextuelles.

Ce qui caractérise les textes de presse, comme type de textes écrits particuliers, c'est 1) qu'ils comportent des traces d'opérations de repérage qui peuvent être interprétées comme déictiques (même si les repérages sont essentiellement de type contextuel), par opposition à des textes purement « historiques », dans le sens de Benveniste, qui ne comportent aucun déictique ; 2) que les déictiques n'y fonctionnent pas comme dans un texte littéraire de fiction, dans lequel, on l'a déjà vu, ils peuvent n'être référés qu'à eux-mêmes, et non-identifiables dans un extérieur au texte, alors que dans la presse, ils sont repérés par rapport à des déterminations contextuelles qui permettent de leur attribuer une valeur référentielle dans un univers de discours extérieur au texte. Il y a donc des traces linguistiques dans les textes du fait qu'ils parlent de « réalité » ou de « fiction ». Dans ce dernier cas, les objets référentiels n'ont pas d'existence en dehors du texte qui les construit, alors que, dans le premier, ils doivent pouvoir être repérés dans la « réalité » extralinguistique extérieure au texte. D'autre part, si les déictiques employés dans la presse sont surtout des déictiques temporels, c'est que la presse parle de l' « actualité ». Enfin, si les formes de personne y sont quasi-absentes, ce n'est peut-être pas uniquement par souci d' « objectivité » (ou d'apparence d'objectivité), mais parce que le texte ne s'inscrit pas dans une relation interpersonnelle (et là, on pourrait comparer la presse à la correspondance écrite) : il n'y a subjectivité que dans la mesure où il y a intersubjectivité, il n'y a de *je* que par rapport à un *tu*.

Notes

1. Dans « Les relations de temps dans le verbe français », in *Problèmes de linguistique générale*, Paris, Gallimard, 1966.

2. J. Simonin-Grumbach, « Pour une typologie des discours » in *Langue, discours, société, Pour Emile Benveniste*, Paris, Seuil, 1975, pp. 85-121.

3. CF. L. Danon-Boileau, *Enonciation et référenciation dans les textes littéraires français et anglais*, thèse de doctorat d'Etat, Université Paris VII, 1980.

4. Cf. O. Ducrot et T. Todorov, *Dictionnaire encyclopédique des sciences du langage*, Paris, Seuil, 1972, p. 409.

5. Id. p. 408.

6. Dans le présent ouvrage.

7. Nous reprenons les termes de « temps relatif » ou « ordre » à R. Jakobson, « Les embrayeurs, les catégories verbales et le verbe russe », in *Essais de linguistique générale*, Paris, Minuit, 1963.

8. Pour les opérations d'extraction, fléchage et parcours, cf. Culioli, Fuchs, Desclés « Considérations théoriques à propos du traitement formel du langage », in *Documents de linguistique quantitative* 7, Dunod, 1970.

9. Op. cit, p. 302.

10. Cf. par exemple Lyons, J, *Introduction à la linguistique théorique, traduction* française, Larousse, 1970 p. 235 : « Il (le mode) se définit par rapport à une classe non-marquée de phrases qui expriment de simples affirmations de fait, neutres quant à l'attitude du locuteur envers ce qu'il est en train de dire. Les phrases déclaratives simples de ce type sont, à proprement parler, non-modales (non-marquées quant au mode) ».

11. « Les relations de temps dans le verbe français », p. 242.

12. *Ibid.*

13. Cf. Cerquiglini, B. , *La représentation du discours dans les textes narratifs du Moyen-Age français*, Thèse de doctorat d'Etat, Université de Provence, juin 1979, qui emploie cette expression à propos du style indirect libre (p. 268).

14. F. Atlani, *Approche linguistique du fonctionnement discursif : un exemple, la presse écrite*, thèse de 3e cycle, Université Paris VII, 1981, p. 42.

15. Nous reprenons dans ce travail un certain nombre de concepts et de notations empruntés à A. Culioli :

- les lettres « droites » (E, S, T) notent les termes de l'énoncé.
- les lettres « bouclées » ($\mathcal{E}$, $\mathcal{S}$, $\mathcal{T}$) notent les coordonnées de la situation d'énonciation, dans la mesure où il est nécessaire de les construire comme repère pour pouvoir attribuer une valeur référentielle à un terme de l'énoncé. Par exemple, *je* dans un texte sera identifié à $\mathcal{S}_o$, même si cet énonciateur n'est pas identifiable en tant que personne extra-linguistique.
- la relation entre un élément droit et un élément bouclé peut avoir quatre valeurs :

$=$ identification.
$\neq$ différent de (mais repéré par rapport à).
ω relation de rupture ou de non-repérage entre les deux termes.
$*$ peut avoir la valeur $=$ et/ou $\neq$ et/ou ω.

16. Sur l'emploi des guillemets, cf. J. Authier, « Paroles tenues à distance », Actes du colloque *Matérialités discursives*, Paris X, Avril 1980, Presses Universitaires de Lille 1981

17. J. Simonin-Grumbach, « Pour une typologie des discours », op. cit.

18. Nous reprendrons la distinction que fait A. Culioli entre énonciateur et locuteur, à propos du discours rapporté (dans le même sens que F. Atlani - op. cit.). Le locuteur se distingue de l'énonciateur dans les cas de discours rapporté, mais aussi, on le verra plus loin, lorsqu'on est amené à construire un locuteur fictif.

19. Benveniste, E. « Structure des relations de personne dans le verbe », in *Problèmes de linguistique générale* I, p. 235.

20. Nous n'envisagerons pas ici les critères qui permettraient de distinguer un discours didactique d'un discours théorique.

21. Cf. F. Atlani, op. cit, p. 52.

22. Cf. par exemple le début de *Thérèse Desqueyroux*, cité dans « Pour une typologie des discours » (p. 108) : « L'avocat ouvrit une porte ». Quel avocat ?

23. Quand je parle de la « presse », j'entends la presse quotidienne d'information, car certains journaux fonctionnent de ce point de vue – et également dans leur emploi des temps, on le verra plus loin – comme du texte « littéraire ». L'ex- « Détective », par exemple, emploie systématiquement des *le N* (voire *il* ou *elle*, très fréquents dans les titres), qui ne sont pas anaphoriques, et qui ne peuvent pas non plus être interprétés en référence à la situation d'énonciation. Les titres de « Détective » du 28 juillet 1977 comportaient :

- *Les* deux sadiques *de Chalons* étaient des pères de famille tranquilles.
- Tous ses amants fuyaient *la* star du sexe.
- *Le* faux incurable entraîne son épouse dans la mort

Tous les autres titres étaient formulés en pronoms de 3ème personne (« *il* castre l'amant de sa femme » . . .). Dans tous les cas il est impossible d'attribuer une valeur référentielle à ces syntagmes nominaux, qui sont par ailleurs de moins en moins déterminés.

24. Cf. « That is the question », ici-même.

25. C'est également la fréquence et les particularités de *on* dans son corpus de presse qui ont amené F. Atlani à inclure l'étude de *on* dans sa thèse (op. cit.). Je m'y référerai dans le cours du développement. Cf. également « *on* l'illusionniste », ici-même.

26. Qui ont servi de corpus à A. Grésillon et J.L. Lebrave ; cf. en particulier ici-même.

27. Principalement de M, F et L, qui sont les seuls journaux dans lesquels j'ai fait des relevés systématique : 118 occurrences dans M, 71 dans F et 76 dans L (si *Le Monde* comporte moins de pronoms personnels que les autres journaux, il comporte davantage de *on*. . .).

28. *Bien* est la trace d'une opération de ré-assertion, quant à *voulu*, on le rapprochera des phénomènes de reprise dans les questions en « pourquoi veux-tu que » analysées par J. et J. C. Milner dans « Interrogations, reprises, dialogue », in *Langue, discours, société*, op. cit, p. 122-148.

29. Op. cit, p. 179.

30. Cf. Culioli, A., « Valeurs aspectuelles et opérations énonciatives : L' aoristique » in J. David et R. Martin éd., *La notion d'aspect*, Actes du colloque de Metz (1978), Klincksieck, 1980, p. 181-193.

31. Cf. Culioli, A., « Valeurs modales et opérations énonciatives » in *Le Français Moderne*, I. 46, Vol. 4, 1978, p. 300-317.

32. Id. p. 20.

33. On peut rapprocher des constructions avec *on* les constructions impersonnelles où le verbe est employé sans sujet du tout.

L'absence de sujet est-elle interprétée dans tous ces exemples comme un parcours ? Dans (119) le parcours est restreint à la classe des personnes qui ont fait « une lecture attentive des commentaires de la presse soviétique ». Dans (118) on rétablira *je* comme sujet du verbe de dire *parler de*, qui supporte une modalisation (on pourrait gloser : je parle de et il le faut). Dans (121) on ne peut pas interpréter les deux *dire* de la même façon : le 2ème est référé à *raisonnement*, et on ne peut remplir la place vide du sujet que de manière co-référentielle avec *on*. Le 2ème *dire* exclut l'énonciateur, alors que le premier peut l'inclure. La distanciation (ou la rupture) de l'énonciateur par rapport à la place de sujet du 2ème *dire* et à *on* est marqué par l'emploi des conditionnels.

Notons qu'il s'agit de verbes qui, notionnellement ne peuvent admettre que de 'l'humain' en position de sujet.

34. Op. cit, p. 197.

35. Il resterait à rendre compte de la différence entre cette reprise et un discours rapporté au discours direct (cf. ce que dit A. Culioli sur *que* « qui est image du premier énonciateur et représente donc l'acte assertif du $\mathcal{S}_0$ origine de toute énonciation ». (« Sur quelques contradictions en linguistique », *Communications*, 20, Paris, Seuil, 1973).

36. Cf. J. C. Milner, *L'amour de la langue*, Paris, Seuil, 1978, p. 120.

37. Cf. A. Culioli, « Valeurs modales et opérations énonciatives », op. cit, p. 23.

38. Par contre, dans *on ne sait pas que* ou *on sait si* - pas d'occurrence dans le corpus *on* ne pourrait recevoir qu'une interprétation qui exclue l'énonciateur. De même *on peut savoir que*. Ces constructions ne semblent guère possibles qu'avec une détermination contextuelle qui détermine la valeur de *on*, du type : *on sait (certainement) à Moscou si* . . .

39. Ce n'est pas le seul emploi du subjonctif marquant la reprise - et non pas le non-certain - en français. C'est également le cas avec les modalités appréciatives (je suis heureuse/il est heureux que Pierre soit venu). Ces emplois seraient peut-être à rapprocher du subjonctif marquant le discours indirect (ou le style indirect libre) en allemand.

40. En (132) le présent a la valeur aoristique, sélectionnée par les adverbes *tout à coup* et *aussitôt* ; d'autre part, c'est le seul exemple où le premier *on*, sujet d'un verbe opérateur, est suivi d'autres *on*, sujets de verbes n'introduisant pas de complétives ; on le reverra donc en 1. 3. 2. ; *on* n'y a pas la valeur « parcours ».

41. La frontière n'est pas tranchée entre phénomènes de modalisation et phénomènes de discours rapporté ; cf. le conditionnel dit « journalistique », et également certains emplois de *sollen* et *wollen* en allemand.

42. Cf. J. Simonin-Grumbach, « Pour une typologie des discours », op. cit, p. 117 « les modalisations autres que le degré zéro y (dans l'histoire et les textes théoriques) apparaissent le plus souvent liées à des relations entre énoncés, du type : p probable, puisque q, ce qui confère à ces modalisations une apparence de logique qui vise à l'effacement de z ».

43. Les nominalisations représentent, par rapport aux complétives, un degré de plus dans la non-assertion. Il y en a de nombreux exemples dans le corpus ; avec des verbes de dire :

- (142) (. . .) car *on fait remarquer à l'Elysée* l'ampleur du déficit. (F p. 4)

avec des verbes impliquant le caractère « certain » de la proposition objet :

- (143) et l'*on se souvient* de sa victoire (. . .) dans la transat en double de 1979. (F p. 15)

- (144) Ces grèves interviennent au moment même où *on constate* dans le pays un regain de confiance (FS p. 4)

44. Si, comme l'écrit F. Atlani (op. cit, p. 198) « le journaliste est censé être sur le lieu de l'événement », le texte n'en comporte habituellement pas de traces, si ce n'est peut-être *on* qui permet d'inclure l'énonciateur dans ses valeurs référentielles, ce que ne permettrait pas une forme de 3ème personne.

45. Comme le formule F. Atlani (op. cit, p. 192) , à propos d'exemples d' « histoire » comme « les monnaies d'or furent longtemps regardées avec suspicion par les romains. On leur reprochait de . . . » (Grimal) : « Des énoncés qui admettraient un « ils » et qui sont formulés en « on » apparaissent plus « subjectifs » ».

46. Sujet de verbe + que, ou de verbe n'introduisant pas de complétive.

47. Cf. en particulier, « Valeurs modales et opérations énonciatives », op. cit. p. 15-16.

48. En dehors des exemples déjà cités, il y a de nombreuses occurrences de *on* + *pouvoir* (+ condit.) dans le corpus :

- *On pourrait* en discuter (M p. 6).

- . . . ce qu'*on pourrait* appeler . . . (id).

- *On pourrait* ainsi multiplier les exemples (M p. 10) (Sic !).

- *On peut* ne pas être d'accord avec . . . (F p. 5).

- *On peut* toujours présenter un drame de façon excessive (M p. 20).

49. Cf. « Valeurs aspectuelles et opérations énonciatives : L'aoristique », op. cit. Cf. également plus loin à propos du présent à valeur aoristique.

50. Op. cit, p. 46.

51. Op. cit, p. 48-49.

52. « Pour une typologie des discours », op. cit, p. 96-97.

53. Cf. plus loin à propos de *devait* + infinitif.

54. On retrouvera en 2. 1. 2. ce flottement dans M à propos de certains emplois des temps.

55. Cf. A. Culioli, « Valeurs aspectuelles et opérations énonciatives : L' aoristique », op. cit., en particulier p. 186 à 189. Lorsqu'on a une relation $T \omega \mathcal{C}_0$, « l'intervalle borné fermé est compact. Son complémentaire ne comprend pas la frontière et est disjoint ». (p. 187).

56. Id. p. 14 « l'intervalle à droite du fermé est ouvert et adjacent. C'est cet intervalle ouvert que l'on appelle état résultant ».

57. Cf. par exemple A. Grange, « La dialectique récit-discours dans la stratégie de la persuasion » in *Stratégies discursives,* Presses Universitaires de Lyon, 1978 : « Beaucoup plus rarement trouverait-on l'emploi du passé simple : il ne relève en fait que d'un système de prestige qui vise à créer la distance maximum entre locuteur et destinataire, en soulignant l'appartenance du texte à un niveau intellectuel « relevé » ; aussi est-il plus fréquent dans « Le Monde » que dans « Paris-Match », même quand il arrive à ces deux journaux de traiter la même information » (p. 251).

58. On pourrait opposer d'autre part ces emplois de *être* au ps aux emplois de *être* comme verbe opérateur, qui sont, eux, toujours au prs (éventuellement à l'imparfait, mais jamais au ps) ; cf. p. plus haut à propos de *c'est . . . que.* Par exemple :

- Par quel miracle la musique de Beethoven a-t-elle ce pouvoir de (. . .) ? *C'est qu*'elle dépouille l'anecdote et va droit à l'essence du drame (. . .). *Ce fut* éclatant à Orange (. . .) (M p. 13).

59. Op. cit, p. 46 .

60. Op. cit, p. 48-49 .

61. Le SIL n'étant marqué ni syntaxiquement (comme le DI) ni par les guillemets (comme le DD), les frontières entre ce qui est rapporté et le discours de $\mathcal{S}_0$ ne sont pas nettes, d'autant plus qu'on n'a ici aucune marque formelle - rupture dans l'emploi des temps par exemple - de rupture entre le SIL et son contexte. En dernière instance, l'in-

terprétation ne repose que sur le sens des énoncés.

62. Op. cit, p. 200.

63. J. Simonin-Grumbach, « Pour une typologie des discours », op. cit, p. 111.

64. De même que « on » n'est jamais équivalent à « nous ».

65. « Valeurs aspectuelles et opérations énonciatives », op. cit.

66. « ... L'aoristique » op. cit.

67. Sur le statut des questions dans un texte écrit, cf. A. Grésillon et J.L. Lebrave, ici-même.

68. A propos de « bien », cf. A. Culioli, « Valeurs modales et opérations énonciatives », op. cit.

69. Je remercie J.M. Atlani d'avoir attiré mon attention sur cet exemple le 9 mai 1981.

70. Cf. « Pour une typologie des discours », op. cit.

71. Rappelons à ce propos qu'il convient de poser les problèmes de fonctionnement des déictiques en termes d'intersubjectivité et non de subjectivité : un énoncé doit être construit de manière telle que l'interlocuteur puisse reconstruire les mêmes valeurs référentielles que l'énonciateur, voire même puisse attribuer des valeurs référentielles tout court. Dans le cas d'un texte écrit, le fonctionnement des catégories déictiques pose problème puisque, par définition, l'énonciateur et l'interlocuteur ne sont pas dans la même situation, en particulier pas dans la même situation temporelle. Un repérage temporel déictique dans un texte écrit se réfère donc soit au moment de l'écriture, soit au moment de la lecture (cf. « Pour une typologie des discours », pour le fonctionnement des repérages temporels déictiques dans la correspondance).

72. On pourrait peut-être rapprocher ce phénomène en synchronie de phénomènes diachroniques : lorsqu'une forme déictique devient anaphorique - par exemple le passage du démonstratif latin à l'article français -; et l'évolution semble toujours se faire dans ce sens.

73. On pourra rapprocher ces cas d'ambivalence des cas où une relative n'est pas interprétée comme restrictive *ou* appositive (cf. par exemple A. Grésillon, « Problèmes liés à la définition et à la reconnaissance de deux types de relatives », in DRLAV Papier numéro 9, mars 1974). On pourra également se référer à propos de l'ambivalence aux travaux de J. Milner sur la question.

74. C'est également ce que démontre L. Danon-Boileau dans « That is the question », ici-même.

Table des matières